Fils de l'eau

Michelle Paver

Fils de l'eau

Traduit de l'anglais par Bertrand Ferrier

Chroniques des Temps obscurs

1. Frère de Loup
2. Fils de l'eau

Ce livre a été publié, pour la première édition,
par Orion Children's Books,
une division d'Orion Publishing Group Ltd, Londres,
sous le titre *Chronicles of Ancient Darkness*
SPIRIT WALKER

UN

Le soleil miroitait sur la haie de saules touffus. Soudain, le rideau d'arbres s'écarta, et elle apparut de l'autre côté du ruisseau.

C'était une femelle aurochs. Plus grande qu'un homme de haute taille. Pourvue de gigantesques cornes incurvées, propres à éviscérer un sanglier. Si elle chargeait, Torak était en très mauvaise posture.

Par malchance, il était sous le vent. Il retint son souffle en la voyant froncer sa gueule massive pour humer son odeur. Elle renâcla. Gratta la terre avec un sabot monstrueux.

C'est alors que le garçon remarqua son petit qui émergeait de derrière les saules. Son estomac se serra. Les aurochs sont des créatures paisibles. Sauf quand ils ont des petits.

Sans un bruit, Torak recula dans l'ombre. L'aurochs l'avait repéré ; mais, s'il ne l'avait pas effrayée, elle ne l'attaquerait peut-être pas. Il s'immobilisa : de nouveau, l'animal avait renâclé. D'un mouvement de corne, elle avait fouetté les hautes herbes qui l'entouraient. Le sort du garçon se jouait à cet instant précis.

La femelle s'étala dans la boue. Torak frissonna de soulagement : elle avait compris qu'il ne la chassait pas. Elle allait le laisser tranquille.

Le petit aurochs s'approcha de sa mère, glissa, tenta de se rattraper... et bascula. Sa mère leva la tête. Du museau, elle le remit sur pattes puis se roula sur le dos pour son plus grand plaisir.

Accroupi derrière un genévrier, Torak se demanda ce qu'il devait faire. Fin-Kedinn, le chef du clan, l'avait envoyé chercher un tronc de saule qu'il avait laissé à tremper dans le courant. Le garçon ne voulait pas rentrer au campement sans avoir accompli sa mission. Et il ne voulait pas non plus mourir piétiné par un aurochs en fureur.

Il décida d'attendre que le mastodonte s'éloignât.

On était aux premiers jours de la Lune Sans Obscurité. Une chape de soleil assommait la Forêt. Le chant d'un oiseau se réverbérait dans les frondaisons. Une chaude brise du sud parfumait l'air d'une douce senteur d'agrume. Peu à peu, les battements de cœur de Torak se ralentirent. Le garçon entendit des verdiers se disputer à grands cris de la nourriture dans un buisson de noisetiers. Tournant la tête, il avisa une vipère lovée sur un rocher. Il essaya de ne plus penser qu'au serpent. Mais, malgré ses efforts, c'est un autre animal qui accapara son esprit.

Loup.

Loup devait avoir pratiquement atteint l'âge adulte à présent. Que restait-il en lui du petit louveteau que Torak avait connu – ce petit animal qui tombait, maladroit, et quémandait des baies à son nouvel ami humain[1] ?

Le garçon ne voulait pas penser à lui. C'était trop douloureux. Loup était parti. Il ne reviendrait pas. Jamais. Torak devait se concentrer sur l'aurochs. Sur la vipère. Sur ce qui...

Le garçon sursauta. Il venait de voir un chasseur.

L'homme était sur la même berge que Torak. À vingt pas en amont. Face au vent. L'aurochs ne pouvait pas le repérer. L'ombre était trop dense pour qu'on distinguât ses traits ; cependant, Torak vit que, comme lui, le chasseur portait un gilet sans manches en peau de chèvre, un pantalon qui lui arrivait aux genoux et des bottes en cuir brut. Seule particularité : autour du cou, il portait une défense de sanglier nouée à un collier. Il appartenait au clan du Sanglier.

En temps ordinaire, Torak aurait été rassuré. Les membres de ce clan étaient plutôt alliés à ceux du clan du Corbeau, avec qui le garçon vivait depuis six lunes. Mais ce chasseur n'était pas *normal*. Quelque chose clochait. Sa démarche était curieuse. Il dodelinait de la tête. Et il visait l'aurochs.

Il portait deux haches de lancer à la ceinture. Il en dégaina une, qu'il soupesa et serra dans sa main droite.

---

1. Voir le tome 1 de ces *Chroniques des Temps obscurs* : *Frère de Loup*.

11

Un fou ! Ce ne pouvait être qu'un fou ! Personne ne chasse un aurochs seul ! Dans la Forêt, nulle proie ne dépasse ces créatures en taille ou en force. En attaquer un seul ? Autant se trancher la tête tout de suite...

Inconscient du danger qui le guettait, l'aurochs barbotait dans la boue, grognant de joie d'être enfin libéré des moucherons qui l'assaillaient sur la terre ferme. Son petit jouait avec une touffe d'épilobe en attendant que sa mère eût fini.

Torak leva un pied et adressa de vifs signaux de la main au chasseur. « NON ! criait-il en silence. Recule ! Ne fais pas ça ! »

Le chasseur ne le vit pas. Il plia son bras musculeux. Visa. Et lança sa hache.

L'arme retomba à une main à peine du petit, qui recula, paniqué. La mère poussa un meuglement indigné. Se releva, flairant l'air à la recherche de son agresseur. Mais le chasseur restait invisible. Tant qu'il resterait face au vent, il ne s'exposait à aucun danger. Lui.

Torak le vit dégainer sa deuxième hache. Et comprit en un éclair ce qui risquait de se passer.

Si la hache atteignait son but, l'aurochs serait impossible à arrêter. Par contre, si elle n'était qu'effrayée, comme elle l'était à cet instant, au lieu d'être blessée, elle se contenterait peut-être d'une attaque préventive, puis elle s'enfuirait avec son petit. Il devait la protéger... pour se protéger lui-même.

Il sauta à découvert et, agitant les bras frénétiquement, il cria :

— Par ici ! Par ici !

Sa manœuvre réussit. En un sens : l'aurochs beugla, rageur, et fonça vers le garçon, qui bondit derrière un chêne. La deuxième hache s'enfonça dans la boue, à l'endroit où l'animal se trouvait un instant plus tôt. En entendant l'animal franchir le cours d'eau, Torak paniqua. Pas le temps d'escalader le tronc. La bête était trop près. Déjà, elle grognait pour se hisser sur la berge. Déjà, les trépidations de ses sabots faisaient trembler le sol. Encore un instant, et...

Et rien du tout : l'animal avait pivoté, interrompant sa charge. D'un puissant mouvement de queue, elle avait indiqué à son petit de la suivre ; et elle s'était laissé avaler par les entrailles de la Forêt, abandonnant derrière elle un silence assourdissant.

Torak haletait. Sur son visage, la sueur dégoulinait à grosses gouttes. Appuyé contre le chêne, il fixait, incrédule, le chasseur qui continuait à dodeliner de la tête.

— Tu es fou ? rugit le garçon, le souffle court. Tu voulais notre mort ?

L'homme ne lui répondit pas. Ne le regarda seulement pas. D'un pas calme, il alla récupérer ses haches, les passa à sa ceinture et revint sur ses pas. Torak ne parvenait pas à distinguer ses traits. Par contre, les muscles puissants de l'individu et son grand couteau acéré avaient attiré son attention. Si le chasseur l'attaquait, son sort était scellé. Lui-même n'avait pas treize étés. Il n'était pas de taille à lutter contre une telle masse.

Mais l'homme n'était pas en état de l'agresser. D'un coup, il s'était plié en deux et s'était mis à vomir.

Oubliant sa peur, le garçon se précipita vers lui pour l'aider.

L'homme était à quatre pattes, à présent, crachant une bile jaune. Son corps était secoué de convulsions. Un grand hoquet le prit, puis il rejeta un caillot noir et visqueux qui avait la taille d'un poing d'enfant. On aurait dit... on aurait dit des *cheveux*.

Une brise souffla dans les branchages ; et, dans le rayon de soleil qui en profita pour se faufiler jusqu'à eux, Torak distingua le visage de l'inconnu pour la première fois.

Il s'arrachait des poignées de cheveux et de barbe. Par endroits, sa chair était à vif. Ses joues, son front, ses lèvres étaient semés de croûtes purulentes, d'une couleur jaunâtre qui rappelait celle des bouleaux galeux. De sa gorge sortaient encore des glaires et des cheveux. Quand ses nausées se calmèrent, l'homme se redressa sur ses talons et se mit à gratter une cicatrice sur son avant-bras.

Torak recula. Toucha le talisman de son clan – la fourrure de loup cousue sur son gilet. Mais qu'est-ce que c'était donc que *ça* ?

Renn aurait su. La jeune fille savait beaucoup de choses. Un jour, elle lui avait expliqué que les fièvres étaient courantes aux alentours du Solstice d'été. « C'est alors que les vers de la maladie ont le plus de travail, avait-elle ajouté. Ils sortent de leurs marécages en profitant des nuits blanches pendant lesquelles le soleil ne se couche pas. » Cependant, quand bien même il se serait agi d'une fièvre, ce n'était pas une fièvre habituelle. Une fièvre normale. Torak n'en avait jamais vu de pareilles.

Que pouvait-il proposer à l'inconnu ? Dans sa bourse médicinale, il avait une herbe susceptible de soulager un peu le chasseur : du pas-d'âne. Il allait en proposer à l'homme quand celui-ci fut pris de nouveau d'une frénésie de grattements.

— Arrête ! lança le garçon d'une voix hésitante. Tu te fais du mal !

14

L'inconnu montrait les dents en grimaçant : la démangeaison devait être affreusement douloureuse. Soudain, il plongea ses ongles dans sa chair et arracha un morceau de peau.

— Mais arrête ! protesta Torak.

Le chasseur sauta sur lui et le plaqua au sol. Tout près de lui, le garçon ne voyait plus un visage, seulement un amoncellement de croûtes qui suppuraient. L'homme avait vrillé sur Torak ses yeux vitreux d'où suintaient des larmes de pus.

— Attends ! souffla le garçon. Je... je suis Torak... J'appartiens au... au clan du Loup... Je...

— Illlll vvvvvient ! l'interrompit le chasseur.

Son haleine putride sauta au visage du garçon.

— Qui vient ? De quoi parles-tu ?

Terrorisé, l'homme bégaya :

— Tttttu ne vvvvvois pas ? Tttttu ne vvvvvois donc rrrrrien ? IL VIENT ! IL ARRIVE ! IL NOUS PRENDRA TOUS !

Une nuée de postillons jaunes accompagna son délire. Puis il se releva. Vacilla. Plissa les yeux, ébloui par le soleil, et fila à travers les arbres comme s'il avait eu tous les démons de l'Autremonde aux trousses.

Torak attendit un moment, puis se redressa sur un coude.

Il avait du mal à respirer.

Les oiseaux s'étaient tus.

La Forêt semblait aux aguets, voire aux abois.

La menace du chasseur planait dans l'air.

Lentement, Torak se releva. Il sentit que, désormais, le vent venait de l'est. Les arbres frissonnèrent et se mirent à murmurer entre eux.

Le garçon aurait aimé comprendre leur langage. Mais il savait ce qu'ils éprouvaient, car il partageait leur sentiment : quelque chose montait de la Forêt et soufflait à travers elle.

Le chasseur avait raison : quelque chose venait.

Quelque chose de morbide.

Torak courut récupérer son arc et son carquois. Tant pis pour la mission que Fin-Kedinn lui avait confiée. Il devait rentrer au campement le plus vite possible afin d'avertir les Corbeaux qu'un grave danger les menaçait.

DEUX

— Où est Fin-Kedinn ? lança Torak en arrivant au campement des Corbeaux.

— Dans la vallée d'à côté, lui répondit un homme occupé à vider un saumon. Il ramasse du bois de cornouiller pour faire des hampes de flèche.

— Et Saeunn ? Où est notre Mage ?

— Elle étudie les présages, lui apprit une fillette. Elle est sur le Rocher. Tu fais comme tu veux, mais si j'étais toi, je ne l'embêterais pas avant qu'elle ne redescende !

Le garçon grinça des dents et leva les yeux vers la mage des Corbeaux, perchée sur le Rocher protecteur. Elle n'était qu'une petite silhouette aux allures d'oiseau tandis que, autour d'elle, voletait le gardien du clan qui poussait sporadiquement des croassements rauques.

À qui d'autre Torak aurait-il pu se confier ?

Renn était partie chasser. Oslak, dont il partageait la cabane, n'était pas visible. Il repéra Sialot et Poi, des Corbeaux de son âge ; et il n'avait aucune envie de leur parler. C'était réciproque : eux le considéraient comme un intrus dans leur clan.

Les autres Corbeaux étaient trop occupés à pêcher du saumon pour s'inquiéter des histoires que pouvait rapporter un malade perdu dans la Forêt.

Torak regarda autour de lui. Plus il observait, plus il doutait de lui : tout semblait si calme... si normal...

Les Corbeaux avaient établi leur campement à l'endroit où le fleuve jaillissait d'une gorge sombre pour dépasser le Rocher et filer vers les rapides. Les saumons remontaient ces rapides chaque été pour accomplir leur étrange voyage vers la Mer des Montagnes. Ils étaient toujours repoussés par le fleuve en colère ; et cependant, ils repartaient à l'assaut, bondissant à travers les remous jusqu'à atteindre les eaux plus calmes situées au-delà de cette gorge, ou jusqu'à mourir d'épuisement... quand ce n'était pas d'un harpon habilement manié par un Corbeau.

Pour attraper les poissons, le clan plaçait des pièges dans le lit du fleuve et dressait une fine passerelle à peine assez solide pour supporter le poids de quelques pêcheurs armés de harpons. Ce travail exigeait un certain talent, et un courage à l'avenant : celui qui tombait risquait de ressortir estropié... au mieux. Car le fleuve coulait furieusement, sans répit ; et les pierres étaient devenues tranchantes à force d'être polies par la violence du courant. Certains les appelaient les « dents du fleuve ». Le danger était mortel ; mais les proies en valaient la chandelle.

Pas un Corbeau ne restait dans sa cabane. Ceux qui ne pêchaient pas s'activaient autour des poissons : il fallait les traiter dans la journée afin d'éviter que la chair ne pourrît. Aussi hommes, femmes et enfants écaillaient-ils les saumons, les vidant, ôtant les arêtes, laissant les filets attachés par la queue qu'ils suspendaient pour les fumer. Sialot et Poi ramassaient des baies de genièvre : on mélangerait les baies avec le poisson séché ; ainsi, le poisson garderait bon goût... ou peut-être serait-il un peu moins mauvais !

Rien n'était jeté ; on ne perdait rien. Les écailles seraient transformées plus tard en sacs imperméables ; les yeux et les arêtes permettraient de fabriquer de la colle ; les entrailles amélioreraient l'ordinaire – on en prélèverait une partie pour l'offrir au Gardien du clan et aux esprits du saumon.

Ailleurs, dans la Forêt, les autres clans avaient pris possession d'autres cours d'eau pour prélever, eux aussi, leur part du butin. Les clans de l'Ours, du Saule, de la Loutre, de la Vipère. Et là où il n'y avait pas de campements, d'autres chasseurs sévissaient encore : ours, lynx, aigles, loups. Tous célébraient la course du saumon, dont la chair leur donnerait une force nouvelle pour affronter les rigueurs de l'hiver.

C'est ainsi que cela se passait depuis le Commencement. Un rituel immuable. Il eût fallu être dément pour imaginer que cela pût changer.

Cependant, Torak repensa au visage du chasseur, couvert de croûtes... à ses yeux voilés par un rideau de pus...

À cet instant précis, la silhouette massive d'Oslak apparut derrière sa cabane. Il portait une barbe en bataille qui lui mangeait une partie du visage. Il lui manquait une oreille.

— C'est un glouton qui me l'a mangée, expliquait-il aux curieux qui osaient lui poser la question.

— Qu'as-tu fait de l'animal ?

— Je me suis excusé, répondait-il invariablement. Je lui avais bêtement fait peur.

Typique.

Le garçon sentit son pouls s'accélérer. Oslak saurait comment réagir. Il se dépêcha d'aller lui conter l'histoire. Mais l'homme ne l'écouta pratiquement pas. Il était beaucoup plus préoccupé par son harpon, dont il était venu aiguiser la pointe émoussée.

— Ce fou fait partie du clan du Sanglier ? grogna-t-il en se grattant le dos de la main. Eh bien, ne t'inquiète pas, son Mage s'occupera de lui. En attendant...

Il tendit le harpon à Torak :

— Allez, au travail ! Montre-moi comment tu attrapes un saumon...

— Tu ne crois pas que...

— Assez parlé ! le coupa Oslak.

Torak sursauta. Oslak n'était pas homme à s'énerver. Pour tout dire, il était toujours calme. Sa stature de géant tranchait avec son tempérament débonnaire.

Avec Vedna, sa compagne, il avait spontanément offert à Torak de l'héberger ; et le garçon n'avait jamais eu à se plaindre d'eux. Au contraire.

Mais Oslak était aussi l'homme le plus fort du clan. Mieux valait ne pas le contredire trop longtemps. Le garçon prit donc le harpon qu'on lui tendait... et s'arrêta net.

— Ta main est couverte de cloques ! lâcha-t-il.

— C'est des piqûres de puces. Rien de grave. Sauf que ça gratte ! J'ai pas fermé l'œil de la nuit.

— T'es sûr que c'est des puces ?

Le visage d'Oslak se crispa, et une lueur d'inquiétude passa dans son regard :

— Non...

— Ça fait mal ?

— Pas vraiment, mais... je me sens bizarre depuis que j'ai ça. J'ai même l'impression que l'âme de mon nom veut s'enfuir. Et ça, c'est impossible !

Torak se mordit la lèvre inférieure. Bien sûr, c'était impossible. Autour de lui, tout était trop normal. Des enfants jouaient, les mains scintillantes d'écailles. De jeunes corbeaux s'amusaient à agacer les chiens en leur picorant la queue. Dari, le fils de Thull, courait avec l'aurochs en écorce de sapin qu'Oslak lui avait sculpté.

Perplexe, Torak serra le harpon et s'éloigna.

Le poste de pêche qu'Oslak lui avait indiqué était situé à quatre rochers de la berge. C'est là que les débutants apprenaient à garder l'équilibre. Thull lui montra le premier rocher, mais le garçon tint à se poster sur le quatrième. Il ne savait pas exactement à quoi s'attendre. Il allait regarder, puis agir.

— Regarde le saumon ! cria Thull depuis la berge. Le saumon, pas l'eau !

Torak pensa qu'il n'y arriverait pas. Les rochers, humides et couverts de lichen, étaient glissants. Autour du pêcheur novice, l'eau verte bouillonnait. De temps à autre, l'éclair argenté d'un saumon filait. Le harpon était long. Lourd. Difficile à manier si l'on ne voulait pas se retrouver six pieds sous la surface de l'eau. La pointe était constituée d'une sorte de trident, taillé dans une ramure acérée, pour attraper et retenir le poisson. À condition d'en toucher un, évidemment, ce à quoi Torak n'était pas parvenu lors de ses timides tentatives précédentes.

Quand il vivait avec son père, il se contentait de pêcher avec un hameçon et une ligne. Si bien que, à présent, avec son harpon, il était aussi habile qu'un enfant de sept étés – « et encore... », ne cessait de répéter Sialot.

Agacé, il tenta à nouveau sa chance. Pointa son harpon. Frappa. Rata. Faillit boire la tasse.

Thull s'égosilla :

— Laisse-les te dépasser avant de viser ! Et frappe quand ils retombent, c'est-à-dire quand ils sont fatigués.

Torak essaya. Rata derechef.

Les ricanements de Sialot lui sautèrent aux oreilles. Il rougit, de honte et de colère mêlées.

— C'est mieux ! affirma Thull, plus gentil qu'objectif. Tu n'es pas passé loin ! Continue comme ça, je reviens !

Il tapota la tête de son fils qui gambadait au bord du fleuve avec son aurochs chéri. Puis il s'éloigna pour nourrir les feux qui servaient à fumer le poisson.

Et Torak fit le vide en lui. Le poisson. Il n'y avait plus que cela qui comptait. L'eau n'existait plus. Attendre que l'animal le dépasse et retombe. Là !

Le harpon ne rencontra que le vide. Emporté par son élan, Torak faillit basculer. Il se rattrapa de justesse. Mais il était trempé. L'eau fusait de partout. Le fleuve était en colère. Sporadiquement, une énorme vague frappait le rocher où se tenait le garçon.

Soudain, un cri monta de la passerelle aux pêcheurs. Le garçon releva la tête... et fut soulagé.

Oslak venait de harponner un nouveau saumon. Il l'avait tué d'un coup et s'était agenouillé pour dégager sa pointe. Torak vit que l'homme se grattait la main. Puis derrière l'oreille. Il en retira une croûte... qu'il avala de rage en voyant le saumon repartir dans l'eau, balayé par une vague.

Torak eut un haut-le-cœur, recula et manqua de chuter.

Le soleil disparut derrière un nuage. L'eau s'obscurcit. Le saumon qu'Oslak avait tué passa devant lui, semblant le fixer d'un œil vitreux.

Torak se retourna vers la rive.

Dari avait disparu.

Un autre cri s'éleva.

Torak pivota. Il vit Dari sur la berge, qui courait vers Oslak. Et son oncle ne le mettait pas en garde, au contraire : il lui faisait signe d'approcher !

— Viens, Dari, viens ! cria-t-il, le visage tordu par un horrible rictus. Viens à moi ! Personne ne me volera mes âmes, personne !

TROIS

Sur la rive, aucun Corbeau n'avait rien vu. Torak devait agir.

C'est alors qu'il aperçut, émergeant de deux endroits différents de la Forêt, deux silhouettes familières.

De l'est arrivait Renn, son cher arc à la main, une poignée de pigeons dans l'autre main.

De l'aval arrivait Fin-Kedinn. Le chef des Corbeaux boitait légèrement et s'appuyait sur son bâton, un fagot de cornouiller sous une aisselle.

En un éclair, la jeune fille et l'homme comprirent le drame qui se nouait et laissèrent tomber leur chargement en silence.

Torak interpella le géant avant qu'il ne remarquât les deux nouveaux :

— Qu'est-ce qui ne va pas, Oslak ? Dis-moi ! Peut-être que je pourrais t'aider !

— Personne ne peut m'aider ! rugit Oslak. Mes âmes s'enfuient ! On les mange !

Les autres Corbeaux se retournèrent. La mère de Dari s'avança en criant. Thull la retint. Vedna porta la main à sa bouche et mordit ses phalanges. Sur le Rocher, Saeunn restait immobile. Renn avait atteint la berge ; mais, en dépit de son boitillement, Fin-Kedinn était arrivé avant elle. Sans un mot, il lui tendit sa béquille.

— On mange tes âmes ? répéta Torak. Qui ça, « on » ?

— Le poisson ! cracha le géant dans une pluie de postillons jaunes. Leurs dents ! Leurs dents tranchantes !

Il se pencha pour désigner le fleuve dont les saumons perçaient le reflet.

La gorge du garçon se serra. C'était le danger que courait l'âme-du-nom quand on se penchait au-dessus d'un cours d'eau : elle pouvait étourdir l'homme le plus solide. Cela n'avait aucune conséquence, sauf quand on était assez malade pour tomber... et se noyer.

— Bientôt, mes âmes auront disparu, gémit Oslak, et je ne serai plus qu'un fantôme ! Le fleuve nous veut ! Allez, viens !

Dari hésita. Puis il se décida et avança vers son oncle. Torak coula un regard vers Fin-Kedinn.

Le visage du chef des Corbeaux était immobile, comme pétrifié. Soudain, ses lèvres bougèrent. Torak lut : « Tu es entre eux et les rapides. Attrape-les. »

Torak acquiesça et s'agrippa au rocher. Il ne sentait plus ses pieds, que les embruns glacés avaient gelés. Ses bras se mirent à trembler.

Dari finit par rejoindre Oslak, qui jeta son harpon au loin et attrapa l'enfant. La passerelle tangua dangereusement.

— Oslak ! appela Fin-Kedinn d'une voix basse et pourtant assez sonore pour couvrir le tonnerre des rapides. Reviens sur la rive !

— Fiche-moi la paix ! rugit Oslak.

Et il arracha l'une des cordes en écorce de sorbier qui retenait la passerelle à un rocher. Au prochain à-coup, le petit pont partirait à vau-l'eau avec Dari et le géant.

— Arrête ! cria Torak. Tu vas...

— Tais-toi ! l'interrompit Oslak en se tournant vers lui. Qui es-tu pour me dire ce que je dois faire ? Tu n'es pas des nôtres ! Tu es comme un coucou : tu manges la nourriture des autres, tu t'installes dans leurs gîtes. Je t'ai entendu – nous t'avons *tous* entendu – te faufiler dans la Forêt pour hurler après ton loup. Pourquoi n'abandonnes-tu pas ? Pourquoi ne le laisses-tu pas tranquille, lui aussi ? Il ne reviendra jamais, tu comprends ? Jamais !

Contrairement à Renn, Torak ne bougea pas d'un pouce, malgré la colère. Car il avait vu quelque chose qui avait échappé à Oslak : Fin-Kedinn s'était engagé en boitant sur la passerelle.

À cet instant, le géant se retourna. Le petit pont trembla. La bouche de Dari s'arrondit. Il cria.

Fin-Kedinn se redressa de toute sa hauteur ; mais Oslak recula d'un pas.

— Reste où tu es ! mugit-il.

Le chef du clan du Corbeau leva les mains pour le rassurer : il n'avancerait pas davantage. Puis, sous les yeux écarquillés des Corbeaux, il s'assit en tailleur sur la passerelle branlante.

Il était à six pas de la rive. Si Oslak tirait sur la corde d'écorce, le pont céderait ; et le géant, Dari et Fin-Kedinn auraient de fortes chances de périr noyés dans les rapides ou déchiquetés sur les rochers tranchants. Pourtant, l'homme paraissait aussi calme que s'il avait été assis au coin du feu, à la veillée.

— Le clan m'a choisi comme chef pour le garder en sécurité, rappela-t-il. Tu le sais, n'est-ce pas ?

Oslak s'humecta les lèvres sans lui répondre.

— Je ne faillirai pas à ma tâche, continua Fin-Kedinn. Je le garderai en sécurité. Je *vous* garderai en sécurité. Je *nous* garderai en sécurité. Alors, repose Dari. Laisse-le venir à moi. Je le ramènerai à sa mère.

Le visage du géant se figea.

— Repose Dari, répéta Fin-Kedinn. C'est l'heure de manger, pour lui.

Le pouvoir de sa voix commençait de fonctionner. Lentement, Oslak dénoua les bras que le petit garçon avait serrés autour de son cou ; et il le reposa.

Dari leva les yeux vers son oncle : on aurait dit qu'il lui demandait la permission de s'en aller. Hésitant, il finit par se tourner pour ramper vers Fin-Kedinn, qui se pencha pour l'attraper. Mais, soudain, l'aurochs en bois échappa à l'enfant et tomba à l'eau. Dari gémit et se pencha pour le sauver. Fin-Kedinn saisit le petit garçon par son gilet et le prit dans les bras.

Un soupir de soulagement s'éleva des poitrines des Corbeaux assemblés sur la berge.

Le chef du clan se leva et se dirigea, en marchant de biais, vers la terre ferme. Dès qu'il fut assez près, Thull attrapa Dari et le pressa contre son cœur.

Fin-Kedinn avait sauvé l'enfant.

Sur la passerelle, Oslak se tenait debout, imposant et immobile à la manière d'un aurochs assommé. La corde lui glissa des mains tandis qu'il regardait fixement l'eau bouillonnante.

En silence, Fin-Kedinn revint vers lui. Le prit par les épaules. Lui murmura des mots que le géant fut le seul à entendre.

Un frisson parcourut le corps d'Oslak. Il laissa le chef le conduire vers la berge. Là, d'autres hommes se saisirent de lui et l'obligèrent à s'asseoir. Il n'opposa aucune résistance : il paraissait stupéfait par ce qui s'était passé, incapable de comprendre ce qui l'avait pris.

Torak regagna à son tour la terre, planta son harpon dans le sable et se mit à trembler. Il croisa le regard plein de sollicitude que lui lança Renn. Les cheveux bruns tirant sur le roux de la jeune fille étaient trempés. Son visage était blême, si pâle que ses tatouages de clan ressemblaient à trois coupures noires striant ses joues.

Le garçon essaya de sourire pour la rassurer. Sans vraiment y parvenir.

Plus loin, Fin-Kedinn parlait avec Saeunn, qui était redescendue du Rocher du gardien.

— Qu'est-ce qu'il a ? demanda le chef.

— Ses âmes se battent entre elles.

— Donc il est devenu fou, c'est ça ?

— C'est peut-être une forme de folie, admit Saeunn. Mais je n'avais jamais vu de cas semblables auparavant.

— Moi, j'en ai vu, intervint Torak, qui résuma sa rencontre avec le chasseur du clan du Sanglier.

La Mage grimaça. Elle était la plus âgée des Corbeaux, et de loin. Le temps l'avait marquée, polissant son crâne jusqu'à lui donner la couleur des os séchés, accusant ses traits au point qu'elle avait presque plus l'air d'un corbeau que d'un être humain...

— Je l'ai vu dans les os, lâcha-t-elle. J'ai vu le message : « Il vient. »

— Et ce n'est pas tout, signala Renn. Pendant que je chassais, j'ai rencontré des membres du clan du Saule. L'un d'eux était malade. Couvert de croûtes. Fou. Paniqué.

Les yeux de la jeune fille étaient noirs quand elle pivota vers Saeunn :

— Le Mage de leur clan voulait te communiquer un message. Lui aussi a lu les os trois jours durant ; et, trois jours durant, il n'y a lu qu'un message, sans cesse répété : « Il vient. »

Les membres du clan agitèrent la main pour chasser l'esprit mauvais qui rôdait. D'autres touchèrent les morceaux de grosses plumes noires cousues à leurs tuniques.

Etan, un jeune chasseur, s'avança, la mine inquiète :

— J'ai laissé Bera sur la colline, tout à l'heure. Quand je suis revenu, elle avait des cloques sur les mains, un peu comme Oslak... Vous croyez que j'ai eu tort de la laisser ?

Personne ne lui répondit.

Fin-Kedinn secoua la tête. Ses doigts se crispèrent dans sa barbe. Un geste qu'il faisait souvent quand il devait réfléchir vite et bien.

Un moment plus tard, il se décidait :

— Thull, Etan, prenez quelques hommes et allez construire un abri dans le sous-bois, hors de vue de notre campement. Emmenez Oslak avec vous et mettez-le sous bonne garde. Vedna, ne t'approche pas de lui. Désolé, mais il n'y a pas d'autre solution.

Le chef des Corbeaux fixa Saeunn. Ses yeux bleus lancèrent des éclairs lorsqu'il lança :

— À la mi-nuit, tu pratiqueras le rituel de guérison. Je veux savoir ce qui cause ces phénomènes.

QUATRE

Avec une louche en corne d'aurochs, l'apprentie de la Mage du clan du Corbeau prit des braises rougeoyantes dans le feu, et elle en versa une partie, toujours fumantes, dans sa paume nue.

Torak retint un cri.

Mais l'apprentie ne cilla même pas.

À ses pieds, Oslak se débattait, heureusement maintenu par des liens solides. Bera avait déjà été traitée. On l'avait ramenée dans la cabane d'isolement. Elle hurlait, plus malade que jamais.

La Mage et son apprentie avaient tout essayé. Elles avaient badigeonné la langue des déments avec une pâte spéciale pour purifier leurs paroles. La Mage en personne avait fixé des hameçons à ses doigts et était entrée en transe afin d'attraper et de chasser les esprits mauvais. Elle avait enveloppé les malades dans la fumée d'un buisson de genièvre fumé pour chasser loin d'eux les vers de la maladie.

Rien n'avait fonctionné.

Ne restait plus que le charme final. La dernière chance.

La lumière du bûcher dansait sur les visages anxieux des membres du clan rassemblés autour de la Mage.

La nuit était chaude. Claire. Éclairée par une lune gibbeuse qui brillait haut, très haut au-dessus de la Forêt. Le vent était tombé ; et cependant le silence bruissait du craquement du bois en feu, des cris des corbeaux, des rugissements des rapides...

La Mage s'avança vers Oslak. Ses bras osseux se dressaient vers la lune. Elle tenait une amulette d'une main ; de l'autre, une flèche en silex rouge.

Torak jeta un coup d'œil à l'apprentie de la Mage. Son visage était blanc comme la craie. Renn était méconnaissable.

— Que la brûlure du feu purifie l'âme-du-nom ! entonna la Mage en tournant autour du géant.

Renn se pencha sur Oslak et plaça des braises sous la voûte plantaire du Corbeau. Il gémit et se mordit les lèvres jusqu'au sang.

— Que la brûlure du feu purifie l'âme-du-nom !

Renn couvrit de cendre le cœur du géant.

— Que la brûlure du feu purifie l'âme-du-nom !

Renn couvrit de cendre le front du géant.

— Brûle, maladie ! Brûle et disparais...

Oslak hurla de rage et éclaboussa la Mage avec des postillons teintés de sang.

34

Un murmure dubitatif courut parmi les spectateurs.

Le charme était vain.

Torak retint son souffle. La Forêt aussi. Même les aulnes avaient cessé leur balancement pour suivre le dénouement.

Saeunn toucha la poitrine d'Oslak avec la flèche et y dessina une spirale.

— Viens, maladie ! croassa-t-elle. Sors de la moelle, rentre dans l'os. Sors de l'os, entre dans la chair !

Soudain, Torak sentit une douleur violente dans son estomac. Au moment où la Mage avait proféré son incantation, il avait senti son ventre se tordre.

Lentement, Saeunn continuait de faire tourner sa flèche autour du cœur d'Oslak.

— Sors de la chair, entre dans la peau ! poursuivait-elle. Sors de la peau, entre dans la flèche !

De nouveau, la douleur frappa Torak. Et la peur : était-ce la maladie qui le prenait ? Cela commençait-il ainsi ?

Une main ferme attrapa son épaule. Fin-Kedinn était à son côté, les yeux sur la Mage.

— Sors de la flèche, entre dans le feu ! cria Saeunn.

Et elle plongea sa flèche dans le brasier.

Aussitôt, des flammes vertes s'élevèrent.

Oslak hurla.

Les Corbeaux sifflèrent.

Les bras de Saeunn retombèrent le long de son corps.

Le charme avait échoué.

Définitivement.

Torak serra ses mains sur son ventre. Des ondes noires lui voilaient le regard.

Brusquement, une ombre passa dans la lumière. C'était le gardien du clan. Il fonçait droit sur lui. Le garçon voulut plonger pour l'éviter, mais Fin-Kedinn l'obligea à rester en place. Le corbeau ne dévia sa course qu'au tout dernier moment. L'oiseau était en colère. Le clan était en danger. Pourtant... pourquoi le gardien avait-il foncé sur lui en particulier ?

Il interrogea Renn du regard. En vain : la jeune fille était agenouillée près d'Oslak. Elle étudiait les marques qu'il avait laissées sur le sol en se débattant.

Torak se dégagea. Courut. Courut entre les vigiles. Courut loin du campement. Courut dans la Forêt. Courut jusqu'à atteindre une clairière que la lueur laiteuse de la lune baignait.

La douleur le reprit. Pris de haut-le-cœur, le garçon s'effondra au pied d'un arbre et ferma les yeux.

Une chouette ulula.

Torak leva la tête. Contempla la lueur glacée des étoiles qui scintillaient à travers les feuilles noires des frênes élancés. Il se laissa glisser au sol, la tête dans ses mains.

Il avait moins le tournis, mais il tremblait toujours. Et il avait peur. Car il était seul. Il ne pouvait même pas se confier à Renn. Elle était son amie... et l'apprentie de la Mage. Elle ne devait pas être au courant. Personne ne devait être au courant. Si le garçon était contaminé à son tour, il préférait aller mourir seul dans la Forêt, plutôt que de finir ses jours attaché à une litière, sous le regard dégoûté des Corbeaux.

Puis un terrible soupçon s'empara de lui. Oslak avait crié qu'on lui dévorait ses âmes. Était-ce le délire d'un homme malade ? ou y avait-il là une parcelle de vérité ?

Torak ferma les yeux. Il essaya de se perdre, d'oublier sa panique en se plongeant dans les bruits de la nuit. Les

36

cris d'une corneille. Les battements d'ailes des rouges-gorges dans les fourrés.

Depuis qu'il était tout petit, Torak avait vécu par monts et par vaux avec son père. Ils étaient restés à l'écart des clans. Les créatures qui peuplaient la Forêt avaient été leurs seuls compagnons. Les gens ne lui manquaient pas. Il avait du mal à vivre avec le clan du Corbeau. Il y avait tant de visages. Si peu de temps pour lui. Il n'était pas des leurs. Leurs comportements, leurs habitudes étaient si différents de la manière dont il vivait avec son P'pa.

Et Loup lui manquait tellement...

Il avait trouvé le louveteau peu après la mort de P'pa. Deux lunes durant, ils avaient chassé ensemble dans la Forêt. Affronté de redoutables dangers. Et Loup avait montré sa double facette. Tantôt, c'était le louveteau insouciant, toujours dans les pattes de Torak, mettant son museau partout. Tantôt, c'était le guide, et, dans l'éclat d'ambre de son regard, brillait une étrange assurance. Qu'il fût l'un ou l'autre, c'était toujours un frère de meute. Et son absence pesait douloureusement au garçon.

Souvent, Torak pensait partir à sa recherche. Mais, au fond de lui, il se doutait qu'il ne trouverait jamais plus la Montagne sacrée. Quand il avait évoqué cette possibilité à Renn, elle lui avait répondu :

« L'hiver dernier, c'était différent. Maintenant... non, Torak, je ne pense pas que tu y parviendrais.

— Je *sais* que je ne trouverai pas la Montagne, avait-il répondu. N'empêche, si je n'arrête pas de hurler, Loup me retrouvera, lui. »

Et il avait continué de hurler.

Et, six lunes plus tard, Loup n'avait pas réapparu.

Le garçon essayait de se convaincre que c'était bon signe. Cela signifiait probablement que Loup était heureux avec sa nouvelle meute. Pourquoi Torak s'obstinait-il à l'appeler ? Il aurait mieux valu qu'il se contentât de sa nouvelle meute à lui, c'est-à-dire du clan du Corbeau.

Sauf que ce « bon signe » faisait mal. Plus mal que tout. Loup l'aurait donc oublié ?

Indistincts, lointains, des sons flottaient dans le vent.

Torak s'assit.

Il venait de reconnaître des hurlements de loups qui fêtaient une chasse réussie.

Instantanément, le garçon oublia sa tristesse et son malaise. Il oublia tout tandis que la mélopée de la meute se mêlait à lui, dévalant ses veines comme une rivière de sang.

Torak démêla l'écheveau de cette chanson : les puissantes voix des chefs de meute... les hurlements plus légers du reste de la meute qui leur faisaient respectueusement écho... les jappements des louveteaux qui tentaient de se joindre au concert... Mais la voix qu'il espérait tant entendre resta inaudible.

En réalité, il n'y avait pas vraiment cru. Loup – *son* Loup – errait avec sa meute vers le nord. Les loups qu'il venait d'entendre étaient à l'est, dans les collines qui bordaient la Forêt Profonde.

Cependant, il devait essayer. Les mains en porte-voix, il émit un hurlement de salutation.

Aussitôt, les voix des loups devinrent moins puissantes.

« Où chasses-tu, loup solitaire ? » hurla la première des femelles, sèche, autoritaire.

« Loin de vous, répondit Torak. Dis-moi : la maladie a-t-elle frappé votre meute ? »

Il n'était pas certain d'avoir correctement exprimé sa pensée. D'ailleurs, les loups semblèrent ne pas le comprendre.

« Notre meute est bonne ! hurlèrent-ils. La meilleure de la Forêt ! »

Le garçon ne s'était pas attendu à ce qu'ils saisissent sa question. Sa connaissance du langage des loups n'était pas assez précise. Il ne le parlait que de manière rudimentaire. D'autant que ce langage exigeait, en plus d'une modulation minutieuse de la voix, des ressources que Torak ne possédait pas, comme hérisser ses poils ou dresser les oreilles. Et cependant – cette idée frappa le garçon avec force –, Loup l'aurait compris.

D'un coup, le chœur des loups se tut.

Torak rouvrit les paupières. De nouveau, la lueur lunaire l'enveloppa. Hautes et sombres, les silhouettes des frênes l'entouraient. Des ombres fantomatiques dansaient dans la clairière.

Un battement d'ailes le fit sursauter. Au-dessus de lui, un coucou, perché sur une brindille, le regardait d'un œil jaune.

Il se souvint d'Oslak. « Tu n'es pas des nôtres ! avait dit le géant. Tu es comme un coucou : tu manges la nourriture des autres, tu t'installes dans leurs gîtes... » Jamais, dans son état normal, l'homme n'aurait lâché ces mots. Il délirait. Mais, là encore, son délire contenait une parcelle de vérité.

Le coucou poussa un cri et s'envola. Quelque chose l'avait effrayé.

Torak se releva sans bruit. Sa main se crispa sur son couteau.

La clairière bien éclairée était vide.

Tout près, vers l'est, un ru courait se jeter dans les Grandes Eaux. En silence, le garçon s'approcha de la berge pour étudier les empreintes. Il n'en trouva pas. Pas plus qu'il n'avisa de poils ou de cheveux accrochés aux branchages, ni de branches brisées.

Mais il y avait quelqu'un. Il le sentait.

Il leva la tête et observa avec attention le boulot au-dessus de lui.

Une créature le fixait. Petite. Malveillante. Des poils comme des herbes sèches. Un visage de feuilles.

Il l'avait à peine aperçue qu'un souffle courut dans les branchages ; et plus rien.

C'est Renn qui le trouva ainsi : raide, un couteau à la main, le regard perdu dans la cime de l'arbre.

— Qu'est-ce qui se passe ? s'enquit-elle. Pourquoi t'es-tu enfui ? Tu as... mangé un truc moisi ?

Elle tentait de dissimuler sa peur... et de conjurer le sort en ne parlant pas de la maladie.

— Non, non, ça va, prétendit-il en rengainant son arme.

— Tu as les lèvres grises, lui apprit Renn.

— Et alors ? C'est interdit ?

Quand il s'assit au pied du bouleau, la jeune fille jeta un coup d'œil à ses mains. Pas de pustules, d'ampoules ou de verrues en vue.

— Non, non, répondit-elle, conciliante. Peut-être as-tu avalé un mauvais champignon...

— Parle-moi du Peuple Caché, exigea-t-il. À quoi ressemblent ses membres ?

— Hein ? Tu en sais aussi long que moi à leur sujet ! Ils nous ressemblent. Sauf que, quand ils font demi-tour, on s'aperçoit qu'ils ont le dos putréfié...

— Et leurs visages ? À quoi ils ressemblent ?

— Aux nôtres, qu'est-ce que tu crois ? Qu'est-ce qui te prend, Torak ?

Il secoua la tête :

— Rien, c'est juste que... que je... que j'ai cru voir quelque chose. Une créature. Et j'ai pensé que... que c'est peut-être le Peuple Caché qui nous a contaminés.

— Non, trancha-t-elle. Je ne crois pas.

Elle aurait tellement aimé lui révéler ce qu'elle avait appris pendant le rite de guérison qu'elle avait pratiqué avec Saeunn ! Après tout ce qu'il avait fait cet hiver...

Pour couper court à sa tentation, elle alla au ruisseau, se débarbouilla le visage (il était encore couvert de craie), puis elle ôta l'épaisse couche protectrice qui lui avait permis de prendre les braises dans ses mains sans se brûler. Ensuite, elle arracha un peu de mousse humide et la tendit à Torak.

— Mets-toi ça sur le front, ordonna-t-elle. Tu te sentiras mieux.

Elle s'assit à côté de lui. Préleva des noisettes dans son petit sac. En ouvrit quelques-unes. En tendit une à Torak, qui n'en voulut pas. Elle devina que, comme elle, le garçon ne souhaitait pas parler de la maladie ; pourtant, comme elle, il ne pensait qu'à ça.

— Comment tu m'as trouvé ? finit par demander Torak.

Elle se mit à rire :

— Je ne parle pas loup, mais je reconnaîtrais ton hurlement n'importe où !

Elle se tut un moment.

41

— Pas de nouvelles ? s'enquit-elle.

— Non.

Renn enfourna une noisette dans sa bouche.

— Le rite de guérison..., reprit le garçon. Il n'a servi à rien, n'est-ce pas ?

— Disons que, s'il a eu un effet, cet effet-là a été négatif. Oslak et Bera ont l'air de croire que tous les membres du clan se sont ligués contre eux.

« À leur place, je penserais sans doute la même chose », se dit Torak.

— Saeunn affirme qu'elle a entendu parler de maladies semblables dans le plus lointain passé, poursuivit la jeune fille. Après la Grande Vague, des clans entiers ont péri. Le clan du Chevreuil. Celui du Castor, aussi.

— Et personne n'a trouvé de remède ?

— D'après Saeunn, si. Jadis. Mais on l'a perdu.

— C'est malin... Donc, on ne sait rien sur cette maladie ?

— Si. On sait qu'elle s'enracine dans la peur. Elle fait croître la peur. La peur pousse sur elle comme les feuilles poussent sur un arbre.

— Comme les feuilles poussent sur un arbre..., répéta le garçon en pensant au visage de la créature qu'il avait aperçue.

Il s'empara d'un bout de bois et commença d'en ôter l'écorce.

— D'où vient cette maladie ? demanda-t-il.

Renn hésita. Et craqua :

— Tu te souviens de ce qu'a dit Oslak, quand il était sur la passerelle ?

— Oui, répondit le garçon en serrant fort le bâton entre ses doigts. J'y ai repensé, depuis. Il disait qu'on lui mangeait ses âmes. Tu crois que... que ce sont les Mangeurs d'Âmes ?

Le silence fut immédiat.

« Les Mangeurs d'Âmes... »

L'ombre s'épaissit. Le vent tomba. Les arbres s'immobilisèrent.

— C'est ça ? reprit Torak. Tu penses que les Mangeurs d'Âmes sont responsables de cette maladie ?

— Oui. Peut-être. Et toi ?

Le garçon se releva et se mit à marcher en caressant la bruyère avec son bâton.

— Je sais pas, murmura-t-il. Je ne sais même pas qui sont vraiment ces « Mangeurs d'Âmes ». Si, bien sûr, je sais qu'ils étaient des Mages, et qu'ils ont mal tourné. Et que mon père était leur pire ennemi, même s'il ne m'a pas raconté grand-chose. Et que quelque chose a brisé leur pouvoir, et qu'on a cru qu'ils avaient disparu, ce qui n'était pas le cas. Et je sais enfin que l'été dernier, un... un Mangeur d'Âmes boiteux a possédé l'ours qui a tué P'pa.

Torak frappa violemment le sol avec le bâton, qu'il jeta ensuite au loin.

— Mais ça ne prouve rien ! cria-t-il.

— Sauf que, pendant le rituel, Oslak a dessiné un signe dans la poussière.

— Et alors ?

— Ce signe, c'était un trident pour attraper les âmes. L'emblème des Mangeurs d'Âmes.

CINQ

Les Mangeurs d'Âmes.

Ils étaient liés au destin de Torak. Et pourtant, il connaissait si peu de chose sur eux.

Il avait appris qu'ils étaient sept. Un pour chaque clan. Tous ivres de pouvoir.

Près du fleuve, une renarde cria. Dans la cabane, Vedna sursauta et se retourna. Une fois de plus. Le sort d'Oslak la tourmentait.

Torak était allongé dans son sac de couchage. Incapable de dormir. Il pensait au Mal qui avait causé cette maladie, susceptible de ravager les clans.

Pour prendre possession de la Forêt.

Ce que personne ne pouvait faire. Personne ne pouvait conquérir les arbres. Ni empêcher les animaux d'obéir aux rythmes cosmiques de la lune. Ni dire aux chasseurs quelles proies chasser, ni où, ni quand.

Quand le garçon réussit enfin à sombrer dans la nuit, son sommeil fut agité. Torak, couché sur le flanc obscur d'une colline, était paralysé par la panique. Un Mangeur d'Âmes dépourvu de visage rampait vers lui. Le garçon réussit à reculer. Sa main se posa sur une surface écailleuse. La forme se tortilla et le mordit. Torak voulut courir. Des racines le saisirent aux chevilles. Une silhouette ailée se découpa dans le noir et fit entendre un claquement de cuir. Les Mangeurs d'Âmes étaient sur lui, et le Mal qui les habitait léchait le garçon comme les flammes lèchent une bûche avant de l'embraser...

Torak se réveilla.

L'aube poignait. L'haleine de la Forêt enveloppait les arbres d'un brouillard de brume. Il savait ce qu'il avait à faire.

— Oslak va mieux ? demanda-t-il à Vedna avant de quitter l'abri.

— Pareil, lâcha-t-elle en dardant sur lui un regard presque agressif, les yeux rougis par les larmes.

— Il faut que je parle à Fin-Kedinn. Tu l'as vu ?

— Il est en amont du fleuve. Mais laisse-le donc tranquille !

Le garçon s'éloigna, bien décidé à ne pas suivre ses conseils.

Le campement s'était déjà éveillé et bruissait d'activités. Des pêcheurs des deux sexes étaient accroupis sur la passerelle, harpons prêts à frapper. D'autres Corbeaux ranimaient le feu pour préparer le repas. Plus loin, on entendait le « bam ! bam ! » régulier d'un marteau qui frappait une pierre. Les visages étaient graves ; et cependant nul n'évoquait le sort d'Oslak et de Bera, ligotés dans leur cabane à l'écart.

Torak suivit le sentier qui longeait le fleuve. Il passa devant les rapides, contourna un méandre qui cacha le campement à sa vue. À cet endroit-ci, les flots des Grandes Eaux étaient moins tempétueux. Les saumons y fendaient la surface, pareils à des flèches d'argent filant dans un écran vert profond.

Fin-Kedinn était assis sur un rocher, près du bord de la rivière. Il se fabriquait un couteau. Ses outils étaient alignés autour de lui : des pierres pour servir de marteau, des affûteurs et un saut de sève de résineux, noire et bouillie. À ses pieds, sur la mousse, s'élargissait déjà un petit tapis d'éclats de pierre, tranchants comme des lames, fines comme des aiguilles.

Torak s'avança, le cœur battant. Il admirait le chef des Corbeaux ; et, en même temps, il le craignait. Fin-Kedinn l'avait accueilli quand P'pa avait été tué, mais il ne l'avait jamais adopté. Il restait toujours froid avec le garçon, comme s'il avait veillé à garder ses distances vis-à-vis de lui.

Torak serra les poings et se lança.

— Je dois vous parler, déclara-t-il.

— Alors, parle, répondit Fin-Kedinn sans lever les yeux.

— C'est à propos de... des Mangeurs d'Âmes... Ce sont eux qui envoient la maladie... J'en suis sûr... Et c'est à moi de les combattre... C'est mon destin... Et c'est donc ce que je vais faire !

Le chef des Corbeaux ne réagit pas tout de suite. Il observait une sorte de gros galet rond, couleur lie-de-vin, gros comme son poing. On appelait ces pierres les « œufs de la Mer ». Ils étaient très rares dans la Forêt.

Pour leurs armes, les Corbeaux se servaient surtout d'ardoise, de ramure ou d'os. Les silex – comme ces « œufs » –, on n'en trouvait que sur la côte, où les clans de la Mer les troquaient contre des cornes et des peaux de saumon.

Ce n'était pas la première fois que Fin-Kedinn ignorait le garçon. Lorsqu'il avait été fait prisonnier, le chef des Corbeaux avait fini de dépecer un lapin avant de s'intéresser à l'intrus.

— Je dois les arrêter ! s'énerva Torak. Je dois arrêter le massacre qui se prépare !

— Ah bon ? s'étonna son interlocuteur. Et comment comptes-tu procéder ? Tu ignores où ils se trouvent. Comme nous tous...

Avec un marteau, il tapota l'œuf de Mer, afin de vérifier que la pierre était exempte de défauts. Torak cilla. Ce « toc ! toc ! » lui rappelait des souvenirs douloureux. Il avait grandi avec ce rythme que faisait P'pa près du feu en testant des pierres. Ce son familier lui avait donné l'impression qu'ils étaient en sécurité. Qu'aucun danger ne pouvait les surprendre.

Archi-faux.

Il reprit :

— Renn m'a dit que, dans le passé, il avait existé des maladies puissantes, mais aussi des moyens d'en guérir. Alors, je me suis dit...

— J'y ai réfléchi toute la nuit, l'interrompit Fin-Kedinn. Une légende raconte que l'un des Mages de la Forêt Profonde connaît l'antidote à ce poison.

— Où est-il ? s'écria le garçon. Comment puis-je le trouver ?

Le chef des Corbeaux donna un coup sec sur l'œuf de Mer et le décapita proprement. L'intérieur du silex était couleur de miel sombre, veiné d'écarlate.

— Ne va pas si vite en besogne ! lança-t-il à Torak. Commence par réfléchir. L'impatience peut être mortelle.

Torak s'assit sur la berge et, rageur, arracha une touffe d'herbe.

Avec un petit bout de ramure, Fin-Kedinn entreprit de nettoyer la pierre. Il contrôlait parfaitement le rythme et la puissance de son mouvement.

« Toc ! Toc ! » faisait le marteau. Ce qui voulait dire : « Attends un peu, Torak ! »

Enfin, l'homme parla :

— Une femme du clan de la Loutre est venue en canoë, cette nuit. Ils ont deux malades. Eux aussi.

Torak frissonna. Le clan de la Loutre vivait loin d'ici, à l'est, sur les rives du lac Tête-de-Hache.

— Alors la maladie est partout, conclut-il. Je dois encore plus aller dans la Forêt Profonde. S'il reste une chance, même minime, c'est là-bas qu'elle est.

Fin-Kedinn garda le silence.

— Vous ne pouvez envoyer personne d'autre, insista Torak. On a besoin de vous ici. Saeunn est trop âgée pour entreprendre un tel voyage. Et votre clan a besoin de bras pour garder les malades, chasser, pêcher le saumon...

Le chef des Corbeaux prit un morceau de ramure long comme le pouce et commença de limer son silex au moyen de mouvements délicats.

— Les peuples de la Forêt Profonde ont fort peu affaire avec nous, en général, dit-il. Qu'est-ce qui te croire qu'ils accepteront de nous aider ?

— Ma mère était du clan du Cerf, un clan de la Forêt Profonde ! Je suis des leurs ! C'est le même sang qui court en eux et en moi ! Ils seront obligés de m'écouter !

« Pas sûr », susurrait une petite voix en lui. À la vérité, il n'avait jamais connu sa mère. Elle était morte à sa naissance. Il avait parlé avec une assurance bien supérieure à celle qu'il éprouvait.

Fin-Kedinn poursuivait sa tâche. Il s'occupait à présent du manche de son couteau. Un tibia de chevreuil dans lequel avait été creusée une encoche pour y glisser le silex.

— As-tu pensé que c'était sans doute exactement ce que les Mangeurs d'Âmes espéraient ? demanda l'homme en vrillant sur Torak ses yeux bleus si intenses que le garçon baissa aussitôt son regard. L'hiver dernier, après que tu t'es battu contre l'Ours, j'ai interdit à quiconque d'en parler à des étrangers.

Torak acquiesça.

— À cause de cela, continua le chef des Corbeaux, les Mangeurs d'Âmes sont seulement au courant que quelqu'un, dans cette Forêt, a un pouvoir. Le pouvoir. Mais ils ignorent de qui il s'agit.

Il se tut. Puis répéta :

— Ils ignorent de qui il s'agit, Torak. Et ils ignorent la nature de son pouvoir. Comme nous...

Le cœur serré, le garçon repensa aux dernières paroles de son père : « Toute ta vie, je t'ai gardé à l'écart... Reste loin des hommes... S'ils découvrent ce que tu es capable de faire... »

« Ils auront bien de la chance », compléta Torak, amer. Lui-même se posait la question : qu'était-il capable de faire ? Il avait d'abord supposé que P'pa parlait de sa connaissance du langage des loups. Mais à en croire Fin-Kedinn, ses capacités allaient bien au-delà...

50

— La maladie pourrait très bien n'être qu'un piège, estima le chef des Corbeaux.

— Un piège ? s'étonna Torak.

— Oui, un stratagème inventé par les Mangeurs d'Âmes pour te faire sortir à découvert. Loin du campement.

— Alors, ils ont bien joué, estima le garçon. Car, même si c'est le cas, je ne peux pas rester impassible. Je dois aider Oslak. Il m'a aidé, lui, quand j'en avais besoin. Et je ne supporte pas de le voir dans cet état !

Le visage de Fin-Kedinn se détendit, et l'homme murmura :

— Moi non plus.

— Et puis, visiblement, je ne suis pas à l'abri ici ! renchérit Torak.

— Non, mais ici, ils ignorent qui tu es, rétorqua le chef des Corbeaux.

Il se remit à affiner son silex. Le garçon fixait l'eau. Le soleil s'était élevé au-dessus des arbres. La surface devenait éblouissante. Les yeux plissés, Torak aperçut un héron sur la berge opposée, ainsi qu'un corbeau qui se régalait des restes d'un saumon.

Quand il regarda derechef Fin-Kedinn, le garçon vit que la lame était prête. Une main de long. Un tranchant à faire pâlir d'envie un glouton. Avant d'achever son œuvre, l'homme devrait entourer le manche d'une racine de pin taillée et nouée très serrée. Il aurait alors une prise parfaite. Et une arme redoutable.

— Donne-moi ton couteau, exigea le chef des Corbeaux.

— P... pardon ?

— Tu as bien entendu. Donne-moi ton couteau.

Stupéfait, Torak dégaina le couteau de son père et le tendit à Fin-Kedinn.

L'arme avait une splendide lame en forme de feuille. Le manche en os était renforcé par un nerf d'élan. P'pa avait expliqué à son fils que ce couteau avait été fabriqué par le clan du Phoque. La mère de P'pa avait appartenu à ce clan. Elle lui avait donné la lame lorsqu'il était devenu un homme. Il avait taillé le manche lui-même et, à son tour, sur son lit de mort, il avait légué ce bien à Torak, qui en était très fier.

Pourtant, lorsqu'il le prit en main, le chef des Corbeaux grimaça.

— Trop lourd pour un gamin, estima-t-il. C'est un couteau de Mage, fait pour les cérémonies.

Il le rendit au garçon.

— Ah, celui-là ! soupira-t-il. Il ne s'est jamais soucié de ce genre de détail...

Torak aurait aimé qu'il en dît davantage. Mais l'homme se tut. Il appuya son nouveau couteau sur le gras du doigt, l'observant avec un œil critique. L'arme était parfaitement équilibrée.

« Et magnifique », pensa le garçon.

Fin-Kedinn la retourna, la prit par la lame et la tendit à Torak.

— Tiens, prends-le. J'ai fait ce couteau pour toi.

Torak resta un moment figé, stupéfait.

L'homme leva la main pour couper court à ses remerciements. Puis il se remit debout en s'appuyant sur son bâton.

— Désormais, tu cacheras le couteau de ton père, ainsi que la bourse médicinale de ta mère, ordonna-t-il. Si quelqu'un te demande qui étaient tes parents, ne lui parle pas.

— Pourquoi ? s'étonna Torak.

Le chef des Corbeaux ne l'écoutait pas. Il s'était immobilisé, les yeux fixés sur le fleuve.

Le garçon plaça sa main en visière. Mais il ne vit pas grand-chose, à part le héron sur la rive opposée, et un tronc d'arbre qui glissait sur l'eau.

Dans le campement, une femme hurla. Faisant entendre un son déchirant, qui couvrait le rugissement des rapides. Un son qui glaça le sang de Torak.

Les Corbeaux accoururent.

Le garçon retint un cri, qui s'étrangla dans sa gorge.

Le tronc d'arbre n'était pas un tronc d'arbre.

C'était Oslak.

SIX

Le géant s'était arrangé pour n'avoir aucune chance de s'en sortir. Il avait tordu ses liens. S'était glissé hors de sa cabane isolée. Avait gravi le Rocher du Gardien. Et il avait sauté.

Il était probablement mort en heurtant le fleuve de plein fouet. C'est du moins ce qu'espérait Torak. Il trouvait insupportable l'idée que son hôte était parti, suffoquant, se noyer dans les rapides.

Quand il regagna le campement, le silence était retombé. Vedna ne pleurait plus. Elle restait immobile. Son visage paraissait pétrifié. Elle regardait les hommes qui rapportaient le corps sans vie sur un brancard en prenant garde à ne pas le toucher à main nue. Nul ne souhaitait risquer de mécontenter les âmes du mort – l'âme-du-nom, l'âme-du-clan, et la plus importante : l'âme-du-monde : elles n'avaient sans doute pas encore quitté le campement.

Comme ils déposaient leur brancard devant la cabane d'Oslak, Saeunn s'accroupit à côté. Le doigt couvert d'une protection en cuir, elle traça les Marques mortuaires en ocre rouge, afin d'aider les âmes du défunt à voyager de conserve là où elles devaient aller. Bientôt, les Corbeaux emporteraient le défunt vers la Forêt. Il était essentiel d'accomplir ce rite promptement ; faute de quoi, les âmes pourraient être tentées de rester dans le campement.

Fin-Kedinn se tenait un peu à l'écart. Ses traits semblaient sculptés dans du granit. Pas la moindre trace de regret.

Il ordonna de doubler la garde autour de Bera et de vider la cabane d'Oslak des effets lui ayant appartenu – après son décès, on brûlait les possessions du mort. Mais, derrière cette façade insensible, Torak sentait que l'homme s'en voulait. Il avait promis à Oslak qu'il le protégerait. Il aurait du mal à accepter son échec. Et à se le pardonner.

Il allait se sentir coupable. Longtemps.

Torak connaissait ce sentiment. Il l'éprouvait aussi.

Désormais, le sort en était jeté : il n'était plus question d'attendre. Pendant que les Corbeaux emporteraient le corps dans la Forêt, il resterait en arrière. Il ne faisait pas partie du clan. Il en profiterait pour disparaître. S'enfoncer dans la Forêt Profonde. Et chercher l'antidote du Mal.

Cependant, avant cela, il devait faire quelque chose. Personnellement.

Tandis que le rite commençait et que les femmes rassemblaient de la craie pour que chacun pût porter les marques de deuil, le garçon se dirigea discrètement vers le Rocher du Gardien. S'il ne s'était pas trompé – c'est-à-dire si, comme il le soupçonnait, la créature au visage de feuilles avait un rapport quelconque avec la mort d'Oslak –, elle avait laissé des traces de son passage. Et Torak comptait bien les étudier.

Vu du fleuve, le Rocher du Gardien formait une manière de falaise abrupte. En revanche, sur son côté oriental, il formait une colline que l'on pouvait gravir avec un minimum de prudence.

Les empreintes étaient nombreuses au pied du rocher. Certaines traces de pas avaient maculé de boue le flanc du roc.

Les informations qu'elles avaient laissées dans la boue n'étaient pas aisées à décrypter. En bon chasseur, toutefois, Torak distingua une piste un peu effacée : des empreintes rapprochées, de petite taille, qui devaient dater de la veille. Probablement laissées par Saeunn lorsqu'elle était montée au sommet.

D'autres marques, nombreuses, mélangées, reconnaissables aux quatre griffures qui les entouraient : un chien qu'avait asticoté un corbeau.

Et enfin des empreintes de pied d'homme. Le garçon voyait nettement le talon et les orteils. Les traces étaient profondes. Oslak avait dû courir aussi vite que possible.

Torak sentit que son estomac se serrait. Il essaya d'oublier cet épisode. Quand il serait en chemin, il aurait tout loisir de se laisser aller à l'émotion. Pas maintenant.

Lentement, il suivit les traces d'Oslak sur le rocher.

Le géant avait fait glisser des graviers et de la mousse. À un endroit, il avait même dérapé et s'était blessé : Torak avisa une minuscule tache de sang. Puis l'homme avait repris sa course. Il avait vraiment filé à toutes jambes. Comme s'il avait eu tous les démons de l'Autremonde à ses trousses.

Cependant, ce n'est qu'au sommet du Rocher que le garçon trouva ce qu'il cherchait et redoutait à la fois. Une autre paire d'empreintes. Beaucoup plus petites que celles d'Oslak. Elles étaient à peine visibles. La créature à qui elles appartenaient n'avait pas couru, elle. Elle était restée immobile. À une faible distance du bord. Elle n'avait pas essayé de retenir le géant. Au contraire. Elle l'avait regardé basculer dans le vide. Droit vers la mort.

Les empreintes de la créature avaient la taille des empreintes d'un enfant de huit ou neuf étés.

Mais d'un enfant qui aurait eu des serres aux pieds.

Le clan se préparait à partir quand Torak retrouva Renn près du grand bûcher.

Son visage était couvert d'un masque de craie sur lequel des larmes avaient dessiné des sillons sombres. Jamais le garçon ne l'avait vue pleurer jusqu'alors.

— J'ai un truc à te dire..., murmura-t-il en s'assurant que seule Renn l'entendait parler.

— Qu'est-ce qui se passe ?

— J'ai escaladé le Rocher du Gardien, et...

— Hein ? Mais pourquoi ?

— Je cherchais des indices. Et j'en ai trouvé.

— Renn ! cria Saeunn de l'autre côté de la clairière. C'est l'heure ! On y va !

— Il y a une créature dans le campement, Renn, souffla Torak. Je l'ai vue.

— Renn ! appela derechef la Mage.

— Je dois y aller, chuchota la jeune fille à son ami.

Elle ramassa une dernière poignée d'ocre sur le sol. La plaça dans sa bourse médicinale. Se leva et déclara :

— On n'en a pas pour longtemps. Tu me raconteras ça quand je serai de retour. Tu me montreras ce que tu as repéré.

Torak opina sans la regarder. Il ne serait plus là quand elle reviendrait. Et il ne pouvait pas le lui dire. Elle aurait essayé de l'en empêcher. Ou elle aurait voulu venir, elle aussi. Ce qu'il n'avait pas le droit d'envisager. Si Fin-Kedinn était dans le vrai, s'il n'y avait ne serait-ce qu'une infime chance pour qu'il tombât dans un piège des Mangeurs d'Âmes, il n'allait pas risquer la vie de Renn en plus de la sienne.

Ironie du sort, ce fut la jeune fille qui s'excusa :

— Désolée que tu ne puisses pas nous accompagner...

Puis elle courut prendre sa place en tête du cortège, au côté de Fin-Kedinn, son oncle.

Torak regarda les Corbeaux qui s'éloignaient. Ils allaient emporter la dépouille d'Oslak à une bonne distance du campement avant d'édifier la Tribune funéraire – une sorte de brancard bas, construit en branches de sorbier, sur lequel serait posé le cadavre, le visage vers l'aval du fleuve. À l'instar des saumons, les âmes du géant s'achemineraient alors vers leur dernière demeure, dans la direction des Hautes Montagnes.

Le rituel autour de la Tribune funéraire serait bref. Après un dernier au revoir, le clan laisserait le corps à découvert dans la Forêt. Ainsi nourrirait-il les créatures, donnant la vie au-delà de la mort. Dans trois mois, Vedna rassemblerait les os et irait les porter à l'ossuaire des Corbeaux ; et, durant cinq étés, ni elle ni personne ne devrait prononcer le nom du disparu à haute voix. C'était une loi stricte valable pour tous les clans. Ainsi, les âmes du défunt ne viendraient pas troubler les vivants.

Torak suivit le cortège jusqu'à ce qu'il disparût. Quand la Forêt eut avalé le dernier Corbeau, le campement parut étrangement désert. Seuls les chiens restaient sur place pour garder le saumon.

Vite, vite, Torak rassembla ses affaires. Il remplit son petit sac de voyage avec ce qu'il possédait : son outre à cuisson, sa poche médicinale, sa réserve d'amadou, ses hameçons de pêche, son arc, son carquois, ses affaires de couchage roulées en boule, le couteau de P'pa protégé dans son fourreau de cuir, et la corne médicinale qui avait appartenu à sa mère. Il glissa sa hachette en basalte, en essayant de ne pas se souvenir de la dernière fois où il avait dû faire ses paquets en urgence.

C'était juste avant la mort de P'pa.

La main droite de Torak se serra sur le manche du couteau que Fin-Kedinn avait taillé pour lui. Il était plus léger, donc plus aisé à manier. Mais rien ne remplacerait jamais le couteau de P'pa.

« Arrête de penser à ça », s'ordonna-t-il. Il était temps de filer. Sans oublier de prendre de quoi se nourrir.

Après ce qui était arrivé à Oslak, il ne voulait pas de saumon. Ni poisson fumé, ni gâteaux au poisson séché aromatisé aux baies de genièvre. Il se contenta de prélever des morceaux d'élan suspendus dans la cabane de Thull. De quoi tenir jusqu'à la Forêt Profonde.

Du moins *a priori*. Car, en réalité, qu'en savait-il ? Combien de temps cela lui prendrait-il ? Trois jours ? Cinq ? Il l'ignorait. Il n'était jamais allé là-bas. Il n'avait rencontré que deux habitants de cette contrée. Une femme du clan du Cerf, silencieuse, aux cheveux mêlés d'ocre, et une étrange fille qui appartenait au clan de l'Aurochs et portait les cheveux curieusement figés dans de la craie jaune. Ni l'une ni l'autre ne lui avaient témoigné le moindre intérêt lorsqu'elles étaient venues le juger avec les membres des autres clans. Aussi, contrairement à ce qu'il avait affirmé à Fin-Kedinn, ne s'attendait-il guère à un accueil chaleureux.

Il quitta le campement. Longea la cabane du chef. C'est à cet instant qu'il prit conscience de ce qui se passait : il quittait les Corbeaux. Peut-être ne les reverrait-il jamais. Eux non plus.

Il avait d'abord perdu P'pa. Puis Loup. Et maintenant Oslak et Fin-Kedinn et Renn...

Il entra dans la cabane de Fin-Kedinn.

Il y faisait très sombre. Le coin réservé au chef était rangé, impeccable. Par contre, celui de Renn était un fouillis sans nom. Ses affaires de couchage étaient en boule et constellées de bouts de flèche qu'elle n'avait pas fini d'arranger. Elle serait furieuse qu'il fût parti sans elle ; mais comment lui dire adieu ?

Torak eut une idée. Devant la cabane, il y avait un galet blanc tout plat. Il courut vers l'aulne le plus proche, murmura une action de grâce à l'intention de son esprit, arracha un morceau d'écorce qu'il mâchouilla. Ensuite, il cracha le mélange de salive et de résine dans sa paume. Avec, il peignit son tatouage clanique sur la pierre : deux lignes en pointillé, avec un gros espace au milieu. L'espace n'existait pas dans la version traditionnelle du tatouage. Par contre, il existait sur son visage, à cause d'une cicatrice sur sa joue. Ainsi, quand Renn le verrait, elle saurait de qui venait ce dessin.

Quand il eut achevé son message, il s'immobilisa. Son doigt était teinté de résine d'aulne. La même que celle dont il s'était servi pour baptiser Loup l'automne dernier. Il en avait versé sur les pattes du louveteau ; et il s'était agacé de voir que Loup se léchait les coussinets pour s'en débarrasser.

— Il-faut-que-j'ar-rê-te-de-pen-ser-à-Loup ! s'exclama-t-il à haute voix, en détachant chaque syllabe. À lui et aux autres !

Le silence du campement vide lui répondit, moqueur. Le garçon crut distinguer le sens de ce vide : « Tu es seul, désormais, Torak. Tout seul ! »

Il se dépêcha de déposer le galet sur les affaires de Renn. Puis il déguerpit dans la lumière du soleil.

La Forêt éclatait de chants d'oiseaux. Elle était douloureusement magnifique. Torak n'en éprouvait aucune joie.

Son arc à l'épaule, il se tourna vers l'est. Et son voyage vers la Forêt Profonde commença.

SEPT

Le chagrin galopait au côté de Loup comme un frère de meute invisible.

Grand Sans Queue lui manquait. Son visage bizarre et imberbe lui manquait. Son hurlement primitif lui manquait. Et l'étrange jappement que Grand Sans Queue émettait pour rire lui manquait aussi.

Souvent, Loup s'était écarté pour hurler, seul, à l'intention de son ancien frère de meute. Souvent, il avait couru en rond, incapable de se décider entre les deux Appels : celui qui le poussait vers la Montagne, et celui qui le retenait vers son frère de meute.

Les autres loups – ses nouveaux frères de meute – n'en revenaient pas. « Tu es avec nous, maintenant ! lui faisaient-ils comprendre. Et tu n'es pas encore un vrai mâle. Tu as beaucoup à apprendre. Tu ne sais pas chasser une proie de belle taille. Tu ne pourrais pas survivre si tu te retrouvais livré à toi-même. Allons, reste avec nous ! »

La meute était puissante. Soudée. À plusieurs reprises, Loup s'était senti heureux, avec ses frères, dans la Montagne du Tonnerre. Ils avaient joué à des jeux formidables (comme la chasse au lemming dans la neige). Ils avaient plongé dans des lacs pour effrayer les canards. Mais, au fond, personne ne le comprenait, ici.

Loup pensait à cela en courant sur son sentier favori, le nez en l'air pour humer la Forêt.

La Forêt était loin, à présent. Pourtant, le loup repéra l'odeur de museau mouillé d'un faon nouveau-né, et celle, tranchante, de la sève d'un épicéa que le vent avait brisé. Il entendit aussi le bruit de succion que faisait un sanglier qui se tournait et se retournait dans la boue ; et le son répétitif d'une jeune loutre tombant de branche en branche. Comme il aurait aimé être là-bas, au cœur de la Forêt, avec Grand Sans Queue !

Hélas, pourrait-il seulement y retourner un jour ?

Il ne restait pas qu'à cause de sa nouvelle meute. C'était la Montagne du Tonnerre. Le Tonnerre ne le laisserait jamais repartir.

Le Tonnerre pouvait attaquer n'importe quand. Même aujourd'hui, même à cet instant précis, quand le Dessus était bleu, brillant, dégagé, sans la moindre trace d'haleine furieuse. Le Tonnerre pouvait faire plier la Forêt sous les tempêtes. Envoyer d'Éclatantes-Bêtes-Qui-Brûlent pour réduire en poussière les arbres, les pierres... et les loups. Le Tonnerre était tout-puissant. Et Loup le savait mieux que quiconque : il avait frappé son clan quand il n'était qu'un louveteau.

Un jour, le louveteau était parti explorer. Quand il était revenu, la Tanière avait disparu. Il avait retrouvé toute sa meute – sa mère, son père, ses frères de meute – allongés. Mouillés. Froids. Sans souffle. Dans la boue. Le Tonnerre n'avait même pas eu besoin de les approcher pour les détruire. Il avait envoyé l'Eau rapide. Elle avait dévalé les Montagnes en rugissant. Et plus rien.

Loup s'était senti terriblement seul. Effrayé. Et affamé. Puis Grand Sans Queue était venu. Il avait partagé ses proies avec lui. Il l'avait laissé se lover sur lui dans son sommeil. Il avait hurlé avec lui. Il avait joué avec lui. Il était devenu son frère de meute.

Grand Sans Queue était un loup, bien sûr. Son odeur ne faisait pas de doute. Néanmoins, ce n'était pas un loup normal. Il avait une drôle de fourrure sur la tête : longue et sombre. Ailleurs, il n'avait pas de fourrure, sauf une espèce de deuxième peau *qu'il pouvait ôter à loisir*. Sa gueule était plate. Il avait les dents beaucoup trop courtes. Et, plus curieux encore, il n'avait pas de queue.

Mais qu'importe. Il parlait loup. Ou presque : il n'atteignait jamais les jappements les plus aigus. Surtout, ses yeux étaient de véritables yeux de loup, gris pâle et palpitants de lumière. Enfin, il avait le cœur et l'esprit d'un loup.

Il était loup.

Et penser à cela remplissait la poitrine de Loup d'une oppressante tristesse. Il leva son museau et hurla.

C'est alors qu'une sensation, imperceptible jusque-là, lui monta à l'oreille.

Ni un chasseur ni une proie. Ni un arbre, ni l'Eau rapide, ni une pierre. Une *mauvaise* chose. Oui, une chose mauvaise qui soufflait sur la Forêt.

Loup poussa un gémissement anxieux. Son frère de meute était perdu. À la merci de la chose mauvaise.

Et soudain, tout s'éclaira. Le Tonnerre pouvait bien le poursuivre. Le frapper. Loup ne s'en souciait plus. Grand Sans Queue avait besoin de lui.

Il bondit en avant et courut vers la Forêt.

Il courut pendant deux Ombres et deux Lumières, et le Tonnerre ne le frappa pas. Loup avait laissé les Montagnes derrière lui. Il se guidait en courant vers l'endroit où le Grand Œil Brûlant allait se coucher.

La peur vibrait sous ses coussinets.

Il avait peur de la colère des loups étranges dont il violait les territoires. S'ils l'attrapaient, ils le mettraient en pièces. Et qu'adviendrait-il de Grand Sans Queue ?

Loup avait aussi peur du Tonnerre.

Mais, avant tout, Loup avait peur pour son véritable frère de meute.

Car, à mesure qu'il courait, l'odeur devenait plus forte. La chose mauvaise avait frappé la Forêt. Et commencé de l'envahir.

Ignorant la fatigue, Loup slalomait entre les arbres, à la recherche des Sans Queue. Certains avaient une odeur de sanglier ; d'autres de loutre. Mais celle qu'il cherchait sentait le corbeau. C'était celle de Grand Sans Queue.

Enfin, il le découvrit, sur les bords de l'Eauvive, au débit furieux.

Comme il s'y attendait, personne ne repéra sa présence. Voilà une des bizarreries des Sans Queue. Ils avaient de nombreux points communs avec les loups : pour la plupart, ils étaient intelligents et courageux ; ils aimaient parler, ils aimaient jouer ; ils étaient très attachés à leur meute. Par contre, ils étaient incapables de

66

sentir. Ils avaient un odorat lamentable ; et leur ouïe ne valait pas mieux. Ils n'entendaient rien. Ou presque. Loup put donc errer aux abords de la Tanière des Sans Queue à odeur de corbeaux, en quête de son frère de meute.

Et il ne le trouva pas.

Il avait plu, lors de la dernière Lumière ; aussi, bien des odeurs avaient-elles disparu. Cependant, si Grand Sans Queue avait erré dans les parages, Loup l'aurait repéré.

Il repéra ainsi l'odeur du chef de meute. Le Sans Queue était assis près du Brillant-monstre-à-la-morsure-brûlante, là où aiment s'asseoir les Sans Queue. À son côté était accroupie une jeune femelle. Une sœur de meute de Grand Sans Queue. Elle parlait au chef de meute dans ce mélange de jappements et de cris qui tient lieu de langage aux Sans Queue. Elle semblait à la fois triste et furieuse.

Loup devina qu'elle était inquiète pour Grand Sans Queue.

Courant de ci de là, Loup chercha son frère de meute. Il tomba sur un monticule qui sentait la cendre froide. Il avisa d'étranges arbres élancés où on avait mis des poissons à sécher. Il ne s'arrêta que pour en happer quelques-uns, avant de regagner la Forêt, à la recherche de Grand Sans Queue.

Peut-être son frère de meute était-il sorti chasser. Oui, c'était probable. Dans ce cas, il ne pouvait être loin car, à l'instar de ses semblables, il ne courait que sur ses postérieurs, ce qui faisait de lui un animal ridiculement lent.

Mais Loup eut beau chercher, chercher sans relâche, chercher puis chercher encore, il ne trouva rien. Ni Grand Sans Queue, ni indice de son passage.

La vérité le frappa avec la violence qu'aurait eue un arbre en s'abattant sur lui.

Grand Sans Queue était parti.

HUIT

Torak voulait éviter les Corbeaux à tout prix. Aussi restait-il à l'écart des sentiers qu'empruntaient habituellement les membres du clan. Il privilégiait les sentes qu'avaient tracées les chevreuils, celles qui sillonnaient la vallée des Grandes Eaux.

Les animaux ne tardèrent pas à comprendre qu'il n'était pas venu les chasser. Ils cessèrent de le fuir systématiquement. Quand le garçon passa près d'un glouton, l'animal continua de jouer dans les herbes hautes. Des chevaux sauvages levèrent la queue et trottèrent se mettre à couvert avant de s'arrêter pour l'observer, curieux. Deux sangliers adultes et leurs gros marcassins ébouriffés levèrent leurs défenses en le voyant arriver, mais ils ne l'attaquèrent pas.

Les feuillages laissaient filtrer la lumière ; et Torak pouvait ainsi progresser à bonne vitesse. Comme tous ceux qui vivaient dans la Forêt, il voyageait léger, ne transportant que ce dont il avait absolument besoin pour chasser, faire du feu et dormir.

Depuis qu'il était tout petit, il avait vécu dans la Forêt avec P'pa. Ils avaient changé de campement à peu près chaque nuit. Ils ne s'arrêtaient presque jamais. C'est ce qui avait paru le plus difficile à Torak, quand il était allé vivre avec les Corbeaux. Ils ne migraient vers un autre campement que toutes les trois ou quatre nuits.

Et ils étaient si nombreux ! Vingt-huit hommes, femmes, enfants... et bébés. Des bébés, jusqu'à l'hiver dernier, Torak n'en avait jamais vu.

« Pourquoi il ne marche pas ? avait-il demandé à Renn. Il est malade ? Qu'est-ce qu'il fait toute la journée ? »

La jeune fille en avait pleuré de rire.

Sur le coup, la réaction de Renn avait mis le garçon en colère. Mais à présent, cela lui faisait plutôt regretter d'avoir dû la quitter sans un mot.

Il quitta la vallée des Grandes Eaux, prit au sud vers les Chutes du Tonnerre, puis bifurqua vers la vallée suivante, à l'est.

Il avait croisé deux membres du clan du Saule. Des chasseurs qui circulaient à l'aide de canoës qu'ils avaient creusés dans des troncs secs. Par chance, ils étaient pressés ; de sorte qu'ils ne lui avaient pas demandé où il allait. Ils s'étaient contentés de le mettre en garde avant de redescendre le fleuve.

— Un homme malade s'est échappé de notre camp la nuit dernière, lui avait appris l'un des chasseurs. Si tu l'entends hurler, prends tes jambes à ton cou ! Il ne sait plus qu'il est un être humain...

L'autre avait hoché la tête d'un air grave :

— Qui sait d'où vient cette maladie... On dirait que le souffle même de l'été est empoisonné !

Au cours de l'après-midi, Torak repensa à cette rencontre car il avait la sensation d'être épié. Il s'arrêta à plusieurs reprises. En vain. Il n'entendait rien. Il ne voyait rien de suspect non plus quand il se retournait d'un coup. Et pourtant, il était bel et bien suivi. Il en aurait mis sa main au feu. Il le sentait.

À mesure que les ombres allongeaient, il imaginait des hordes de déments divaguant dans la Forêt. Il devinait de petites créatures malveillantes, dont les serres acérées s'agitaient devant leurs visages de feuilles.

Il dressa le camp près d'une rivière qui bruissait. Des libellules dansaient à la surface, virevoltant comme autant de rais de lumière bleue. Moucherons et moustiques se jetèrent sur lui, manquant de le dévorer avant qu'il ne s'enduisît de fiel d'armoise.

Il n'avait plus dormi seul dans la Forêt depuis six lunes. Aussi avait-il pris la précaution de choisir un site sûr. Il s'était installé sur un sol plat, proche d'un cours d'eau, assez haut cependant pour éviter d'être trempé si le ru débordait. Il avait vérifié s'il n'y avait pas de fourmilière proche ou de trace de gros gibier dans les parages. Enfin, il avait inspecté les troncs qui l'entouraient : pas d'arbre mort ou blessé par la tempête et susceptible de lui tomber dessus pendant la nuit.

Après avoir vécu dans les cabanes en cuir des Corbeaux, il était heureux de retrouver ses anciennes habitudes. Celles qu'il avait quand il vivait avec P'pa. Il se construisit donc une cabane avec des arbres. Il trouva trois jeunes bouleaux dont il plia les branches souples. Puis il les attacha à l'aide d'une racine de conifère, afin de se construire un abri sommaire pour la nuit. Il améliora ensuite son abri en remplissant les espaces vides avec des branches mortes. Après quoi, il garnit son toit avec un tapis de feuilles ramassées par terre, qu'il recouvrit à leur tour de branchages, afin de lester le tout. Au matin, il détacherait les jeunes bouleaux ; et ils se redresseraient sans dommage.

Torak se confectionna un matelas avec les dernières faines d'automne ; puis il apporta son paquetage dans la cabane où s'élevait une forte odeur de terre.

— Ça sent bon ! déclara-t-il à haute voix.

Mais son enthousiasme sonnait faux.

La nuit tomba. Il faisait doux. Le garçon n'alluma donc qu'un petit feu. Il l'encadra par un mur de pierres : ainsi, les flammes ne risqueraient pas de se répandre dans la Forêt. Avec une amorce et une poignée d'écorce tendre de bouleau, il réussit à déclencher une étincelle. Bientôt, il obtint une braise. Et il se rappela les nuits passées avec P'pa, à écouter le crépitement du feu. Il s'était posé des questions sur cette créature mystérieuse et vivante, qui était un si bon ami des membres des clans. À quoi rêvait le feu quand il dévorait les arbres ? Où allait-il quand il mourait ?

Il pensa aussi à la rencontre qui l'attendait. Cela ne lui était pas encore arrivé. Pourtant, il allait découvrir le clan du Cerf. Peut-être se sentirait-il à l'aise parmi ses membres. Ils avaient du sang en commun. Sans compter que, d'une certaine manière, il aurait pu être des leurs, si les événements s'étaient déroulés autrement. À sa naissance, sa mère aurait pu l'appeler selon les rites de son clan, plutôt que selon ceux du clan de P'pa. Alors, il aurait grandi dans la Forêt Profonde, P'pa serait toujours vivant... mais Torak n'aurait jamais rencontré Loup...

« Assez rêvassé », se dit le garçon. Il se leva pour aller chercher de quoi manger.

Il creusa. Dénicha de succulentes racines comestibles. Les cuisit braisées, accompagnées d'une purée d'ansérine aromatisée d'une gousse d'ail. Pas mauvais. Mais il n'avait pas faim. Il ne se força pas : il mangerait son dîner au petit-déjeuner.

Il suspendit sa marmite en peau à une branche haute, hors de portée des amateurs à quatre pattes... et il entendit un cri percer dans la Forêt.

Il se figea.

Ce n'était pas le cri d'un renard, ni celui d'un lynx en chaleur. C'était le hurlement d'un homme. Ou plutôt de quelqu'un qui, jadis, avait été un homme, et qui se trouvait actuellement assez loin, à l'ouest.

Le pouls de Torak s'accéléra. La lumière avait presque disparu, à présent. On serait bientôt au milieu de l'été ; la nuit ne serait donc pas longtemps d'encre. Juste assez longtemps pour nourrir un profond sentiment de peur.

Le crépuscule acheva de se noircir ; et cependant la Forêt bruissait encore : les branches s'agitaient ; les piverts frappaient les troncs ; d'autres oiseaux chanteraient toute la nuit, et Torak était ravi qu'ils lui tinssent compagnie.

Il imagina les membres du clan du Corbeau. Ils devaient être assis autour du grand feu. Les souvenirs surgirent : des bouffées de saumon fumé sautèrent aux narines du garçon ; des bouchées de poisson cuisiné à point glissèrent sur ses papilles ; des éclats de voix d'Oslak s'esclaffant à gorge déployée rugirent à ses oreilles...

« On dirait que le souffle même de l'été est empoisonné », avait lâché l'un des chasseurs croisés dans l'après-midi.

L'écho de ces mots résonnèrent dans la tête de Torak tandis qu'il se préparait à dormir, ses armes à portée de main. Un instant plus tôt, il était éveillé, tous les sens en alerte. Mais, d'un coup, il se sentait épuisé.

Il s'endormit.

Soudain, des ricanements hystériques déchirèrent ses rêves. Perdu dans le brouillard, un grondement sourd, à la fois familier et létal, lui parvint.

Le garçon se réveilla en sursaut. Ce grondement, c'était... mais oui, c'était le bruit d'un arbre qui tombe. *Et l'arbre tombait sur lui !*

Sa couverture s'était entortillée autour de ses jambes. Impossible de se dégager. Pas le temps.

Il rampa comme une chenille. Parvint au seuil de sa cabane. S'appuya contre un bouleau pour se redresser. Se tint debout. Voulut avancer. Vacilla. Tomba. Évita le feu d'un cheveu. Et roula de côté, dans les hautes herbes, à l'instant où l'arbre tombait sur sa cabane.

Des étincelles jaillirent. Des branches noires fouettèrent l'air. Puis tout redevint calme.

Torak restait immobile. Allongé dans les hautes herbes. Le cœur battant la chamade. La sueur inondant sa poitrine.

Avant de choisir l'emplacement de sa cabane, il avait vérifié l'état des arbres autour de lui. Et il n'y avait presque pas de vent. L'arbre n'avait pas pu tomber de lui-même.

Mais ce rire sardonique... Il n'avait pas seulement existé dans ses rêves.

74

Un long moment, Torak demeura où il était. Il n'osait pas bouger. Il attendait de voir ce qui allait se passer. Comme tout paraissait paisible, il finit par se lever pour inspecter les ruines de sa cabane.

Un jeune frêne l'avait écrasée. Dans sa chute, il avait tué les trois arbustes, et coincé les affaires du garçon à l'intérieur. Torak avait une chance de les dégager.

Peut-être.

À la lueur du feu, il estima les dégâts. *A priori*, rien de brisé.

Il frissonna en pensant que s'il ne s'était pas réveillé... il ne se serait plus jamais réveillé. Il serait mort.

Pourtant, il était troublé. Si le Suiveur avait vraiment voulu le tuer, pourquoi l'aurait-il averti ? Pourquoi n'aurait-il pas retenu ses gloussements ? La créature, quelle qu'elle fût, paraissait jouer avec lui. Le tester. Le mettre en péril pour voir comment il réagirait. Pour vérifier s'il était digne de lutter contre lui.

Les yeux de Torak se posèrent sur le feu qui brûlait toujours. Il prit une bûche rougeoyante dans une main et son couteau dans l'autre et observa la base du frêne.

Il vit distinctement des traces de hache. De petites entailles. Suffisantes.

Néanmoins – et ça aussi, c'était troublant –, alentour, il n'y avait pas une trace de pas. Celui qui avait attaqué l'arbre n'avait pas laissé une seule empreinte autour de la souche du frêne.

Le garçon inspecta le sol de nouveau. Rien.

Bien sûr, dans la pénombre, il pouvait rater un indice. Cependant, il en doutait. Traquer des proies, relever des pistes, c'était sa spécialité. Il n'était peut-être bon qu'à ça ; mais, dans ce domaine, du moins, il était presque infaillible.

Du doigt, il caressa le tronc d'où coulaient de longues larmes de sève qui allaient s'épaississant. Ce qui signifiait que l'arbre avait été coupé à l'avance, puis poussé pendant que le garçon dormait.

Torak fronça les sourcils. Faire tomber un arbre en silence ? Impossible. Il aurait dû entendre un bruit étrange. Il aurait dû percevoir des indices de ce qui allait se passer. Or, il n'avait rien entendu. Pourquoi ?

Soudain, il eut une idée. À un moment, il s'était éloigné du campement : il était allé remplir sa marmite en cuir à la rivière, afin d'y faire bouillir l'ansérine. Le bruit de la rivière – presque un torrent, en réalité – avait pu couvrir les coups de hache.

Ah ! si seulement Loup avait été avec lui ! Il aurait senti l'intrus. Rien ne lui échappait. Son ouïe était si fine qu'il entendait les nuages passer ; et son odorat était si développé qu'il pouvait distinguer l'haleine des poissons.

Mais Loup n'était pas là. Il était loin. Dans les Montagnes. Torak devrait se débrouiller seul.

Il ne hurla même pas. À quoi bon ? Son ami perdu – son frère – ne l'entendrait pas. Et le garçon n'avait pas envie d'imaginer quelle créature risquait, en revanche, de répondre à son appel...

La nuit était plus qu'à moitié passée lorsque le garçon eut enfin réussi à dégager ses affaires et à se bâtir une autre cabane. La fatigue l'étourdissait. Les trois arbustes morts par sa faute le tourmentaient. Il sentait que les âmes des plantes flottaient autour de lui. Elles étaient perdues. Stupéfaites. Elles ne comprenaient pas ce qui leur était arrivé. Pourquoi on leur avait volé la chance de devenir les âmes de grands et beaux arbres.

« C'est ta faute, semblaient murmurer les vieux arbres à Torak. Entièrement ta faute. Le mal t'accompagne. Où que tu ailles, il est avec toi. »

Le garçon ferma les paupières un instant.

Cette fois, il ne risquait pas de s'entortiller dans ses affaires de couchage. Il ranima le feu. S'assit dans sa nouvelle cabane. Glissa sa couverture en daim autour des épaules. Posa sa hache sur les genoux. Il ne voulait pas dormir. Il attendait juste l'aube. Viendrait-elle jamais ?

Soudain, il sursauta. À nouveau, cette impression qu'on le regardait. Différemment, cependant. Une odeur lui parvenait. Chaude, puissante et familière. Piquante comme un condiment dont, épuisé par le sommeil, il n'arrivait pas à retrouver le nom.

C'est alors qu'il vit l'éclat de deux yeux, de l'autre côté du feu. Sa main se crispa sur le manche de sa hache.

— Qui es-tu ? s'enquit-il.

La créature grogna.

— QUI ES-TU ? insista Torak.

La créature apparut à la lumière.

Le garçon se raidit.

Un sanglier. Un mâle. Énorme. Deux pas de long, du groin au bout de la queue. Sans doute plus lourd que trois lutteurs massifs. De grandes oreilles brunes pliées vers le garçon. Des yeux intelligents. Un regard furieux vrillé sur l'intrus.

« Pas de quoi paniquer, voulut croire Torak. Les sangliers n'attaquent pas pour rien. Sauf quand ils sont blessés ou défendent leurs marcassins. »

Mais il y avait de quoi paniquer. Un sanglier en colère court plus vite qu'un chevreuil. Et il est invincible.

— Je ne te veux pas de mal, dit le garçon.

Évidemment, l'animal ne comprendrait pas ses mots. Cependant, un ton calme suffirait peut-être à apaiser la tension.

Les amples oreilles du sanglier frémirent. Un éclair jaunâtre passa dans ses yeux. Puis l'animal poussa un grognement irrité. Il baissa sa tête massive et se mit à fourrager dans les ruines de la cabane.

Il voulait manger. Rien d'autre. L'été représentait une saison difficile pour ces bêtes sauvages. Les fruits et baies divers qu'on trouve en automne avaient disparu depuis longtemps. Dès lors, tout était bon à se mettre sous la dent : racines, insectes, lombrics. Tout.

Le sanglier ne prêta pas attention à Torak. Lequel finit par trouver cette présence réconfortante. Revenant sur sa résolution, il se lova sous ses affaires de couchage, écoutant la chanson de grognements, grattements et soufflements que fredonnait son compagnon inattendu.

Le sanglier n'était pas le moins du monde amical ; et, pourtant, Torak souhaitait qu'il restât longtemps. Car, en dépit d'un aspect grossier, les sangliers ont des sens très développés. Tant qu'il serait là, aucun homme, si malade fût-il, aucun Suiveur, quel qu'il fût, ne s'approcherait. C'était à la fois un garde du corps et un vigile idéal.

Mais inutile de rêver : bientôt, il partirait.

Le regard du garçon se perdit dans le cœur rougeoyant des braises. Peut-être Fin-Kedinn avait-il eu raison. Peut-être l'avait-on berné. Peut-être avait-on simplement cherché à l'attirer loin du campement des Corbeaux. Peut-être l'être, l'esprit ou la créature qui lui en voulait avait-il obtenu exactement ce qu'il souhaitait.

Mettre un visage sur son ennemi, et voir sa proie seule, à sa merci, au milieu de la Forêt.

Quand Torak émergea de sa cabane, il pleuvait.

Son Suiveur n'avait pas chômé. Après que le sanglier était parti, il avait éteint le feu, éparpillé les pierres de protection, répandu les cendres, s'était introduit dans la cabane en silence pendant que le garçon s'était assoupi pour prendre ses flèches dans son carquois, et les avait plongées dans la cendre pour dessiner un motif.

Un motif que Torak reconnut de suite.

Le trident des Mangeurs d'Âmes.

Le garçon mit un genou à terre et déterra une flèche.

— D'accord, proféra-t-il d'une voix distincte en se relevant. Je vois que tu es un petit malin. Tu m'espionnes comme il faut. Mais tu n'es qu'un couard si tu n'oses pas m'affronter en face. Si ce n'est pas le cas... viens, viens maintenant ! Je t'attends !

Torak scruta les alentours. Pas une branche ne frémit.

— Froussard ! cria-t-il.

La Forêt attendit.

La voix du garçon se réverbéra dans les arbres.

— Qu'est-ce que tu veux ? Viens ! Viens me chercher si tu es si fort ! Viens, et explique-moi ce que tu attends de moi !

Seule réponse : des gouttes de pluie glissant sur son visage. Et le tactactac d'un pivert, au loin.

À la mi-journée, il pleuvait toujours.

Torak aimait la pluie. Elle le rafraîchissait et éloignait les moustiques. Son moral remontait en flèche. Il avait parcouru deux vallées supplémentaires. Il avançait. Et il n'avait plus l'impression qu'on l'observait. Les hurlements déments avaient disparu.

Peut-être grâce au sanglier qui l'accompagnait.

Le garçon ne le voyait pas, mais il trouvait sans cesse des signes de sa présence à proximité. Des sillons profonds dans la terre, là où l'animal avait cherché des racines. Un vaste creux devant un bouleau à l'écorce abîmée – le sanglier avait dû se gratter contre l'arbre après s'être offert un bon bain bien boueux.

Et Torak trouvait toujours cette présence rassurante. En fin de compte, il avait un nouvel ami. Il se demanda quel âge pouvait avoir l'animal. Était-il le papa des marcassins qu'il avait aperçus la veille ?

Dans l'après-midi, leurs routes se croisèrent derechef. Ils burent au même ruisseau. Se reposèrent dans la même clairière. Se retrouvèrent à chercher les mêmes champignons des bois. Mais, alors que Torak s'apprêtait à en ramasser, le sanglier le chassa d'un grognement sévère... et piétina les pousses que le garçon avait failli avaler.

Torak comprit bientôt pourquoi : ce n'étaient pas des champignons comestibles mais du poison, comme leur chair rougeâtre, révélée sous le piétinement du porc sauvage, le prouvait. À sa façon grognon, le sanglier avait averti le garçon : il devait être plus prudent. Plus attentif.

Et peut-être pas seulement pour choisir ses champignons.

Le lendemain matin, il pleuvait encore. La Forêt grisonnait sous son manteau de nuages.

Cependant, à mesure que Torak progressait vers l'est, il comprit que, si l'obscurité gagnait, ce n'était pas seulement à cause des nuages. La Forêt elle-même s'assombrissait.

Lui avait l'habitude de la Forêt Claire. Là-bas, les arbres laissaient passer les rayons du soleil à foison. Voir, dans les sous-bois, ne posait généralement aucun problème.

Cependant, dès qu'on atteignait, ainsi que le garçon venait de le faire, les collines qui gardaient l'accès à la Forêt Profonde, tout changeait. Des chênes hauts se dressaient devant lui. Leurs membres puissants s'étendaient comme pour lui bloquer le passage. Les herbes hautes étaient plus grandes que Torak. Des ifs noirs hissaient leurs silhouettes élancées jusqu'aux nuages ; des sapins-ciguës – du poison vivant – barraient le chemin des rares curieux qui auraient eu l'imprudence de vouloir pénétrer en ces lieux. Une canopée continue de feuillages denses masquait le ciel.

Le garçon avait perdu de vue le sanglier. Il lui manquait. Il avait peur : peur de la créature qui le suivait ; et peur de ce qui l'attendait.

Il pensait aux histoires que son père lui avait rapportées sur cet étrange territoire. « Dans la Forêt Profonde, Torak, avait-il dit, ce n'est pas comme dans la Forêt Claire. Les arbres sont plus attentifs ; les clans plus suspicieux. Si jamais tu devais t'y aventurer, méfie-toi. Sois prudent. Et souviens-toi que, en été, l'Esprit du Monde chemine dans les vallées profondes, pareil à un homme pourvu d'une ramure de cerf... »

Torak inspira pour se donner du courage ; et il poursuivit sa route.

Tard dans l'après-midi, la pluie tombait encore sans discontinuer. Le garçon s'arrêta à un ruisseau pour se reposer. Il suspendit son sac à une branche de houx et s'avança vers l'eau pour remplir sa gourde.

Sur la berge, il repéra des traces fraîches. Le sanglier était passé par là peu avant lui. Ses empreintes étaient nettes. On distinguait clairement la forme de ses griffes. C'était bon de savoir qu'il était proche !

Pendant qu'il remplissait sa gourde, il sentit son odeur familière et sourit.

— Je me demandais où tu étais passé, dit-il à haute voix.

C'était amusant de retrouver un ami dans ces parages inquiétants où, la veille encore, il ne connaissait personne...

De l'autre côté du ruisseau, les fougères s'écartèrent. Le sanglier apparut.

Et Torak sut instantanément que quelque chose clochait. Sa fourrure brune était couverte de sueur. Ses petits yeux étaient dilatés et veinés de rouge.

Le garçon laissa tomber sa gourde. Battit en retraite. Entendit le sanglier pousser un cri rageur.

Puis charger.

NEUF

Torak fonça sur le premier arbre venu pendant que le sanglier se ruait sur lui.

La panique décuplait ses forces. Il sauta, agrippa une branche et se hissa dessus à la force des bras et des jambes. Peu après, les défenses du sanglier laissaient des entailles profondes sur le tronc, à l'endroit précis où s'étaient trouvés les pieds du garçon un instant plus tôt.

L'arbre trembla. Torak plongea ses ongles dans l'écorce et réussit à se placer entre le tronc et la branche, là où son perchoir était le plus solide. Ou le moins fragile.

Car le garçon était en mauvaise posture. Il n'était pas beaucoup plus haut que le sanglier ; et cependant, il ne pouvait pas se hisser davantage. L'arbre était trop grêle. Il risquait de le briser.

Il avait perdu ses bottes dans l'escalade. Ses pieds étaient couverts de boue, donc glissants. Pour se stabiliser, il saisit une branche au-dessus de lui. Elle craqua. Le sanglier rejeta la tête en arrière et le regarda.

Son regard brun, perçant, intelligent, avait disparu. Ne restaient plus que deux yeux écarquillés et injectés de sang. Quelque chose l'avait transformé en monstre. Cette mutation rappelait la terrible transformation d'Oslak.

— Mais je suis ton ami..., souffla Torak.

Comme si son amitié avait suffi à apaiser Oslak !

Le sanglier ne parut pas le comprendre. Il poussa un rugissement inquiétant et s'enfonça au cœur de la Forêt Profonde dans un tonnerre de sabots.

Torak attendit un moment, le souffle court. Poussa un soupir de soulagement : l'animal ne revenait pas. Mais il savait qu'il ne pouvait pas encore descendre. Les sangliers sont malins. Ils ont l'art et la manière de se tapir. Celui-ci pouvait être n'importe où. Absolument n'importe où.

Le garçon, accroché à sa branche, commençait d'avoir des crampes. Quand il changea de position, une onde de douleur parcourut son mollet droit. Soudain, il avisa une tache rouge. Et il comprit. Ses pieds ne glissaient pas à cause de la boue mais *à cause du sang*. Les défenses du sanglier l'avaient touché au mollet. Pris par l'urgence, il ne l'avait pas senti. De toute façon, pour le moment, il ne pouvait rien faire.

La pluie cessa. Le soleil réapparut. Autour du garçon, le houx et les chênes luisaient au-dessus d'un tapis de fougères et d'herbes hautes touffues. Les parages semblaient parfaitement calmes.

Pourtant, l'odeur du sanglier restait suspendue dans l'air. L'animal se trouvait peut-être à cinq pas de là. Pas moyen de le savoir... avant qu'il ne fût trop tard.

Près de lui, un rouge-queue vint se poser sur un buisson de bardane dans un tourbillon de gouttes de pluie. « Il ne serait pas venu ici si le sanglier était encore dans les parages », estima Torak.

Il jugea toutefois plus prudent de vérifier. Pour s'en assurer, il dégaina son couteau. Adressa une excuse rapide à l'esprit du saule. Coupa une petite branche. La jeta par terre.

Le rouge-queue s'envola. Et la bruyère explosa.

Accroché au tronc, Torak regarda le sanglier massacrer la branche qu'il avait laissée tomber, la transformant en une bouillie de pulpe, un hachis de feuilles et une purée d'écorce. Le garçon n'aurait pas subi un sort très différent s'il avait sauté.

Le sanglier envoya ce qui restait de la branche dans les bruyères, pivota, baissa la tête et se jeta contre l'arbre.

Son encolure heurta le tronc avec la puissance d'un rocher se détachant du flanc d'une montagne et venant fracasser la terre. Un déluge de feuilles tomba du saule. Déséquilibré par la violence du choc, Torak se rattrapa de justesse.

Le sanglier s'éloigna. Prit son élan. Et frappa une deuxième fois.

Une troisième fois.

Une quatrième.

Affolé, le garçon comprit ce qu'espérait son ennemi : déraciner l'arbre.

Et il en était capable. Car, aveuglé par sa peur, le garçon avait trouvé refuge sur un saule encore plus maigrelet que lui. Que n'avait-il couru jusqu'à un de ces chênes majestueux qu'aucun sanglier n'aurait jamais risqué de mettre à terre !

« Bravo ! fulminait-il, furieux contre lui-même. Non mais bravo ! »

Un autre choc.

Et, cette fois, un bruit d'éclatement. Sous le garçon, une entaille profonde avait creusé l'écorce. Le bois à nu avait une couleur rose et marron, luisante de sève.

« Allez, fais quelque chose, Torak ! s'ordonna le garçon. Vite ! »

Le chêne le plus proche était peut-être à portée de main. Si seulement il arrivait à se glisser le long de cette branche...

Il s'avança. Recula aussitôt. Inutile d'insister. La branche paraissait solide, certes. Mais, loin du tronc, elle ne supporterait pas son poids. Dès qu'il poserait le pied, elle ploierait puis elle céderait.

Parce qu'il était malin, le Torak ! Non seulement il avait spontanément choisi l'arbre dont le tronc était le plus maigre, mais il avait aussi opté pour celui dont les branches étaient les plus frêles.

D'un coup le sanglier s'arrêta. Une sueur glacée inonda le garçon. Il trouvait cette immobilité silencieuse encore plus terrifiante que le bruit rageur de l'animal.

Il savait qu'un duel à mort avait commencé. Et qu'il avait peu de chance d'en sortir vivant. Sa hache, son arc et ses flèches étaient hors de portée. À deux pas de là.

Il était incapable de retenir le peu d'espoir qui lui restait, comme le sable ne peut retenir l'eau. Il ne se faisait plus d'illusion. Il allait mourir. Il allait savoir à quoi ressemblait la mort que P'pa avait affrontée si peu de temps auparavant.

Alors, dans un dernier geste, il mit ses mains en porte-voix et hurla : « Loup ! Où es-tu ? Viens m'aider ! »

Pas de réponse. Rien que le souffle régulier du vent. Loup était loin. Dans la Montagne. Et cette partie de la Forêt semblait déserte. Personne pour lui porter secours. À quoi bon appeler des humains ? Nul ne viendrait.

Hurler avait obligé Torak à admettre qu'il était complètement vulnérable. Pourtant, d'une étrange manière, cela lui avait aussi redonné du courage. Il était un membre du clan du Loup. Quand même ! Ce n'était pas n'importe quoi. Il n'allait pas mourir comme un écureuil réfugié dans la cime d'un arbre, non mais !

En tout cas, pas sans combattre.

Ragaillardi par cette idée, il découpa une branche de saule, aussi longue que son bras. Il l'élagua, ôta les petites pousses puis arrangea le bout pour transformer son bâton en espèce de fourche. Peut-être réussirait-il à s'en servir pour accrocher le lacet passé autour du manche de sa hache et le hisser jusqu'à lui.

Une sorte de vapeur s'élevait de la gueule noire de son ennemi couvert de sueur. L'animal regardait attentivement ce que fabriquait le garçon. Par chance, la branche la plus proche de l'arme était la plus solide. Torak s'y allongea du plus qu'il osa. Puis il tendit son bâton.

Trop court. Et de loin, pour ainsi dire.

Il recula. Ôta sa ceinture de cuir. L'accrocha au tronc du saule. La prit dans sa main libre. Se pencha davantage que lors de sa première tentative. Et cette fois... Oui ! Il réussit à passer la branche dans la boucle de la hache.

Lentement, il la souleva. L'arme était lourde. Trop. Inexorablement, elle sembla aspirée par le sol et retomba dans la boue.

Le sanglier grogna, glissa ses défenses sous la lame et l'envoya voler dans les fougères.

Torak ne pouvait pas se laisser décourager. Pas maintenant. Pas avant d'avoir tout tenté. En extension complète, il dirigea le bâton vers son arc. Avec mille précautions, il attrapa ce dernier.

Cette arme était beaucoup plus légère que la hache. Ce n'était qu'un peu d'if tendu par un nerf. Le garçon n'eut aucun mal à le soulever avec sa branche.

Il n'eut pas plus tôt saisi son arc qu'il reprit espoir.

— Alors, qu'est-ce que tu dis de ça ? cria-t-il au sanglier. Tu ne croyais pas que j'y arriverais, hein ?

Il n'avait plus qu'à récupérer ses flèches. Toujours accroché à sa ceinture, il tenta d'attraper son carquois avec sa fourche improvisée. L'attrapa. Mais le carquois pencha et les flèches dégringolèrent sur le sol. Vite, Torak plaqua le carquois contre lui. Juste à temps pour capter les trois dernières.

L'euphorie le gagna.

— Trois flèches ! glapit-il. J'ai trois flèches !

« Trois flèches pour tuer un sanglier mâle en pleine force de l'âge... et possédé par une créature mauvaise », rectifia-t-il aussitôt. Pourquoi pas rêver de faire tomber un if adulte en le cognant avec un bouquet de fleurs ?

Le sanglier renâcla et reprit son travail de sape. Son nouvel assaut, d'une violence inouïe, ne laissa aucun doute à Torak : l'arbre n'en avait plus pour longtemps.

Accroupi contre le tronc tremblotant, le garçon essaya de viser. Pas évident : des branches l'empêchaient de tirer suffisamment sur son bras droit. Non, pas évident du tout...

Mais il fallait se lancer. Torak décocha sa première flèche. Elle s'enfonça dans l'encolure de la bête. Le sanglier rugit sans s'arrêter de fourrager dans les racines du saule. L'animal semblait autant souffrir que si un moustique avait eu l'outrecuidance de le piquer.

Les dents serrées, Torak décocha sa deuxième flèche. Elle glissa, inoffensive, sur l'épaisse carcasse de la bête.

Il n'avait plus qu'une chance de sauver sa peau. Et, pour cela, il savait où il devait viser : sous l'encolure. Ainsi, il aurait une chance d'atteindre le cœur.

Un autre craquement. Le saule pencha dangereusement. À présent, Torak était presque à portée des défenses de l'animal.

Le sanglier recula pour assener une ultime attaque. Juste avant sa charge, Torak aperçut un bout de fourrure plus pâle, juste derrière son antérieur. Il visa. Tira.

La flèche s'enfonça profondément. Le sanglier couina. Et s'effondra sur le côté.

Plus un bruit.

Torak n'entendait que sa propre respiration haletante et le chuintement régulier de la pluie sur la bruyère.

Son ennemi ne bougeait plus.

Le garçon attendit aussi longtemps que sa patience le lui permit. Puis il se laissa glisser au sol.

Assis sur la terre que les défenses de l'animal avaient profondément retournée, il devinait que, derrière lui, son sauveur était en train d'expirer. Il n'avait plus ni flèches ni hache. Juste son couteau. Et, derechef, il se sentit vulnérable.

L'animal devait être mort. Ses flancs ne palpitaient plus.

Mais Torak ne voulait pas prendre de risque. Sa vie était en jeu. Et peut-être, avec elle, l'existence du clan du Corbeau... voire de la Forêt !

La carcasse du monstre était à trois pas de lui. Il n'approcherait pas tant qu'il ne serait pas mieux armé.

Il recula. Contourna le saule mourant. Fouilla les bruyères à la recherche de sa hache.

Un bruit lourd, derrière lui, lui apprit que le sanglier s'était redressé en titubant.

Torak accéléra ses recherches. Elle n'avait pas pu disparaître, cette maudite hache ! Elle était forcément quelque part... mais *où* ?

Le sanglier chargea.

Le garçon repéra sa hache. Plongea sur elle. Se retourna. L'animal était sur lui. Par pur réflexe, Torak lui planta son arme à la base du cou.

Le sanglier s'immobilisa. Tomba. Il ne se relèverait plus jamais.

Torak se remit debout. Il avait les jambes flageolantes ; sa poitrine se soulevait convulsivement ; ses mains restaient crispées sur le manche de la hache.

Les gouttes de pluie couraient sur ses joues pareilles à des larmes ; puis elles allaient se perdre tristement dans un parterre de feuilles. Le garçon se sentait mal. Coupable. Jamais il n'avait tué de gibier sans être à la recherche de viande. Jamais il n'avait tué un ami.

Il laissa choir sa hache sur le sol, s'agenouilla et posa une main tremblante sur la fourrure brillante et chaude.

— Je suis désolé, mon ami, dit-il au sanglier. Mais j'étais obligé d'agir ainsi. Que tes âmes reposent en paix.

Il croisa le regard vide de l'animal. Ses âmes étaient sorties de lui. Torak en était sûr. Il les percevait. Elles étaient proches. Et furieuses.

— Je te traiterai avec respect, annonça-t-il en caressant le flanc couvert de sueur. Je te le promets.

Dans la fourrure trempée, il sentit quelque chose de dur. Il écarta les poils de l'animal et poussa un cri. C'était une sorte de grosse pointe cachée au niveau des côtes du sanglier.

Avec son couteau, il l'extirpa et courut la jeter dans le ruisseau. Il n'avait jamais rien vu de semblable. Elle avait la forme d'une feuille entourée d'épines et comme constituée d'un bois durci par le feu.

Dans les arbres, un rire s'éleva. Le garçon se retourna d'un bond. Le rire s'éteignit, et son écho se perdit dans la Forêt.

Le garçon prit la mesure de sa découverte accidentelle. Ainsi, c'était pour cela que le sanglier l'avait attaqué. Il n'était pas malade. Il avait été blessé par quelqu'un d'assez cruel et diabolique pour ne pas l'achever, contrairement à ce que les lois sacrées de la chasse ordonnaient. On l'avait laissé fou de souffrance, prêt à massacrer les prochains êtres vivants qu'il croiserait.

Or, Torak semblait être le seul dans ce coin-ci de la Forêt. Celui qui avait tiré sur le sanglier avait donc voulu faire une seule victime : lui.

DIX

Torak enveloppa le foie du sanglier dans une brassée de feuilles, puis il le suspendit sur la branche d'un chêne.

— Je rends grâces au Gardien du clan pour cette viande, murmura-t-il.

Ce rituel, il l'avait déjà accompli à d'innombrables reprises par le passé. Mais, cette fois, et c'était une première, il ne se sentait pas reconnaissant. Il ne voyait pas le sanglier comme une proie. Juste comme le compagnon sage et expérimenté qui lui avait évité de s'empoisonner avec des champignons vénéneux. Comme celui qui lui avait tenu compagnie pendant la nuit où il avait failli. Comme le papa de gros marcassins joufflus désormais orphelins.

Il revint vers la carcasse. Elle était énorme. Il dut lutter un bon moment pour la renverser et la mettre pattes en l'air. Il ouvrit complètement le ventre de l'animal pour s'occuper des intestins... et n'alla pas plus loin. Jusqu'alors, il n'avait pas tué de bêtes plus imposantes qu'un jeune chevreuil. Et encore avait-il mis deux jours épuisants pour s'en occuper dignement. Le sanglier était beaucoup, beaucoup plus gros. Il lui faudrait une demi-lune entière avant d'en venir à bout.

Il n'avait pas une demi-lune devant lui. Il devait atteindre la Forêt Profonde. Trouver l'antidote. Et revenir...

Cependant, il n'avait pas d'autre choix. Il devait obéir à la plus ancienne des lois. Celle qui voulait que le chasseur, lorsqu'il tuait un animal, le traitât avec respect et ne gâchât rien. Pas un morceau.

C'était un pacte qui remontait à la nuit des temps. Les clans l'avaient noué avec l'Esprit du Monde. Torak allait l'honorer, sous peine d'avoir le mauvais œil.

Il lui fallait aussi soigner sa blessure au mollet. Elle lui cuisait. La pluie ne suffisait pas à l'apaiser.

Près du ruisseau, le garçon dénicha un peu de saponaire. Il écrasa quelques feuilles mouillées, qui se mirent à mousser. Il se lava la jambe. La douleur fut si violente que le garçon en eut les larmes aux yeux.

Il devait réduire la blessure. Il avisa son sac, intact, accroché à une branche de houx. Il y prit la plus fine aiguille en os qu'il y trouva, et y passa un fil en nerf de chevreuil. Pas du chevreuil qu'il avait tué : il n'en avait tiré qu'un fil grossier – presque une corde ! Quand Vedna l'avait vu, elle avait pincé les lèvres en faisant la moue... puis elle lui avait donné un peu de son fil à elle. Il était aussi fin que celui avec lequel les araignées tissent leur toile dans la rosée du matin. Torak lui souffla un remerciement *a posteriori*.

Ce cadeau avait été à la fois touchant et humiliant. Surtout humiliant, avait-il pensé sur le coup. À présent, il devait reconnaître qu'il était surtout utile. Le fil de Vedna allait lui sauver la vie.

Le premier coup d'aiguille arracha un gémissement au garçon. Quand l'aiguille perça sa peau, la souffrance fut insupportable. Il sautilla sur place, l'aiguille toujours dans son mollet, et mit un moment avant de trouver le courage de faire un nouveau point de suture. Au terme de l'opération, son visage ruisselait davantage de larmes que de gouttes de pluie.

Sans attendre, il prit de l'écorce de saule et la mâchonna. Au moins, ça, il n'en manquait pas ! Par contre, le goût de la mixture était épouvantable.

Il badigeonna sa blessure avec la pâte qu'il avait obtenue, la protégea avec la membrane d'un grand champignon qu'il pela, puis utilisa un peu d'écorce de bouleau pour nouer le tout et le faire tenir.

À la fin, il tremblait. La blessure lui cuisait toujours ; mais la douleur était plus supportable.

Il avisa ses bottes. Elles étaient en bon état, quoique couvertes de boue. Il les mit. Par chance, c'étaient des bottes d'été, avec une semelle en cuir et du poil de daim à l'intérieur. Il n'aurait pas trop mal au mollet. Quand il en eut terminé avec ses préparatifs, il mit ce qui restait de la membrane du champignon dans son sac, afin de changer le pansement dans quelques jours.

« Dans quelques jours... », se dit-il avec une moue ironique.

Dans quelques jours, il serait toujours là, penché sur la carcasse. À condition que le Suiveur ne fût pas encore parvenu à ses fins.

La pluie avait cessé.

L'eau dégoulinait du saule mourant, arrosant la carcasse du sanglier. Quelques corbeaux apparurent, très intéressés. Torak les chassa.

Des petits points noirs dansèrent devant ses yeux. Il comprit qu'il défaillait de faim. La carcasse, il s'en occuperait plus tard. D'abord, manger.

Il avait fait un sort aux provisions qu'il avait subtilisées aux Corbeaux. Mais ce n'était pas la viande qui lui manquait. Plutôt l'appétit. Il n'avait pas envie de manger.

Toutefois, sous l'œil attentif des corbeaux, il se força à manger le reste du foie. Boire le sang fut plus difficile. L'essentiel s'était déversé dans la boue. Perdu. Une erreur irréparable. Une entorse au Pacte. Une offense à l'Esprit du Monde qui, tout involontaire qu'elle fût, lui vaudrait d'être malchanceux.

Pour faire amende honorable, il prit sa tasse taillée dans du bois de bouleau. La plongea dans le corps pour récolter ce qui restait. Il pensa malgré lui à Oslak, qui lui avait spécialement taillé cette tasse lors d'un de ces longs soirs dont l'hiver a le secret. Il pensa aussi qu'il buvait le sang d'un ami. Pour masquer le goût âpre, il croqua de jeunes pousses de bardane.

Puis il se mit au travail.

Il commença par dépecer la carcasse. Un travail épuisant. Lorsqu'il l'acheva, il avait mal au dos et aux bras ; et le crépuscule tombait.

Torak était couvert de sang. Il frissonnait de fatigue. La peau de la bête n'était qu'une masse puante et boueuse. Il ne l'avait pas lavée. Il n'avait pas entrepris d'ôter la chair et le gras. Et après, il lui faudrait des jours et des jours pour préparer le cuir avec du charbon de bois. Et encore après, il lui faudrait sécher la viande. Tailler les os pour en faire des hameçons et des pointes pour ses flèches.

Sans oublier que, évidemment, entre-temps, il aurait eu à se construire une cabane et à préparer un feu avant que la nuit complète ne fût venue.

— Ça n'est pas en rêvassant qu'on avance, déclara une voix derrière lui.

Le garçon sursauta.

Il ne voyait personne. Les herbes hautes et les fourrés de bruyère avaient taille d'homme. Un manteau d'ombre les dérobait au regard.

— Qui me parle ? demanda Torak en avançant d'un pas... avant de se rendre compte qu'il avait laissé ses armes près de la carcasse.

C'est alors qu'il *les* vit.

Dans les fougères.

Deux yeux fixés sur lui.

Deux yeux au milieu d'un visage de feuilles.

ONZE

La créature au visage de feuilles n'était pas seule.

Une autre apparut à son côté.

Puis une autre.

Puis une autre.

Bientôt, Torak fut cerné.

À mesure que les créatures émergeaient, le garçon s'aperçut que, bien que leur visage ressemblât à celui du Suiveur, elles étaient humaines.

C'étaient des hommes et des femmes adultes. Sans serres au bout des mains, contrairement au Suiveur. Les cheveux bruns et longs, noués avec des poils de crinière de chevaux sauvages. Les pieds nus.

Les hommes avaient teint leurs barbes en vert : on aurait dit de la mousse courant le long des épicéas. Leurs lèvres, comme celles des femmes, étaient couvertes d'un vert plus foncé. Mais le plus inquiétant, c'étaient ces feuilles qui leur couvraient une grande partie du visage.

Torak comprit qu'il s'agissait de tatouages d'un vert tirant sur le marron. Feuilles de chêne pour les femmes ; feuilles de houx pour les hommes. Leurs tatouages donnaient l'impression pesante qu'ils épiaient leur interlocuteur derrière un arbre même quand ils étaient à découvert, comme c'était le cas.

Leurs pantalons s'arrêtaient aux genoux. Leurs tuniques étaient constituées de bouts d'écorce tissés avec un art dont Torak n'avait jamais vu d'exemple jusqu'alors. Toutes les créatures arboraient un magnifique arc bien huilé. Dans chaque arc, une flèche à la hampe verte, pourvue de plumes de pivert. Pointée sur lui.

Le garçon se dépêcha de porter les mains à son cœur en signe d'amitié.

Les flèches ne se baissèrent pas pour autant.

— Vous êtes de... de la Forêt Profonde ? bégaya-t-il.

Ils étaient différents du Suiveur. Torak était presque sûr qu'ils n'étaient pas de la même espèce. Il percevait leur sauvagerie. Il devinait qu'ils étaient dangereux, mais pas mauvais.

— Et toi, lança en guise de réponse la femme qui s'était adressée à lui en premier, tu as franchi les frontières de la Forêt Profonde. Tu dois faire demi-tour.

— Je croyais que la Forêt Profonde commençait plus à l'est, expliqua Torak.

— Tu te trompais.

La femme avait une voix aussi glacée et profonde que les étangs du cœur de la Forêt. Son visage trahissait sa méfiance. Elle avait froncé ses yeux noisette et paraissait

plus âgée que les autres. « Peut-être est-ce leur chef »,
songea Torak.

— Tu es entré dans la Vraie Forêt, déclara-t-elle. Tu
ne peux pas aller plus loin.

La « Vraie Forêt » ? Torak se raidit. Parce que la Forêt
où il avait grandi n'était pas une vraie forêt, peut-être ?

— Je viens en ami, affirma-t-il d'un ton pourtant peu
amical. Je m'appelle Torak. J'ai du sang commun avec les
clans de la Forêt Profonde. J'appartiens au clan du Chêne
et au clan du Cerf par ma mère. De quel clan êtes-vous ?

— Du clan du Cheval Sauvage, lâcha la femme en se
redressant. Tu le saurais si tu disais la vérité.

— Je dis la vérité.

— Prouve-le !

Le visage empourpré, Torak se dirigea vers son sac et
en extirpa la poche médicinale de sa mère. Elle était
creusée dans un bois de grand cerf, fixée sur une base
en chêne et ornée d'un bouchon également en chêne.
Fin-Kedinn lui avait conseillé de la cacher ; mais il ne
voyait pas quelle autre preuve apporter.

— Voilà, dit-il en tendant l'objet.

La femme à la tête des assaillants recula comme s'il
l'avait menacée.

— Arrière ! cria-t-elle. Pose-la par terre. Nous ne tou-
chons jamais les étrangers ! Qui sait si tu n'es pas un fantôme ou un démon ?

— Pardon, s'empressa de murmurer Torak. Je... je le
pose ici.

Il déposa l'objet sur le sol. La femme se pencha pour
l'observer. Torak se dit que les Chevaux Sauvages portaient bien leur nom, et pas seulement à cause de leurs
queues-de-cheval.

— Cela a bien été fabriqué par le clan du Cerf, déclara-t-elle.

Des exclamations de surprise parcoururent l'assistance.

La femme avança d'un pas vers le garçon et lui dit :

— Tu as quelque chose de la Vraie Forêt en toi, en dépit du mal que tu as répandu ici. Mais les tatouages de ton clan nous sont inconnus. Tu ne passeras pas.

— Quoi ? protesta Torak. Mais... il le faut !

— C'est hors de question ! s'écria un assaillant. Regardez ce qu'il a fait au sanglier !

— Et le saule ! renchérit un autre. Vous l'avez vu, allongé dans la boue ? Il meurt sans rien pour soulager sa douleur !

— Comment voulez-vous que je soulage sa douleur ? s'emporta le garçon.

Sept paires d'yeux noisette le fixèrent derrière leurs tatouages en feuillage.

— Tu as maltraité nos frères, commenta la femme. Très mal. Prétends-tu le contraire ?

Torak jeta un œil sur l'arbre brisé et la carcasse boueuse.

— Prenez-les, souffla-t-il.

— Quoi ?

— Le sanglier et le saule. Vous êtes sept, je suis seul. Vous vous en occuperez beaucoup mieux que moi. Et, ainsi, nous éviterons le mauvais œil.

La chef des Chevaux Sauvages hésita. Elle paraissait craindre un piège. Puis elle se tourna vers les siens et leur adressa quelques gestes précis de la main.

Aussitôt, quatre nouveaux venus dégainèrent leurs couteaux de chasse, aux lames vertes. Avec une vitesse et une habileté stupéfiantes, ils prélevèrent le cuir et les boyaux puis les déposèrent dans des paniers tissés qu'ils avaient emportés dans leur paquetage.

— Nous reviendrons pour notre frère, dit l'un d'eux en se tournant vers le saule après avoir foudroyé Torak du regard. Nous lui assurerons le repos.

L'instant d'après, il avait disparu dans la Forêt avec ses trois compagnons.

Plus une trace du sanglier, hormis les défenses qu'une femme du clan du Cheval de la Forêt tendait au garçon.

— Garde ça, lui dit-elle. Cela te rappellera le mal que tu as fait subir à la proie. Si tu étais d'ici, de la Vraie Forêt, tu serais obligé de les porter éternellement en pénitence.

Torak baissa la tête :

— Je sais que j'ai mal agi. Mais je n'en avais pas l'intention, et...

— L'intention n'est rien. C'est ce qui est fait qui compte.

Le garçon soupira :

— Je suis venu ici pour vous demander votre aide. Une étrange maladie s'est abattue sur la Forêt de...

— Nous sommes au courant, le coupa la chef.

— Ah bon ? Ne me dites pas que vous aussi, vous...

— Il n'y a pas de maladie dans la Vraie Forêt, lâcha la femme en levant le menton. Nous gardons trop bien nos frontières pour cela. Mais les arbres nous parlent. Ils nous apprennent beaucoup de choses. Ils nous apprennent le mal dont souffrent leurs frères dans l'ouest. Ils frémissent ; et nous les comprenons.

— Il paraît qu'un de vos Mages connaît le remède, suggéra le garçon.

— Mensonges !

Torak secoua la tête :

— Voyons, je sais que je vous ai contrariés. Je suis désolé. Peut-être que si vous-même n'avez pas d'antidote, un autre clan...

— Non, cracha la chef. Pas de remède, ici. Pas de remède dans toute la Forêt Profonde. Les gens du clan de la Loutre ont la langue trop bien pendue. Ils ont toujours parlé comme les loutres agissent : trop vite.

— Vous ne pouvez vraiment pas m'aider ? Ni vous ni personne dans la Forêt Profonde ? Nous avons déjà des morts...

— Je le regrette, dit la femme d'un ton qui prouvait le contraire. Cependant, je ne peux altérer la vérité. Ce n'est pas ici que tu trouveras ce que tu cherches. Il faut aller près de la Mer.

— La... la Mer ?

— Va vers l'ouest. Tel est le message des arbres.

— Mais jusqu'où ?

— Jusqu'à ce que tu ne puisses aller plus loin. Là-bas, tu trouveras peut-être ce que tu cherches.

Le garçon hésita.

— Vous cherchez à vous débarrasser de moi, n'est-ce pas ? souffla-t-il.

— Les arbres ne mentent jamais, rétorqua la femme, le visage fermé. Si tu étais réellement venu de la Forêt Profonde, si tu avais eu une once de Forêt Profonde dans tes âmes, tu l'aurais su. Sauf que tu n'es pas des nôtres...

— Si !

— ... sans quoi tu n'aurais pas commis le mal que tu as perpétré ici !

— Je ne voulais pas tuer le sanglier, protesta Torak. J'y ai été obligé. Il m'a attaqué. Quelqu'un l'a blessé pour le rendre fou de colère.

Les Chevaux de la Forêt encore présents poussèrent un cri d'horreur.

— Ce que tu dis là est très grave, siffla leur chef. Mais quelle preuve as-tu de ce que tu avances ? Aucune. Et comment cela aurait-il pu nous échapper, quand nous entendons jusqu'au moindre craquement de brindille qui se produit dans la Forêt ?

Le garçon se pencha et prit la pointe qu'il avait retirée du flanc du sanglier. Puis il se souvint que les Chevaux de la Forêt ne voulaient pas toucher les étrangers ; aussi déposa-t-il sa pièce à conviction sur le sol.

— Tu oses nous accuser ? rugit la chef en examinant l'objet.

Ses dents d'un blanc immaculé juraient avec ses lèvres vert foncé.

Stupéfait, Torak eut un geste de dénégation. C'est alors qu'il remarqua un détail qui lui avait échappé jusqu'ici : des pointes de bois sombre dépassaient du carquois de la femme. Des pointes semblables à celle qui avait blessé l'animal.

— Non ? rugit la guerrière. Tu ne *nous* accuses pas ? Très bien, donc qui accuses-tu ? Un autre clan de la Forêt Profonde ? Lequel ?

— Je... je...

— Parle vite, ou je te tue !

Les Chevaux de la Forêt avaient reculé d'un pas pour mettre en joue le garçon.

— Mais je n'en sais rien ! protesta Torak. Je n'accuse personne ! J'ai juste trouvé cette pointe dans le flanc du sanglier !

Les adversaires du garçon restèrent immobiles un long moment. Puis, lentement, ils abaissèrent les arcs qu'ils avaient bandés.

— Celui qui a fait ça, je... je l'appelle le Suiveur, expliqua-t-il. Il a un visage qui... qui ressemble au vôtre... tatoué de feuilles d'arbres... petit... comme celui d'un enfant... Il a des serres aux pieds et aux mains...

La chef recula. Ses lèvres avaient blêmi. Sous les tatouages, son visage avait pâli. Et son souffle était court. Presque rauque.

— Pars, lâcha-t-elle. Pars immédiatement. Si jamais tu oses faire un pas dans la Vraie Forêt, je jure par tous mes frères les arbres qui m'ont donné naissance que tu ne marcheras plus jamais !

Le garçon croisa le regard de la femme. Elle était paniquée.

— Vous savez qui est ce Suiveur, souffla-t-il.

Sur un geste de leur chef, les Chevaux de la Forêt reculèrent et disparurent derrière les arbres.

— Non, attendez, dites-moi ! cria Torak. Dites-moi qui c'est !

Il voulut courir après eux. Une flèche fusa, frôlant le bout de son nez. Le garçon s'arrêta net.

— Dites-moi qui c'est ! hurla-t-il.

Au moment où elle allait disparaître à son tour, la femme se tourna vers lui :

— Tokoroth..., chuchota-t-elle.

— Qu'est-ce que ça signifie, Tokoroth ?

Mais déjà les feuilles de son visage avaient disparu sous d'autres feuillages. Seul le vent continuait de susurrer ce nom diabolique : Tokoroth...

DOUZE

— Un tokoroth ? répéta Renn en remettant le bandage qui protégeait sa main. Mais c'est quoi ?

— Pas ici, siffla sèchement Saeunn.

La Mage s'éloigna d'un pas vif. Pliée en deux, appuyée sur son bâton, elle passa devant les Corbeaux qui travaillaient à fumer le poisson, contourna le Rocher du Gardien et s'avança dans l'ombre de la gorge sans se retourner. Elle se doutait que Renn la rejoindrait.

Et elle ne se trompait pas. Ravalant sa colère, la jeune fille avait suivi le mouvement. Les autres membres du clan lui jetèrent un regard méfiant et troublé. Celui qu'ils réservaient d'ordinaire à Saeunn. Plus le temps passait, plus ils considéraient Renn comme l'apprentie de la

Mage. La jeune fille détestait ça. Elle n'était pas une apprentie. Elle était Renn. Tout simplement.

Trois jours auparavant, la maladie avait frappé pour la première fois. Quatre nouveaux Corbeaux étaient touchés. Pour les empêcher de se faire du mal, Fin-Kedinn avait pris des mesures drastiques. Ils les avaient enfermés dans une grotte, sur la rive opposée. Des gardiens bloquaient l'ouverture toute la journée. Nul ne pouvait ni entrer ni sortir.

La peur était partout. Son odeur empestait. Sa lumière noire assombrissait le regard des gens. « Serai-je le prochain ? se demandait-on. Et si c'était le tour de celle que j'aime ? Pourquoi pas ? Comment nous protéger ? »

Renn avait été mordue à la main. Peut-être était-elle déjà contaminée. Elle avait besoin de parler avec quelqu'un. De se rassurer. D'être rassurée. Qu'on lui dise qu'elle se trompait. Que ça ne se passait pas comme ça. Mais Saeunn lui avait interdit d'en parler.

Et alors ? Pourquoi obéir à la vieille femme ?

Toute sa vie, Renn avait défié l'autorité de la Mage. C'était tentant : elle était si respectée dans le clan ! Si crainte, surtout... Pourtant, cette fois, la jeune fille ne pouvait pas contrevenir à l'ordre qui lui avait été donné, car elle n'avait personne à qui confier ses secrets. Oslak était mort. Vedna était retournée auprès de son clan d'origine – le clan du Saule. Et Torak avait disparu.

Torak...

La disparition du garçon remontait à deux jours. Cependant, il suffisait à Renn de penser à lui pour que la fureur l'embrasât. Il n'était pas son ami. Ou plus. Les amis ne s'enfuyaient pas comme des voleurs, sans un mot, en laissant juste un misérable caillou peint.

Pour oublier ses sentiments blessés, elle avait chassé toute la journée. Par chance, elle excellait dans ce domaine : et Fin-Kedinn l'avait laissée faire.

C'était pendant une de ses sorties qu'elle avait été mordue. Donc, en un sens, ça aussi, c'était la faute de Torak.

L'incident s'était produit ce matin. Elle s'était levée à l'aube. Quand elle était sortie de la cabane, un brouillard dense calfeutrait la Forêt. Elle avait avancé jusqu'aux buissons de noisetiers sur le flanc sud-est de la vallée, où elle avait placé quelques lacets pour prendre du petit gibier.

Quand elle était arrivée, elle n'avait rien remarqué dans le buisson. Puis, tout au fond du bosquet, elle avait entendu des feuilles frémir. Et elle avait oublié l'une des règles de base que Fin-Kedinn lui avait apprises : elle avait plongé sa main au milieu des arbustes. À l'aveugle.

La douleur avait été terrible. Son cri perçant avait secoué la Forêt. Une nuée de pigeons sauvages s'était envolée.

La jeune fille avait voulu retirer sa main. Mais la chose qui l'avait mordue la retenait.

Elle n'avait pas pu la voir. Les feuilles étaient trop denses. Les branchages trop serrés. Impossible de faire lâcher prise à l'agresseur. Elle avait dégainé son couteau et avait frappé les fourrés... pour découvrir un enfant.

Car ce qui la retenait n'était ni une vipère ni une fouine, ainsi qu'elle l'avait d'abord soupçonné. C'était un enfant.

Un enfant.

En un éclair, elle avait vu l'éclat de ses yeux qui perçait au milieu d'une tignasse crasseuse. Et, enfoncées dans sa paume presque jusqu'aux gencives, des dents brunes et acérées.

Elle avait brandi son couteau pour le chasser.

La créature l'avait fixée avec une haine absolue. Sans limite. Elle avait abandonné sa main. Sifflé comme un glouton furieux. Puis s'était évanouie dans la nature.

Thull et Fin-Kedinn avaient surgi à cet instant en brandissant leurs haches.

Renn ne leur avait pas raconté la vérité. Pourquoi ? Elle l'ignorait. Une sorte d'instinct.

— J'ai été... stupide..., avait-elle soufflé entre ses larmes. Je n'ai pas regardé... et une fouine m'a mordue.

Rassuré, Thull avait regagné le campement. Fin-Kedinn avait adressé un regard interrogatif à sa fille adoptive. Renn avait soutenu ce regard en silence.

— Qu'est-ce que c'était ? avait-elle demandé à la Mage des Corbeaux.

C'est alors que Saeunn lui avait parlé du « tokoroth »...

— Alors, c'est quoi, un tokoroth ? répéta Renn.

Elle avait suivi la Mage dans le défilé. Elle n'aimait pas cet endroit. On n'était qu'à la mi-journée ; et pourtant l'ombre y était profonde. La gorge était toujours plongée dans l'obscurité. Ses hautes parois rocheuses montaient jusqu'à ne laisser qu'un mince filet de ciel. Les Grandes Eaux n'aimaient pas davantage cet endroit. Elles y poussaient des rugissements colériques en se fracassant sur les obstacles qui encombraient son lit minéral.

Renn frissonna. Ici, un tokoroth – quelle que fût la nature de ce... de cette créature – pouvait très bien être accroupi juste derrière elle. Pas moyen de l'entendre ou de le voir. Mais elle devinait pourquoi Saeunn l'avait entraînée ici : il y avait peu de chance qu'un Corbeau se risquât dans cet endroit sinistre. Même poussé par la curiosité la plus intense.

La Mage n'avait pas répondu à sa question. Assise sur un monticule de terre sanguine, près du torrent, elle lissait sa tunique sur ses genoux osseux. Elle était pieds nus. Ses ongles étaient bruns, longs, recourbés.

La jeune fille repensa à ce que lui avait dit Torak : « Ta Mage, on dirait un vieux corbeau qui ne sait plus ce qu'aimer veut dire. » Plus qu'à un oiseau, Renn trouvait que Saeunn ressemblait à de la terre aride : très, très sèche. À vif. Mais Torak n'avait pas tort. Renn connaissait la Mage depuis qu'elle était bébé ; et jamais, au grand jamais, elle ne l'avait vue sourire.

— Pourquoi est-ce que je te dirais ce qu'est un tokoroth ? croassa Saeunn.

— Parce que je te le demande, suggéra la jeune fille. Ou parce que cette chose m'a mordue.

— Tu veux savoir, et cependant tu refuses d'apprendre la Magie.

— Je n'aime pas la Magie.

— Tu es douée pour ça. Tu devines les choses avant qu'elles n'arrivent.

— Pas toujours, rétorqua Renn en montrant son bandage. Et je ne suis pas mauvaise à la chasse non plus. Je préfère ça.

— Tu essayes de refuser ton destin en t'obstinant à chasser, corrigea Saeunn. Mais tu sais bien que, tôt ou tard, tu deviendras une Mage. Alors, pourquoi perdre ton temps ?

Renn se mordit les lèvres. Inutile d'insister. Il était plus difficile de faire entendre raison à cette tête de mule que de scier un chêne avec une plume. Surtout qu'il était possible qu'elle n'eût pas complètement tort.

— Parle-moi du tokoroth, dit-elle.

Et Saeunn commença son explication :

— Un tokoroth est un enfant élevé seul, dans l'obscurité, pour servir de réceptacle à un démon.

À peine avait-elle prononcé ces mots, l'obscurité s'obscurcit encore, et une petite pluie fine se mit à tomber sur la berge.

— Un tokoroth ne connaît ni bien ni mal, poursuivit la Mage. Il n'est ni bon ni méchant. Il n'a aucune pitié. Il est élevé dans la haine du monde. Il n'obéit à personne sauf à son démiurge.

— C'est-à-dire ? s'enquit Renn, que sa main faisait souffrir.

— Le démiurge, c'est le créateur, traduisit Saeunn. Celui qui a capturé l'enfant... et le démon qu'il a piégé dedans.

— Personne ne m'a jamais parlé de ça !

— Peu de gens sont au courant. Encore moins en parlent. Et puis... ça ne doit pas t'intéresser tant que ça.

— Mais si !

— Je croyais que tu ne t'intéressais pas à la Magie ?

Renn rougit.

— Comment fabrique-t-on un tokoroth ? voulut-elle savoir.

— Bien, je vois que tu regardes à la racine des choses. Bonne réaction de Mage.

« Gnagnagna », faillit rétorquer la jeune fille. Mais elle eut la sagesse de rester coite.

Saeunn dessina sur le sol une marque que Renn ne connaissait pas.

— Pour créer un tokoroth, il faut recourir à la magie noire, proféra-t-elle. C'est un art qui s'est perdu depuis longtemps. Du moins le croyait-on. Apparemment, nous nous leurrions. Quelqu'un maîtrise toujours les ficelles du métier.

Elle leva le bras, se pencha pour dessiner quelque chose ; et, sur la terre, apparut le trident des Mangeurs d'Âmes.

— Co... comment ça marche ? insista Renn, inquiète de voir ses soupçons confirmés.

Le grondement des Grandes Eaux couvrait presque sa voix.

La Mage posa son menton sur ses genoux. Regarda l'eau. Renn tourna la tête dans la même direction, scrutant l'écume et les vaguelettes qui venaient mourir sur la rive boueuse.

— Il faut d'abord capturer un enfant, exposa la vieille femme. Par exemple en le faisant disparaître dès que ses parents l'ont laissé seul un instant. On le cherche dans la Forêt. On se dit qu'il a dû se perdre. Qu'on va bientôt le retrouver. Mais on ne le retrouve jamais. On le pleure. On conclut qu'il s'est perdu. Qu'il s'est noyé. Qu'il a été emporté par un lynx ou un ours.

Renn acquiesça. Elle imaginait très bien la scène. Elle connaissait des gens qui avaient perdu leurs proches. Enfants ou adultes. Qui n'en connaissait pas, dans la Forêt ? Elle-même avait perdu l'un des siens. Son père. Il avait fallu cinq lunes avant qu'on retrouvât son corps. Elle avait alors sept étés. Elle se rappelait très précisément combien elle avait souffert de ne pas savoir. Puis de savoir...

— Pauvre enfant ! souffla Saeunn. Oui, pauvre enfant que celui qu'un Mage noir enlève ! Il aurait mieux valu pour lui qu'il tombe entre les pattes d'un ours. En fait, tout est préférable à un tokoroth.

— Même si c'est la seule manière de rester en vie ?

— En vie ? s'exclama la Mage.

Une de ses mains osseuses s'était crispée.

— Tu appelles ça « rester en vie » ? continua-t-elle. Il est plongé dans l'obscurité lune après lune, et tu appelles ça « rester en vie » ? Avoir juste assez chaud pour continuer vaguement à respirer ? Manger si peu qu'une bouchée de viande putréfiée trempée dans sa propre moisissure semble un festin ? Errer seul, loin de tous ? Avoir oublié jusqu'à la caresse d'une main maternelle ? Ne plus se souvenir de son nom – ne plus se souvenir qu'on a eu un nom ? C'est ça que tu appelles « rester en vie » ?

Renn frissonna. Et Saeunn conclut :

— Quand l'enfant capturé a bien souffert, quand il n'est plus qu'une carcasse vide, quand sa vie intérieure a disparu, son kidnappeur invoque un démon... et il le piège dans le corps de son hôte.

— De l'enfant, rectifia Renn. Même s'il souffre, c'est un enfant.

— C'est un hôte, la coupa Saeunn. Un réceptacle. Pour toujours.

— En êtes-vous sûre ? Après tout, il est né enfant. Il doit exister un moyen de le sauver !

— Sotte que tu es ! Ne laisse jamais la pitié entraver ta raison. Le monde n'est pas tel que nous aimerions qu'il soit. Il est, point final. Et maintenant, dis-moi : qu'est-ce qu'un démon ? Allez, vite !

— Je... Tout le monde sait ce que...

— Dis-le ! Qu'est-ce qu'un démon ?

— C'est ce qui apparaît quand un être vivant meurt, que ses âmes sont éparpillées et perdent leur âme-du-clan. S'il ne reste que l'âme-du-nom et l'âme-du-monde, le sentiment d'appartenir à un clan disparaît. Le défunt ne connaît plus le bien ou le mal. Il déteste les êtres vivants, et...

Renn se tut.

Elle repensait à l'automne dernier. Quand elle avait croisé le regard du démon et n'y avait rien vu qu'une haine brûlante.

— ... et sa seule raison d'exister, c'est de détruire les autres êtres vivants, conclut-elle d'une voix brisée.

La Mage frappa le sol avec son bâton et poussa un croassement qui rappelait vaguement un rire.

— Très bien ! s'exclama-t-elle. Très bien !

Elle se pencha en avant. Sur sa tempe, une grosse veine palpitait, visible.

— Tu viens de décrire plus qu'un démon : un tokoroth, expliqua-t-elle. Ces créatures ressemblent à des enfants. Mais ne t'y trompe pas ! Des enfants, ils n'ont que l'apparence. Pour le reste, ils sont démoniaques. Leurs âmes d'enfants sont enterrées trop en profondeur pour qu'elles aient la moindre chance de s'échapper.

— Mais qui peut faire ça à un enfant ? s'emporta Renn.

Saeunn haussa les épaules. Pour elle, l'existence du mal était une évidence. On ne la justifiait pas. On la constatait.

— À quoi sert un tokoroth ? s'enquit la jeune fille. Pourquoi en fabrique-t-on ?

— On en fabrique pour avoir un serviteur à sa merci, dit Saeunn. Pour l'envoyer dans les cabanes. Voler.

Agresser. Terrifier. Réfléchis : pourquoi Fin-Kedinn a-t-il instauré un tour de garde, la nuit ?

— Quoi ? s'écria Renn. Vous saviez qu'il y avait un tokoroth dans les parages ?

— Dès l'apparition de la maladie. Même si nous ne comprenions pas pour quelle raison.

— Donc c'est le tokoroth qui est à l'origine de la maladie ?

La Mage acquiesça, puis précisa :

— Le tokoroth ne fait qu'exécuter les ordres de son créateur.

— Un Mangeur d'Âmes ?

— C'est probable.

La jeune fille resta silencieuse quelques instants, avant de murmurer :

— Je crois que Torak a vu le tokoroth. Avant de partir, il a essayé de m'avertir d'un danger. Mais il ne savait pas exactement ce dont il s'agissait. Est-ce que... est-ce qu'il y en a plusieurs ?

— Des tokoroths ? Assurément.

— Vous voulez dire que... qu'il pourrait y en avoir un dans les parages, et un autre aux trousses de Torak ?

— C'est très probable.

— Mais *pourquoi* ? explosa Renn. Pourquoi répandent-ils cette maladie ? Que veulent-ils ?

— Je l'ignore, avoua la vieille femme.

Et cette ignorance, plus encore que la présence mystérieuse de ces créatures malfaisantes, terrifiait Renn. Saeunn était la Mage du clan. Elle *devait* savoir.

Or, la grande sage censée avoir réponse à tout ne savait pas.

La jeune fille regarda l'eau rugissante. Pensa à Torak qui se dirigeait vers l'est. Traqué par une créature encore plus dangereuse qu'il ne l'imaginait...

— Tu ne peux rien pour lui, lâcha Saeunn comme si elle avait lu dans ses pensées. C'est trop tard. Tu ne le trouverais jamais.

Renn opina.

Saeunn avait raison. Elle ne pouvait pas retrouver Torak.

Mais elle devait essayer quand même.

TREIZE

Loup ne pouvait pas retrouver Grand Sans Queue.

Mais il devait essayer quand même.

Encore et encore. Sans se décourager. Sans s'arrêter. Jamais.

À un moment, il avait repéré près d'un bosquet d'arbustes l'odeur qu'il recherchait. Puis il l'avait perdue. L'odeur s'était mêlée à celle d'un sanglier et au parfum mauvais qui infestait la Forêt. À cela s'ajoutait une note curieuse. Inhabituelle. Celle d'un démon.

Loup avait appris à la reconnaître alors qu'il n'était encore qu'un louveteau. *Très* mauvais souvenir.

Il huma l'air derechef. Rien. Hormis la peur sous ses pattes.

Le Tonnerre était très en colère contre l'animal. Loup avait quitté la Montagne. Il n'aurait pas dû. Il sentait cette colère souffler dans sa fourrure et vibrer en lui à chaque foulée. Le Tonnerre le cherchait. Il l'attaquerait bientôt.

Le Dessus s'était obscurci. L'haleine du Tonnerre faisait plier les arbres. Les coups sourds devenaient plus forts. Les odeurs plus nettes. C'était toujours ainsi quand le Tonnerre s'apprêtait à gronder.

Soudain, Loup repéra l'odeur de son frère de meute. Enfin ! Il faillit pousser un hurlement de joie. Il accéléra, bondissant au milieu d'animaux qui, d'ordinaire, l'auraient fui – mais qui devinaient que leur prédateur n'était pas en chasse. Un castor quitta la berge de la rivière pour rejoindre son abri. Un grand cerf courut s'abriter dans les fourrés avec son faon.

Et, d'un coup, le Tonnerre se mit à souffler avec fureur ; et les bruyères s'aplatirent ; et les arbres s'inclinèrent comme brins d'herbe ; et un craquement assourdissant éclata ; et le Grand Monstre-à-la-Morsure-Brûlante frappa, manquant Loup d'un poil et tombant sur un grand pin ; et l'arbre cria ; et le Grand Monstre l'avala tout rond, et l'arbre disparut dans les flammes.

Loup bondit de côté et partit. Aussitôt, un petit du Grand Monstre l'attaqua et le mordit à la patte. Loup sauta en lâchant un gémissement. Puis il reprit sa course. La puanteur de l'arbre qui mourait l'empêchait de respirer.

Il avait peur comme un louveteau. Il voulait revoir sa mère. Il voulait être avec Grand Sans Queue.

Mais il était seul dans la Forêt. Seul avec la pire des compagnes : la peur.

Renn était seule dans la Forêt. Seule avec la pire des compagnes : la peur.

Deux jours déjà qu'elle avait quitté le campement. Deux jours déjà qu'elle n'avait pas relevé le moindre indice du passage de Torak.

À deux reprises, elle avait entendu les glapissements déments de malades qui se répercutaient dans les arbres. Une fois, des branches lui étaient tombées dessus. Elle avait l'impression que chaque buisson, chaque arbre cachait un tokoroth.

Et, à présent, la tempête approchait. Elle allait lui tomber dessus. Pas moyen de l'éviter. L'Esprit du Monde était en colère.

À travers les frondaisons, elle avait aperçu des hordes de nuages gris de loup qui semblaient fondre sur elle en poussant des grondements tonitruants. Elle était cernée. Elle devait s'abriter, afin d'éviter ce qui était encore évitable.

La vallée qu'elle traversait était bordée, sur sa partie orientale, par des blocs de granit. Sur cette paroi, des points noirs paraissaient prometteurs : c'étaient sans doute des grottes. La jeune fille prit sa course. Sous ses pieds, brindilles et branches mortes se brisaient en poussant un dernier craquement.

L'orage qui menaçait éclata subitement.

L'Esprit du Monde rugit.

L'Esprit du Monde se mit à marteler les nuages, dont les parois se fissurèrent pour laisser s'échapper des torrents de pluie.

L'Esprit du Monde décocha une volée de flèches enflammées sur la Forêt.

Dans le lointain, Renn aperçut un arbre en flammes. Si elle ne s'abritait pas immédiatement, elle aussi allait brûler.

Enfin, elle avisa une grotte. La jeune fille était trempée. Et pourtant, elle ne se rua pas dans cet abri. Car une grotte pouvait aussi être un piège mortel. Elle prit le temps de chercher des traces d'ours ou de sanglier. Elle vérifia si le plafond était assez haut. Sans quoi, en s'y engouffrant, le prochain éclair pourrait ravager tout l'abri. Renn y compris.

Satisfaite de ses observations, elle plongea dans la gueule de pierre.

La jeune fille tremblait de froid. Elle aurait donné cher pour sentir la chaleur d'un bon feu devant elle. Mais chaque chose en son temps. D'abord, son arc.

Elle le sortit de sa housse en peau de saumon. Le suspendit à une racine qui dépassait d'une paroi. Sortit ses flèches de son carquois pour éviter qu'elles ne moisissent. Alors seulement, elle entreprit de préparer un feu.

Dehors, dans la Forêt, la tempête faisait rage. Renn se demandait où Torak pouvait bien être à cet instant précis. Avait-il trouvé un abri sûr ? Qu'il eût survécu jusqu'à présent, elle n'en avait aucun doute. Le garçon savait vivre en pleine nature. Il avait l'habitude de se débrouiller seul.

Du reste, repérer sa trace dans la Forêt n'avait pas été aisé. Au début, elle avait dû s'en remettre à son intuition, c'est-à-dire à la fois à sa connaissance de Torak, à sa réflexion... et à la chance.

Elle s'était dit que Torak avait dû commencer par emprunter les principaux sentiers des clans. Ce qui laissait un nombre considérable de possibilités. Mais Renn avait pensé que les ours et les autres prédateurs avaient tendance à rester près des cours d'eau. C'est là que les proies venaient boire. Orignaux et cerfs, quant à eux, préféraient rester plus haut sur les collines. Après les événements dramatiques de cet automne, Renn avait imaginé que Torak préférerait éviter les ours. Par conséquent, tôt ou tard, il avait dû opter pour les sentiers d'ordinaire empruntés par les proies.

Elle avait compris qu'elle était sur la bonne route lorsqu'elle avait repéré les vestiges d'une cabane. Sur le coup, elle avait eu un choc en s'apercevant qu'un frêne était tombé dessus ; et elle n'avait été soulagée qu'après avoir vérifié et revérifié qu'aucun corps n'était resté coincé sous le tronc.

Rapidement, elle avait localisé les traces de la cabane que le garçon avait construite juste après. Elle avait reconnu la façon que Torak avait d'édifier son feu – il disposait toujours les bûches de base en étoile, pas du tout comme les membres des Corbeaux.

Le lendemain matin, elle avait reperdu sa trace. Un sanglier les avait effacées.

Renn sursauta : le feu venait de cracher une pluie d'escarbilles. Elle avait mal à la main. Elle approcha son poignet des flammes. Revit les dents brunes, acérées du tokoroth. Entendit de nouveau son sifflement malveillant.

— Et si je mangeais un morceau ? se proposa-t-elle à haute voix pour penser à autre chose.

Elle avait apporté avec elle de la viande séchée, du saumon fumé et des gâteaux de poisson. Pas n'importe quels gâteaux : elle avait évité les gâteaux tout frais pour subtiliser ceux que Saeunn conservait dans sa réserve personnelle. Ils étaient tout emballés dans la peau d'un intestin d'aurochs. Pratique !

La jeune fille en préleva un, en ôta un petit bout pour le gardien du clan puis mangea le reste. Le gâteau datait de l'été dernier, mais Renn jugea qu'il était encore très comestible. Il lui rappelait son clan, qui lui manquait déjà.

Derrière elle s'égouttait le carquois qu'Oslak lui avait appris à faire. À deux doigts de sa main gauche, elle portait les protections que Vedna avait cousues. Sur son avant-bras droit, elle arborait le protège-poignet que Fin-Kedinn avait fabriqué à son intention pour lui apprendre à tirer. Elle ne l'ôtait pas souvent. Son frère ne manquait pas une occasion de se moquer d'elle à ce sujet.

Son frère...

Il était mort l'hiver dernier. Penser à lui était une souffrance.

Pour se remonter le moral, elle sortit le petit sifflet que Torak lui avait donné l'automne précédent. Il ne produisait aucun son – en tout cas, aucun qu'elle ne fût capable d'entendre. Pourtant, elle l'avait toujours avec elle. Loup paraissait percevoir son sifflement.

Elle l'avait appelé une fois avec cet objet. L'animal était venu. Il lui avait sauvé la vie. Pourquoi cela ne fonctionnerait-il pas à nouveau ?

Elle souffla dedans.

Rien.

Pas un mouvement.

Logique : Loup était loin. Très loin. Dans la Montagne.

Et Renn était seule. Alors, elle défit ses couvertures et se lova près du feu.

Renn n'était pas seule quand elle se réveilla.

Ce fut même la certitude de ne pas être seule qui la tira de son sommeil.

La tempête était finie, mais la pluie tombait encore à torrents. L'eau lâchait des gargouillements liquides en s'écoulant dans des conduits mystérieux cachés dans les parois de la grotte. Le feu ne brûlait plus. À peine si quelques braises luisaient faiblement.

De l'autre côté du bûcher, à l'entrée de la grotte, quelque chose fixait Renn.

La jeune fille se redressa. Se saisit de sa hache.

La créature n'était pas un tokoroth. Trop grande.

Alors, quoi ? Un lynx ? Un ours ?

S'il s'était agi d'un ours, elle aurait entendu sa respiration rauque. Et il ne serait pas resté à l'extérieur.

Mais, s'il ne s'agissait pas d'un ours, de quoi s'agissait-il ?

— Qui es-tu ? souffla-t-elle.

Elle devina plus qu'elle n'entendit que la créature avançait vers elle. Pas un bruit. Une ombre mouvante.

Soudain, Renn vit l'éclat des yeux de l'intrus.

Elle poussa un cri.

La créature recula et, à la lueur des braises, elle apparut.

C'était un loup.

Un gros loup avec un épais manteau gris. La tête basse pour mieux sentir l'odeur de Renn. Pas vraiment menaçant. Ni effrayé. Juste... bizarre.

Surtout, il avait d'étranges yeux d'ambre.

Ces yeux...

Non ! Ce n'était quand même pas...

La jeune fille baissa sa hache.

— Loup ? murmura-t-elle.

QUATORZE

— Loup ? répéta Renn.

Loup avait la queue basse. Il la remuait faiblement. Ses oreilles étaient pointées vers l'avant. Il regardait la jeune fille attentivement, sans pour autant croiser son regard. Il tremblait. Était-ce de peur ? de froid ? de joie ? Impossible de le déterminer.

Renn bondit sur ses pieds et s'exclama :

— Loup ! C'est moi, Renn !

L'animal recula aussitôt en poussant de petits grognements d'avertissement.

La jeune fille ne se rappelait plus comment Torak disait « bonjour » en langage de loup. À défaut, elle se mit à quatre pattes et sourit en essayant de fixer Loup dans les yeux.

127

Sans succès : Loup tourna les coussinets et recula encore.

Mais était-ce lui ? Renn avait un doute. Elle l'avait connu louveteau. Celui-ci était un beau loup. De la truffe à la queue, il était presque aussi long qu'elle était grande ; quant à la gueule de l'animal, elle devait arriver au niveau de la taille de la jeune fille.

Quand il était petit, sa fourrure peu fournie tendait vers le gris clair, avec une ligne noire au garrot. Désormais, son manteau était dense, épais, d'un gris soutenu où couraient des touches de blanc, de noir, d'argenté et, çà et là, d'un roux rappelant le poil de renard. Ce qui n'avait pas changé : la trace noire derrière la gueule et ces extraordinaires yeux d'ambre.

Un coup de tonnerre éclata juste au-dessus de la grotte.

Renn plongea.

Le loup glapit et se réfugia dans la grotte. Les oreilles basses, il tremblait violemment.

« Il n'est pas encore tout à fait adulte, conclut la jeune fille, même s'il en a l'air. Au fond de lui, il reste un louveteau. »

— Ne t'inquiète pas, murmura-t-elle. Tu n'as rien à craindre, ici.

Les oreilles du loup se dressèrent vers elle. Il l'écoutait.

— C'est toi, Loup, n'est-ce pas ? poursuivit la jeune fille.

L'animal pencha la tête.

Renn eut une idée. Elle plongea la main dans son sac à provisions et en retira une poignée de baies séchées que Loup adorait quand il était petit. L'animal s'approcha de la main qu'elle lui tendit. Son gros museau noir frémit. Puis il goba tout rond les fruits.

— Loup, c'est toi ! s'exclama la jeune fille.

Aussitôt, le loup bondit en arrière. Elle lui avait fait peur.

Renn sortit de nouvelles baies et parla doucement à l'animal. Qui revint vers elle. Avala les fruits. Voulut mordiller ses protège-doigts. Pour le distraire, Renn posa un gâteau au saumon sur le sol. Loup le tapota avec une patte. La jeune fille se rappelait ce geste caractéristique. Puis l'animal engloutit le gâteau en une bouchée, sans prendre la peine de le mâchonner.

Quatre autres gâteaux au saumon disparurent de la même façon. Les doutes avaient disparu. Le Loup qu'elle connaissait adorait ces petits gâteaux.

Elle s'avança à quatre pattes vers lui.

— C'est moi ! dit-elle en tendant la main vers la tache pâle de fourrure qui entourait son cou.

L'animal bondit en arrière et fonça vers l'entrée de la grotte.

Renn avait commis un impair. Derechef.

Elle abandonna. Revint s'asseoir près du feu. Et demanda à haute voix :

— Pourquoi tu es venu, Loup ? Tu essayes de trouver Torak, toi aussi ?

L'animal se lécha les babines pour avaler les dernières miettes de gâteau. Puis il revint vers le fond de la grotte et s'allongea, le museau entre les pattes.

Au-dehors, le tonnerre s'éloignait vers le nord. L'Esprit du Monde retournait dans sa Montagne. Dans les murs de la grotte glouglotaient des kyrielles de ruisseaux que la pluie avait gorgés. L'odeur de loup mouillé montait, lourde.

Renn aurait aimé dire à Loup combien elle était heureuse de le voir. Elle aurait aimé qu'il lui fît comprendre s'il avait déjà trouvé Torak. Mais elle en était incapable. Elle n'avait jamais prêté beaucoup d'attention aux glapissements que Torak poussait pour parler loup. Elle n'aimait pas ça. Elle trouvait que ce n'était pas naturel. Qu'un humain parlât loup la troublait. Et puis, quand Torak parlait loup, elle avait l'impression de ne plus le connaître.

« Les loups ne parlent pas avec leur voix comme nous parlons, nous, lui avait dit Torak un jour. Ils parlent davantage avec leur corps, leur fourrure, leur visage, leurs oreilles et leur queue...

— Mais toi, avait rétorqué Renn, tu n'as ni queue ni fourrure. Et tu ne peux pas bouger tes oreilles, que je sache ! Alors, comment tu fais ?

— Je baragouine. Ce n'est pas facile, mais on finit par se comprendre... »

Si ce n'était pas facile pour le garçon, comment Renn aurait-elle pu réussir ? Comment Loup allait-il l'aider à retrouver Torak s'ils n'avaient pas la moindre chance de se comprendre ?

Loup ne comprenait rien à la femelle Sans Queue.

Ses jappements laissaient croire que ses intentions étaient amicales. Cependant, son comportement était ambigu, tantôt menaçant, tantôt désolé, tantôt hésitant...

Au début, elle avait eu l'air heureuse de le voir, même s'il avait senti beaucoup de méfiance en elle. Ensuite, elle l'avait regardé droit dans les yeux, avec insolence ; et elle n'avait pas arrangé les choses quand elle s'était dressée sur ses antérieurs. Puis elle avait tâché de s'excuser. Puis elle lui avait donné des baies séchées, et cet étrange poisson plat et sans yeux qui sentait le genièvre. Puis elle s'était excusée de nouveau en lui grattant la gorge. Loup s'était senti si perturbé qu'il s'était mis à courir en cercles.

À présent, le Sombre était passé, et il s'ennuyait en attendant qu'elle se réveillât. Il décida de la mordiller afin qu'elle se décidât à jouer avec lui.

Elle le repoussa en disant quelque chose qui devait signifier : « Va-t'en ! Laisse-moi tranquille ! » dans la langue des Sans Queue. Loup se souvenait quand Grand Sans Queue faisait ça. C'était sa manière de grogner lorsque l'animal tentait de lui rappeler qu'il dormait depuis trop longtemps.

Il laissa la femelle se lever à son rythme et s'avancer à pas hésitants dans la Lumière, et il bondit en avant pour explorer la Tanière. Bientôt, il se mit à creuser un trou. Il aimait sentir le pouvoir de ses pattes et de ses griffes ; il aimait la caresse de la terre sous ses coussinets.

Il entendit une souris qui filait dans une galerie. Il frappa la terre et réussit à faire sortir le rongeur. Il l'attrapa dans ses crocs, le jeta en l'air et le croqua en deux. Il mangea quelques coccinelles et un lombric, puis trotta rejoindre la femelle.

Le Grand Œil Brillant brillait, rendant le Dessus éclatant. L'odeur de la vallée indiquait à Loup que le Tonnerre était parti. Merveilleusement soulagé, il fila dans les hautes herbes. Sentit leur humidité se perdre dans sa fourrure. Entendit une pie chanter, ainsi qu'un cheval sauvage qui, dans la vallée d'à côté, se grattait le ventre contre un épicéa tombé à terre, probablement frappé par la colère de l'Esprit du Monde. Il repéra à l'odeur la femelle qui descendait vers l'Eauvive, et la vit sur la berge en train de pointer ses Longues Serres Qui Volent vers les canards.

Loup adorait faire peur aux canards. C'était l'un de ses jeux favoris. Grâce à celui-ci, il avait appris à nager par erreur, quand il s'était jeté dans un cours d'eau afin de poursuivre les volatiles. Il avait cru qu'il ne s'agissait que d'un petit ruisseau couvert de feuilles. Quelle n'avait pas été sa stupeur en se retrouvant la tête sous l'eau !

À présent, il n'avait qu'une envie : se jeter dans l'Eau-vive et voir les canards s'envoler à tire-d'aile vers le Dessus. Pas pour les chasser, juste pour le plaisir. Loup aimait s'amuser.

Cependant, d'abord, il devait vérifier si la femelle était d'accord.

Il battit des oreilles poliment, pour lui demander si elle chassait les oiseaux.

Elle l'ignora.

Loup attendit un moment encore. Il avait assez l'expérience des Sans Queue pour savoir que leur ouïe et leur odorat étaient si peu développés qu'on pouvait se trouver pile devant eux sans être repéré.

Mais l'impatience finit par l'emporter. La femelle ne disait rien ? Elle devait donc être d'accord. Et puis, quel mal y avait-il à jouer un peu ? Loup s'enfonça dans les hautes herbes et se dirigea vers l'endroit où les canards barbotaient, inconscients du danger qui fondait sur eux.

Loup jaillit au milieu d'eux. Les oiseaux fusèrent aussitôt vers le Dessus en poussant des cris indignés, pour le plus grand plaisir de Loup.

Pas de la femelle, visiblement : elle aboyait dans sa direction en lançant des sortes de « Wouf ! wouf ! » et en pointant une Longue Serre vers lui.

Loup se sentit offensé. Il s'éloigna. Il n'avait rien fait de mal. Il lui avait demandé l'autorisation. Elle n'avait qu'à lui dire non, si elle chassait !

Mais Loup ne bouda pas longtemps. Il s'était à peine éloigné de quelques foulées quand il se rendit compte que, d'une manière qu'il ne s'expliquait pas entièrement, il avait besoin de la femelle pour l'aider à trouver Grand Sans Queue.

Loup ignorait d'où lui venait cette intuition. Ce qui ne l'empêchait pas d'y croire. Par moments, il était sûr du comportement qu'il devait tenir. Puisque cette certitude lui ordonnait de rester près de la femelle, il lui obéirait.

Le Grand Œil Brûlant illuminait le Dessus quand, enfin, la femelle se mit en marche. Elle emprunta un sentier tracé par un cerf. Elle reprenait sa quête de Grand Sans Queue.

C'était elle la chef de meute. Elle marchait donc devant. Loup trottait derrière elle – il avait du mal à garder sa place, car la femelle était plus lente qu'un louveteau à sa naissance. Aussi, pourquoi les humains marchaient-ils sur deux pattes ? Avec quatre, ils avanceraient deux fois plus vite !

Après une bonne marche, ils s'arrêtèrent près d'une petite Eau ; et la femelle partagea avec Loup un peu de poisson aux baies de genièvre. Cependant, lorsque Loup lui lécha le museau et réclama la suite avec un petit gémissement, elle se mit à rire et le repoussa.

Il se demandait encore pourquoi elle avait ri quand le vent tourna. L'odeur lui monta violemment aux narines.

Il se figea. Leva son museau. Prit deux longues inspirations. OUIIIIIII ! La meilleure odeur de la Forêt ! Celle de Grand Sans Queue !

Loup tourna les coussinets. Courut pour suivre l'odeur à la trace. Fila le long des épineux où, quelques Lumières auparavant, Grand Sans Queue s'était reposé. Loup leva derechef la gueule. Et comprit : ils s'étaient trompés. Ils avaient opté pour la mauvaise direction. Grand sans Queue ne se dirigeait pas vers la Forêt Profonde. Il revenait. Il marchait vers l'endroit où le Grand Œil Brûlant s'enfonçait pour dormir.

La femelle était trop loin pour voir Loup ; mais il l'entendait progresser à travers les fougères. Et elle allait dans le mauvais sens.

Il aboya :

« Pas par là ! Reviens ! Reviens ! Reviens ! »

Il tremblait d'impatience à l'idée de rejoindre son frère de meute. Il sentait dans sa fourrure que Grand Sans Queue était encore loin. Hélas, la femelle refusait toujours de le comprendre !

Grognant de rage, Loup revint la chercher.

Elle le regarda.

Il lui sauta dessus, la projeta au sol et se tint sur elle en aboyant.

Paniquée, elle semblait avoir du mal à respirer.

Puisque c'était comme ça, il allait l'abandonner.

Loup fit demi-tour et fonça retrouver Grand Sans Queue.

Renn se releva. Éberluée.

La Forêt paraissait vide, à présent que Loup avait disparu. Mais la jeune fille était trop orgueilleuse pour se servir du sifflet en os de grouse pour rappeler l'animal. Il l'avait abandonnée. Il n'y avait pas d'autre mot.

Le moral au plus bas, elle atteignit un carrefour et s'arrêta. Où avait pu passer Torak ? Quel indice avait-il laissé de son passage ? Et où était passé Loup ?

Renn avait beau scruter les alentours, elle ne voyait rien. Rien que des fourrés impénétrables couronnés de houx, et des rangs entiers de fougères que l'orage avait trempées.

Quand Loup était reparu, il était très excité. Et il se dirigeait vers l'ouest...

Vers l'*ouest* ? Voilà ce que la jeune fille n'arrivait pas à comprendre. Car, à force d'aller vers l'ouest, on arrivait à la Mer. Pourquoi Torak aurait-il abandonné la Forêt Profonde ? Qu'est-ce qui l'aurait poussé à gagner la Mer ?

Brusquement, Loup surgit sur le sentier, devant Renn.

Un mélange de joie et de soulagement s'empara de la jeune fille, mais elle retint l'exclamation qui lui brûlait les lèvres. Elle avait déjà commis des erreurs la veille au soir. Elle n'avait pas l'intention de recommencer.

Elle se pencha pour lui murmurer qu'elle était contente (ravie, plutôt, enchantée) de le revoir. Elle ne regardait l'animal dans les yeux que de temps en temps – et encore, de biais.

Loup trotta vers elle en agitant la queue. Il lui gratta la joue avec son museau, et la lui lécha de sa langue râpeuse.

De son côté, elle gratouilla doucement l'animal entre les oreilles. Il lui lécha la main et, cette fois, évita de lui mordiller ses protège-doigts.

Puis il se détourna et trotta vers l'ouest.

— Tu veux aller à l'ouest ? s'étonna Renn. Tu es sûr ?

Loup lui jeta un regard qui ne laissait aucun doute. L'assurance brillait dans ses yeux d'ambre.

— Allons vers l'ouest, donc..., conclut la jeune fille.

Et Loup s'avança sur le chemin ; et Renn se mit à courir à sa suite.

QUINZE

Torak s'arrêta. Il flottait dans l'air une étrange odeur salée qui le replongeait dans ses souvenirs.

Il était déjà venu près de la Mer, cinq étés auparavant. Il n'y était venu qu'une fois. Ça lui avait suffi.

Autour de lui, les pins s'inclinaient mollement sous la brise. Au nord, à travers les arbres, les Grandes Eaux derrière les rochers, pressées de se jeter dans la Mer.

Torak ne partageait pas leur impatience. Mais la chef du clan du Cheval Sauvage lui avait dit que ce qu'il cherchait, il le trouverait près de la Mer. Peut-être s'était-il laissé berner bêtement. Il se rendait compte qu'il n'était pas plus avancé à l'instant présent que lorsqu'il avait quitté en catimini le campement des Corbeaux. D'abord, il avait gagné l'est ; et voilà qu'il se retrouvait à l'ouest.

Il avait l'impression que quelqu'un se moquait de lui, comme s'il n'avait été qu'un pion en os sur une pierre à jouer.

Cela faisait deux jours qu'il avait quitté l'orée de la Forêt Profonde. Deux jours et deux nuits qu'il avait passés sur ses gardes, dans la crainte du Suiveur. Crainte infondée : la créature ne l'avait pas lâché – de cela, il en était sûr. Mais elle ne s'était plus montrée. Et elle ne lui avait plus joué l'un de ces tours létaux dont elle avait le secret.

Le voyage s'était donc déroulé sans incident notable. Jusqu'à la nuit dernière. Et, cette fois, le Suiveur n'y était pour rien.

Torak était assis près du feu. Il luttait contre le sommeil. Écoutait l'orage gronder dans les collines, à l'est.

À deux reprises, il avait entendu un rire sardonique porté par le vent.

À deux reprises, il avait donc jailli hors de sa cabane.

Et à deux reprises, bien sûr, il n'avait rien vu. Rien que des branchages à terre et des étoiles scintillantes.

Puis, très, très loin, il avait entendu un loup qui hurlait.

Son cœur s'était mis à battre la chamade. Il avait essayé de comprendre le sens de ces hurlements. Mais ils étaient trop lointains, et la barrière que formaient les conifères était trop épaisse. Impossible de distinguer un sens précis.

Il s'était jeté sur le sol. Avait pressé ses deux mains par terre. Essayé de sentir les infimes vibrations que, parfois, les hurlements des loups envoient à travers la Forêt.

En vain.

Au point qu'il avait douté de lui-même. Avait-il réellement entendu un loup hurler, ou avait-il réussi à entendre ce qu'il aurait tant aimé entendre ?

Il était resté éveillé pendant la majeure partie de la nuit. Et il n'avait plus entendu de hurlements. Il les avait rêvés. Pas d'autre explication. Pourtant, il était sûr que non.

Le cri d'une mouette le rappela à la réalité.

Sur sa droite, le rideau d'arbres s'amincissait. Il s'avança pour explorer les lieux... et faillit dégringoler d'une falaise. Pas très haute, mais escarpée. Abrupte, même. Constituée d'un mélange de terre et de racines d'arbres. Enveloppée d'une clameur permanente : apparemment, les mouettes avaient choisi cet endroit pour y nicher.

Torak continua son exploration plus prudemment. Il prit vers l'ouest, gardant la falaise à sa droite. Sous ses pas craquaient des aiguilles de pin. Sa respiration lui semblait assourdissante. Soudain, le chemin descendit en pente, les arbres disparurent, et le soleil l'aveugla.

Il avait atteint l'orée de la Forêt.

Devant lui, les Grandes Eaux se jetaient dans un lac très long et très étroit. À ceci près que ce lac-ci n'avait pas de fin. Vers l'ouest émergeait un archipel dont chaque île était couverte de pins. Peut-être étaient-ce les Îles du Phoque. L'endroit où sa mère était née. Autour d'elles scintillait l'éclatante immensité de la Mer.

Et dès que le garçon la vit, cette Mer gigantesque, les souvenirs lui revinrent de plus belle.

Il avait sept étés. Il était fou d'impatience. Jusqu'alors, P'pa l'avait toujours tenu à l'écart des gens. Mais, ce jour-là, ils allaient se rendre à la grande rencontre de tous les clans.

Pourquoi y allaient-ils ? P'pa n'avait pas jugé bon de l'expliquer à Torak – pas plus qu'il ne lui avait appris pourquoi ils s'étaient badigeonné le visage avec du jus de myrtilles. À vrai dire, Torak s'en moquait. P'pa lui avait dit que c'était un jeu, et que ce serait mieux que personne ne sût leurs noms.

Torak avait pensé que, en effet, ce serait drôle. Et il avait imaginé que les membres des autres clans trouveraient ça drôle, eux aussi.

Quand ils étaient arrivés sur place, l'embouchure du fleuve était constellée d'innombrables cabanes. Torak n'avait jamais vu autant d'abris différents. Certains étaient en bois ou en écorce, d'autres en terre et en feuillage. Et il y avait tellement de gens...

Son excitation avait fait long feu. Les autres enfants avaient perçu l'arrivée d'un étranger. Et ils s'étaient rassemblés pour l'agresser.

Une fillette avait jeté la première pierre. De simples mots, mais qui avaient fait mal. Et mouche.

La fillette appartenait au clan de la Vipère et avait de bonnes grosses joues, rebondies comme celles d'un écureuil.

— Ton P'pa est fou ! avait-elle lancé. Il a respiré le souffle d'un fantôme, et il est devenu tellement dingo qu'on l'a obligé à quitter son clan !

Des enfants du clan du Saule et du clan du Saumon s'étaient joints à la fillette pour crier :

— Din-go ! Din-go ! Visages peints ! Âmes pourries !

Si Torak avait été plus avancé en âge, s'il avait eu plus d'expérience, il n'aurait pas hésité. Il aurait compris que ses adversaires étaient trop nombreux. Qu'il n'avait pas l'ombre d'une chance. Et il aurait battu en retraite. Au lieu de quoi, il avait vu rouge. Rouge écarlate, même. Personne n'insultait son père. Pas devant Torak.

Il avait attrapé une poignée de galets et s'apprêtait à les projeter quand P'pa l'avait retenu. À la stupéfaction du garçon, P'pa se moquait des insultes. Elles ne paraissaient pas le toucher. Au contraire, il riait en balançant Torak à bout de bras, haut dans les airs, tandis qu'ils reprenaient le chemin de la Forêt.

Il avait ri aussi, la nuit de sa mort. Torak avait plaisanté pendant qu'ils dressaient leur camp. Puis l'Ours était venu.

P'pa était mort depuis neuf lunes, désormais. Mais, par moments, Torak n'arrivait pas à croire que son père était parti pour toujours. Certains matins, au réveil, allongé dans ses couvertures, il énumérait ce qu'il allait lui raconter. Loup. Renn. Fin-Kedinn.

Puis tout lui revenait. Il ne raconterait rien à P'pa. Plus jamais.

Il ne devait pas penser à cela. Il se le répétait fréquemment. Mais, ce matin-là, il y pensait quand même.

Il laissa les arbres derrière lui et se retrouva dans une étroite bande de sable gris. À ses pieds, de petits monticules pourpres d'algues dégageaient une puanteur salée. À sa gauche, des tas de morceaux de roc gisaient en désordre, comme s'ils avaient été frappés par un marteau monstrueux. À sa droite, les Grandes Eaux se jetaient dans la Mer qui brillait de mille feux.

Le courage de Torak vacilla. Il n'était plus dans son monde. Des albatros hurlaient au-dessus de lui. C'était si différent des chants mélodieux qu'entonnaient les oiseaux de la Forêt. Il vit des empreintes qu'il ne connaissait pas sur le sable : un large sillon flanqué de cinq traces de serres, semblables à des sortes de lunes.

Il songea qu'ils avaient été faits par une grande créature qui se serait extraite de l'eau. Mais il était incapable de déterminer s'il s'agissait du chasseur ou de la proie.

Il grimpa sur les rochers, écrasant sous ses bottes de fines coquilles blanches. On aurait presque dit des escargots... en plus plat. Torak ignorait leur nom précis, comme il ignorait le nom des plantes qui poussaient dans les anfractuosités des pierres et dont les fleurs jaunes s'agitaient sous la caresse du vent.

Quelques pas plus loin se tenait un oiseau noir et blanc. Il ressemblait à une pie, avec un long bec rouge qu'il frappait contre une coquille collée à une pierre. L'oiseau luttait de toutes ses forces. Il finit par briser la coque et par gober ce qui s'y cachait avant de s'envoler en poussant un long cri perçant.

Torak le regarda s'éloigner. Puis il s'agenouilla au bord de l'eau et observa un étrange monde mouvant. Là palpitaient des feuilles brun et or, ainsi que des algues vertes dont la forme évoquait celle d'un trident. Quand il en prit une dans la main, les feuilles lui parurent vaseuses – il pensa à la peau de bouc humide. Quant aux algues, elles collaient à ses doigts – on aurait dit des poils. Une créature à la coquille orange sentit son ombre et fila se réfugier sous une pierre.

Torak grimaça. Les forts remugles salés lui tournaient la tête. Les embruns lui piquaient les yeux. Il n'avait qu'une envie : prendre ses jambes à son cou et retourner dans la Forêt. S'y terrer. Ne jamais revenir ici.

Puis il songea aux clans qui combattaient la maladie. S'il ne trouvait pas d'antidote...

Il devait rester. Donc trouver de quoi manger.

Il ne savait pas ce qui était comestible, ici. Par chance, il repéra des champignons succulents à l'orée de la Forêt, et même des pousses qui promettaient d'être exquises. Il fit un feu où il chauffa des galets dans les braises. Puis il remplit à moitié sa marmite en peau d'eau de mer, la suspendit à un trépied de bois et, avec un bâton fourchu, y plaça les galets chauffés à blanc. Ensuite, il plongea ses champignons et les restes d'un lièvre qu'il avait capturé et commencé de dévorer la nuit précédente. Bientôt, il avait devant lui un mélange goûteux... et trop salé !

Il était fatigué. Cependant, sa nervosité était si grande qu'il ne put dormir. Après le repas, il préféra donc se déshabiller et se laver.

Après son bain de mer, il était propre mais un peu collant. La faute à l'eau salée. Il repassa ses vêtements, sauf ses bottes et son gilet, qu'il laissa sur les rochers.

Au fond de son sac, il avait retrouvé les défenses de sanglier. Il songea que la chef des Chevaux Sauvages avait peut-être dit la vérité. À savoir qu'il devait faire une amulette avec ces défenses, en mémoire de l'ami qu'il avait été contraint de tuer.

Il les plongea dans une flaque d'eau, les nettoya, ôta avec un bâton les morceaux de chair qui pourrissaient à l'intérieur ; puis il les déposa sur des pierres pour les faire sécher.

Ensuite, il jeta des lignes de pêche avec, au bout, des hameçons en épineux, en direction de l'endroit plein d'algues où il supposait que les poissons viendraient se restaurer. Comme appât, il se servit de la chair de sanglier qu'il avait extraite des défenses. Mais, pour maintenir les hameçons sous l'eau, il allait avoir besoin de pierres, afin de les lester.

Il y avait des galets sur la plage. Par contre, il n'avait plus de cordes de nerfs dans son sac pour les nouer à sa ligne. Il n'aimait pas l'idée de couper des morceaux d'algue visqueuse. Qui sait si des membres du Peuple Caché ne se tapissaient pas dans l'eau ? Peut-être ces algues leur appartenaient-elles...

Quelques racines d'épineux bien taillées feraient l'affaire. Ce qui imposait de revenir dans la Forêt.

Tant mieux, d'ailleurs : Torak se sentait plus en sécurité au milieu des arbres. La moindre raison de retourner là-bas lui convenait. Il était même prêt à en inventer de toutes pièces. Par exemple, n'avait-il pas intérêt à se constituer une réserve de racines de pin ? Elles pouvaient toujours se révéler utiles. En plus, cela obligeait le garçon à s'enfoncer davantage dans la Forêt, car il ne fallait jamais couper deux racines du même arbre.

Le soleil était déjà bien descendu quand Torak revint vers la Mer. Ses affaires reposaient sur les rochers, là où il les avait laissées. Intactes.

Ou presque.

Car celui qui avait fouillé dans son barda avait essayé de tout remettre en place. Cependant, Torak vit immédiatement qu'on avait touché à ses biens. Son sens de l'observation avait été aiguisé par d'innombrables chasses. Grâce à ses perceptions très développées, il repéra quelques fleurs jaunes près de son sac : elles étaient légèrement écrasées. C'était là qu'il avait déposé son sac avant de partir. Les défenses de sanglier aussi avaient été disposées autrement. Il distinguait les légers croissants d'humidité à l'endroit où il les avait placées à l'origine.

Sans un bruit, il battit en retraite dans la Forêt. S'accroupit le plus bas possible. Jura entre ses dents. Ah ! si les herbes folles avaient été plus hautes, elles l'auraient mieux dissimulé !

Il avait à peine gagné sa cachette que des voix lui parvinrent. À trente pas de là. Venant de la plage. Deux garçons descendaient les rochers, marchaient lentement, cherchant des traces...

Les deux inconnus étaient plus grands que Torak. Plus costauds. Plus âgés aussi, probablement. Peut-être un été de plus que lui. Leurs visages étaient tannés par le soleil. Leurs longues chevelures blondes étaient tressées de coquillages. Autour de leurs yeux, des bandes grisées leur donnaient un regard vide, comme si leurs pupilles avaient émergé d'un masque.

Torak n'avait pas besoin de croiser leurs regards pour comprendre qu'ils ne lui voulaient pas du bien. Leurs armes trahissaient assez clairement leurs intentions : ils brandissaient des harpons massifs, aux pointes d'os acérées, ainsi que des couteaux avec de grosses lames en silex bleu. Le plus petit portait un lance-pierres à la ceinture.

Ils marchaient pieds nus, vêtus de hauts-de-chausses taillés dans une étrange matière grise et d'un gilet sans manches qui révélait les tatouages de clan qu'ils avaient sur les bras : une vague bleue. Sur leur gilet était cousue une bande de peau de leur créature fétiche. C'était une fourrure grise brillante marquée par de petits anneaux noirs. Requin ? Phoque ? Torak l'ignorait.

Cependant, le plus étrange dans leur accoutrement était ce qu'ils portaient par-dessus : un manteau à manches longues d'un cuir très léger, jaunâtre, si léger qu'on voyait au travers. Quelle créature pouvait avoir une peau aussi translucide ?

— Il doit pas être bien loin, dit le plus petit, dont la voix portait dans l'air nocturne.

— Il s'est sûrement éclipsé en rampant à travers les arbres, suggéra l'autre. Comme ces espèces de... comment tu les appelles, déjà ? des chevaux ?

— Ouais. Sauf que les chevaux s'éclipsent pas en rampant, Detlan. Ils détalent.

— Qu'est-ce que t'en sais ? Peut-être que les chevaux s'éclipsent en rampant. T'en as jamais vu, Asrif !

— J'en ai entendu parler. Bon, allez, viens ! Il ne reviendra pas...

— Il a pas intérêt ! cracha Detlan d'un ton menaçant. Venir plonger ses saletés de la Forêt dans notre Mer, c'est dégoûtant !

Torak retint son souffle jusqu'à ce qu'ils eussent disparu de l'autre côté des rochers.

De derrière une paroi rocheuse, ils sortirent deux grands canoës qui y étaient cachés. Ces embarcations étaient très différentes de celles que Torak avait l'habitude de voir. Elles étaient fines, et couvertes de la proue à la poupe d'un cuir gris tendu à l'extrême. Elles devaient être fort légères, car chacun des garçons portait son bateau sur la tête sans montrer le moindre signe de difficulté. Ils ne le reposèrent qu'une fois qu'ils eurent gagné la rive.

Torak les vit ensuite monter à bord puis les observa tandis qu'ils commençaient de ramer avec leurs doubles pagaies. Bientôt, Detlan et Asrif glissèrent en silence sur les flots et disparurent derrière des rochers.

Mais le garçon savait qu'il n'était pas encore tiré d'affaires. Cette petite comédie sentait le piège à plein nez. Il allait les attendre. Son expérience de chasseur allait lui servir encore une fois. Car un chasseur sachant chasser ne sait pas seulement suivre une piste et relever les indices, même les plus discrets : il sait aussi attendre.

La brise tomba. L'eau devint plate et immobile, tel un galet liquide. Pour tout bruit, le lent va-et-vient des vaguelettes sur la rive, où un canard jouait avec une algue.

Le soleil descendit encore.

Le canard étendit ses ailes et s'envola.

Le crépuscule s'installa. C'était le milieu de la Lune Sans Obscurité. La nuit ne serait qu'un bref intermède d'un bleu profond piqueté d'étoiles, entre le gris de la fin d'après-midi et les roses orangés de l'aube.

Mais Torak attendait toujours.

Lorsque l'aube poignit – pas avant –, il jugea qu'il pouvait sortir. Il était tout engourdi d'être resté accroupi aussi longtemps. Il constata avec soulagement qu'on ne lui avait rien pris.

Il avait faim. Il regarda ses lignes. Pour tirer sur l'une d'elles, il dut ôter un tas d'algues que le vent avait déposées là.

Sauf qu'il n'y avait pas eu le moindre souffle de vent. Comment les algues avaient-elles pu arriver là ?

Il se penchait pour étudier le terrain quand une corde s'enroula autour de sa cheville et le fit basculer tête en avant.

SEIZE

La tête de Torak heurta un rocher. Une haute silhouette lui cacha le soleil.

À contre-jour, le garçon aperçut un visage sombre, l'éclair blond d'une longue chevelure, une main qui tenait un couteau et une corde qu'on avait passée à sa cheville.

— Je l'ai ! cria son agresseur à quelqu'un que Torak ne pouvait pas voir.

Puis il dit au garçon :

— Allez, viens, et pas d'histoire ! Sinon, tu t'en repentiras...

Il avait parlé d'une voix calme mais déterminée.

Cependant, Torak n'avait pas l'intention de se rendre sans rien tenter. Il n'était pas un spécialiste du combat rapproché. Par contre, il était un as de la feinte et de l'esquive.

Lorsque son ennemi s'agenouilla pour lui lier les mains, le garçon frappa son couteau. La tête de son adversaire suivit la lame. De son pied libre, Torak asséna un coup puissant sur le menton de l'inconnu, qui hurla de douleur, partit en arrière et s'effondra à son tour contre les rochers.

Torak saisit son couteau. Trancha la corde à sa cheville. Courut vers la Forêt. Tête basse. Zigzaguant à travers les herbes hautes pour empêcher ses ennemis de le viser.

— Tu n'as aucune chance de nous échapper ! affirma une voix derrière lui.

Torak reconnut Asrif, le plus petit des deux garçons de la Mer.

« Donc j'ai une chance de leur échapper, conclut Torak. Sinon, ils n'auraient pas pris la peine de me menacer... »

Soixante pas plus loin, il se jeta derrière un sapin tombé à terre. Il se mordait les lèvres pour empêcher son souffle de le trahir. Un silence de mort était tombé sur la Forêt. Pas un bruit pour masquer une fuite. La lutte s'annonçait difficile.

— Tu es cerné ! cria l'autre garçon, quelque part sur sa droite.

C'était la voix de Detlan.

« Cerné par deux zozos ? pensa Torak. Ça m'étonnerait ! »

Mais une troisième voix retentit :

— Tu ferais mieux de sortir tout seul !

« Pourquoi ? songea le garçon en ravalant sa surprise. Agitez-vous un peu, puisque vous êtes si forts ! »

Une pierre vint se fracasser contre le tronc de pin, juste au-dessus de sa tête. Un éclat d'écorce vola dans les airs.

— Tu vas être châtié, étranger ! glapit Asrif. Tu n'aurais jamais dû quitter la Forêt !

— Comment as-tu osé ? s'emporta Detlan.

— Et pourquoi ? renchérit Asrif.

— Pourquoi *quoi* ? s'étonna Torak. Qu'est-ce que j'ai fait ? Qu'est-ce que vous me reprochez ?

Puis il comprit : ils disaient n'importe quoi. Ils essayaient de le distraire pendant qu'ils se rapprochaient.

Vite, le garçon jeta un coup d'œil autour de lui.

Derrière, le terrain descendait, formant une grande plaine humide où l'herbe poussait entre aulnes, saules, bouquets de mousse vert pâle et touffes d'herbe-à-lièvre. Celui qui connaît la Forêt sait qu'une telle plaine est en réalité un marécage ; et, pour les clans de la Forêt, les marécages n'ont aucun secret. Par contre, d'après ce qu'ils avaient dit des chevaux, ces garçons ignoraient tout de la Forêt.

Torak décida de profiter de son avantage. Rampant le plus discrètement possible, il gagna l'orée du marais. L'endroit était assez vaste : vingt pas de long, quinze de large. Son odeur indiquait qu'il était profond. Pas moyen de le contourner. Torak allait devoir le traverser. Et sans faire de bruit, encore ! Une fois de l'autre côté, il les attirerait dans ce piège.

Ça pouvait fonctionner. S'il ne s'enlisait pas lui-même. Et s'ils ne repéraient pas son manège trop tôt.

Il grimpa sur un saule qui surplombait le marécage, après avoir vérifié s'il ne s'agissait pas d'un tronc mort. Puis il se faufila sur une branche. Il y avait un aulne de l'autre côté. Et, en bas, le marais.

Il sauta. Atterrit moitié sur l'aulne, moitié les pieds dans une boue froide et puante. Fit craquer une branche en se hissant le long du tronc. Souffla une excuse à l'adresse de l'arbre. Mais le mal était fait : des cris signalèrent sa fuite.

— Par ici ! Par ici !

Les poursuivants de Torak se jetèrent dans le marais à la manière d'une horde d'aurochs. Il bondit derechef. Ses vêtements s'accrochèrent à des genévriers.

Derrière lui, ses ennemis hurlaient de rage. Très bien. Ils s'enfonçaient.

— Saletés de pièges de la Forêt ! couina l'un.

— Tu ne t'en tireras pas comme ça, j'te jure ! aboya l'autre.

Le troisième ne dit rien. Où était le grand, celui qu'il avait projeté sur les rochers ?

Pas le temps de s'en inquiéter pour le moment. Torak était au bord de la falaise et aurait basculé s'il n'avait pas agrippé un arbuste juste au bon moment.

Il en aurait pleuré de rage. Il n'était pas arrivé à la moitié de son parcours.

Le marécage ne ralentirait pas longtemps ses poursuivants. Et même s'il réussissait à descendre la falaise, il se retrouverait coincé en bas. Les Grandes Eaux étaient trop larges, à cet endroit. Pas moyen de traverser. En plus, cette fois, ce serait lui le perdant : avec leurs canoës, ils le rattraperaient en deux coups de pagaie. Il lui faudrait suivre les Grandes Eaux vers l'amont, en espérant qu'il réussirait à les semer dans la Forêt. Ce qui exigeait qu'il laissât ses affaires exposées sur les rochers. Et, parmi ses affaires, son couteau.

Son couteau...

Ce qu'il avait dans la main, c'était le couteau que Fin-Kedinn lui avait fabriqué. Celui de P'pa, l'objet le plus précieux qu'il possédât, était resté dans son sac.

Au-dessus de lui, un craquement.

Torak leva les yeux. Une branche fonçait sur lui. Il se poussa. Pas assez. La branche le frappa en plein sur le coude. Il cria.

— Par ici ! braillèrent ses poursuivants. Par ici !

Il entendit un ricanement démoniaque. Et vit juste après un visage de feuilles qui disparaissait dans les arbres.

Une pierre l'atteignit puissamment à la pommette. Il tomba au pied de l'arbuste.

— On l'a ! glapit l'un de ses ennemis.

C'était le plus petit.

Bien que sa vision fût brouillée par la douleur, Torak vit le plus grand s'avancer calmement vers lui à travers les arbres.

— Asrif, je t'avais dit : pas la tête ! Tu aurais pu le tuer...

L'intéressé rengainait son lance-pierres en souriant :

— Ben oui ! C'est pour ça que je l'ai frappé là !

Ils étaient de retour sur les rochers. Torak avait les mains liées derrière lui. Ses ennemis l'entouraient. Ils n'avaient plus leurs masques autour des yeux. Mais ce n'était pas rassurant : Torak décelait ainsi mieux la violence qui les habitait. Régulièrement, leurs phalanges se crispaient sur leurs étranges couteaux, dont la garde n'était ni en bois, ni en ramure, ni en os.

Le plus grand s'approcha. Il avait un visage intelligent, attentif, des yeux bleus d'un éclat presque minéral.

— Tu n'aurais pas dû t'enfuir, dit-il d'un ton paisible. C'est ce que font les lâches.

— Je ne suis pas un lâche, rétorqua Torak en soutenant son regard.

Ses joues et son coude le faisaient souffrir ; ses pieds et ses mollets étaient écorchés.

Asrif éclata d'un rire méchant et, les yeux plissés, déclara :

— J'aimerais pas être à ta place, étranger ! Tu vas avoir de sacrés ennuis, pas vrai, Bale ?

Il se tourna vers le plus grand des trois garçons, qui ne lui répondit pas.

— Je comprends pas, intervint Detlan en secouant la tête. Souiller la Mer avec la Forêt ! Pourquoi a-t-il fait ça ?

Ses lourds sourcils formaient une sorte de pont au-dessus de son nez. Torak pensa qu'il n'avait pas la tête de quelqu'un de très futé, mais qu'il devait être un excellent exécutant des ordres qu'on lui donnait.

Torak se tourna vers Bale, puisqu'il semblait être le chef :

— Je ne sais pas ce que vous imaginez que j'ai commis, mais je vous assure que jamais je ne...

— Du cuir de cerf, l'interrompit Bale. De la peau de daim. Du bois de la Forêt. Mais tu ne respectes donc rien ?

— De quoi tu parles ?

Detlan en resta bouche bée.

Asrif se frappa le front :

— Un fou ! C'est un fou !

— Non, non, objecta Bale. Il savait ce qu'il faisait. Il l'a même fait délibérément.

Puis il s'adressa à Torak, accusateur :

154

— Tu as amené tes peaux impures de la Forêt jusqu'à notre rive ! Tu as jeté des pièges de couard pour déchirer nos bateaux de peau, et les jeter dans la Mer en personne !

— Je pêchais, expliqua le prisonnier.

— Tu as enfreint la Loi ! s'emporta Bale. Tu as souillé la Mer avec la Forêt.

— Je m'appelle Torak, dit celui-ci d'un ton conciliant, j'appartiens au clan du Loup. Et vous, de quel clan êtes-vous ?

— Du clan du Phoque, évidemment !

Le grand garçon toucha la bande de fourrure grise qu'il arborait sur sa poitrine.

— Tu ne sais pas reconnaître une fourrure de phoque, peut-être ?

— Ben... non, avoua Torak. Je n'en avais jamais vu.

— Tu n'as jamais vu de fourrure de phoque ? répéta Detlan, sidéré.

— Un fou, j'vous l'ai dit ! lâcha Asrif. C'est un fou !

Le rouge monta aux joues du prisonnier.

— J'appartiens au clan du Loup, reprit-il, mais je suis aussi...

— C'est ça, du loup ? cracha Asrif en touchant avec un bâton le bout de fourrure qui ornait le gilet de Torak.

— Pas terrible, conclut Bale. À l'image de l'animal, je suppose...

— Tu en verrais un, tu changerais d'avis, lui répondit son prisonnier avec colère. Et toi, laisse ça tranquille !

Asrif fixa Torak avec une grimace sournoise.

Le garçon bouillait de rage. P'pa avait préparé cette peau pour lui le printemps dernier. Il l'avait prélevée sur la carcasse d'un loup solitaire qu'ils avaient trouvée dans une grotte. Depuis, Vedna l'avait ôtée et recousue sur sa parka d'hiver, puis sur son gilet d'été. Il redoutait le moment où ce souvenir tomberait en lambeaux.

Un regard suffit à Bale pour qu'Asrif laissât tranquille le vêtement de Torak.

— Ma grand-mère paternelle était de votre clan, affirma le garçon. Alors, que ça vous plaise ou non, on est du même sang...

— Menteur ! explosa le grand gaillard. Si c'était le cas, tu connaîtrais les lois de la Mer, et tu ne les aurais pas enfreintes !

— On devrait y aller, suggéra Detlan. Elle s'agite.

Bale observa la Mer. En effet, les vagues se creusaient.

— Tu es content, n'est-ce pas ? siffla-t-il à l'intention de son prisonnier. Mettre en colère notre Mère la Mer en souillant ses eaux avec la Forêt !

— Prépare-toi, étranger ! intervint Asrif. T'es bon pour le Rocher.

— Le...

— Le Rocher. Un récif près de notre île. Tu sais ce qu'est un récif, étranger ?

— Euh...

— C'est un gros rocher qui émerge de la Mer, expliqua Detlan.

— On te donnera une gourde d'eau, promit Asrif. Mais pas de nourriture. Et tu resteras là-bas une lune entière. Parfois, notre Mère la Mer laisse survivre les condamnés. Parfois, elle les emporte pour toujours pour...

Son sourire méchant disparut, et l'ombre de la peur voila son regard bleu délavé.

— Elle les emporte dans les mâchoires des Chasseurs, termina-t-il.

156

— Attends un peu que notre chef décide, Asrif !
déclara Bale. Prépare nos affaires. Detlan, nous avons
besoin d'un feu pour nous purifier... et surtout pour le
purifier, lui. Je vais réparer mon bateau.

Sautant des rochers, il atterrit sur la plage.

Detlan parut ravi d'avoir quelque chose à faire. Il rassembla de pleines brassées d'algues séchées et de bois
flotté. Bientôt, un grand feu brûla, dégageant de hauts
panaches de fumée grise.

— Qu'est-ce que vous allez faire de moi ? s'enquit
Torak.

— Te donner un avant-goût de la Mer, lança Asrif.

— Pas question que tu t'approches de nos embarcations en puant la Forêt, trancha Detlan.

L'instant d'après, il avait arraché les vêtements de
Torak et poussait le garçon vers le feu.

Le prisonnier réussit à éviter les flammes. Mais, armé
de son harpon, Asrif veillait à ce qu'il ne s'éloignât pas
du halo de fumée âcre et lourde qui entourait le bûcher.

Les larmes montèrent aux yeux du garçon. Il essayait
de ne pas respirer ; cependant, des panaches de fumée
se glissaient dans ses narines, le faisant tousser et pleurer. Sa gorge le brûlait. Il ne sentait plus son corps.

Soudain, il eut l'impression qu'on le poussait ; et il se
retrouva dans la Mer.

L'eau froide le frappa avec férocité, comme un coup
de poing en pleine poitrine. Surpris, il ouvrit la bouche.
Avala une gorgée d'eau salée. Tenta de remonter à la surface. Parvint à émerger tant bien que mal : les cordes lui
liaient toujours les poignets.

Des mains le saisirent aux épaules et le tirèrent sans
ménagement jusqu'aux rochers. Torak toussait. Crachait.
Vomissait. Ahanait.

On lui coupa ses liens. On lui passa une veste de peau grise et des pantalons qu'Asrif avait pris dans son bateau. Sans son couteau et la peau de sa créature de clan, Torak se sentait nu. Il détestait encore plus l'idée de porter les vêtements d'un autre.

— Ren... dez... moi... mes... af... faires..., murmura-t-ilt-il.

— T'as d'la chance que le clan du Saumon n'ait pas voulu troquer ces vêtements ! rétorqua Asrif en gloussant. Sinon, tu serais resté sans rien !

— Il a qu'la peau sur les os, vous avez vu ? s'étonna Detlan tout en remettant Torak sur ses pieds. Ils ont rien à manger, dans la Forêt, ou quoi ?

Moitié poussant, moitié tirant, les garçons entraînèrent leur prisonnier sur la plage. Asrif chargea de grands ballots enveloppés de cuir sur son canoë.

Un peu plus loin, Bale était accroupi près de son bateau, en train d'appliquer une couche de gras qu'il extrayait d'une petite outre en cuir. Ses mains semblaient caresser son canoë avec tendresse. Toutefois, quand il vit Torak, il se raidit.

— Prends-le avec toi, Detlan ! grogna-t-il. J'en veux pas près de mon bateau.

— Monte ici ! lança Detlan en poussant Torak dans son embarcation.

Elle était pleine de ballots (auxquels s'ajoutaient les affaires du prisonnier), comme celle d'Asrif, mais seulement au niveau de la proue.

— Pourquoi Bale m'en veut-il ? demanda Torak après une hésitation.

— Un de tes hameçons a déchiré le fond de son canoë, répondit Asrif. T'as encore de la chance qu'il ait pu réparer. Sinon...

— Mais ce n'est qu'un bateau ! protesta le garçon. Il n'y a pas de quoi se...

— « Qu'un bateau » ?

Asrif était scandalisé :

— C'est bien plus qu'un bateau ! C'est un partenaire de pêche ! C'est un ami, c'est un... Crois-moi, imbécile : ne répète jamais ça. Surtout devant Bale.

— Attends, je...

— Avance ! le coupa Detlan. Assieds-toi ici. Mets tes pieds là. Ne bouge pas. Un faux mouvement, et tu transperces le bateau... et nous coulons tous.

Le bateau en peau était si fragile qu'il vibrait dès que Torak bougeait le petit doigt. Il devait se tenir des deux mains pour ne pas tomber à l'eau. Detlan, pourtant beaucoup plus lourd, n'avait aucun mal à garder son équilibre. Question d'habitude, à l'évidence.

Bale ouvrait la voie. Il voguait sur les vagues avec une agilité sidérante. Les garçons avaient le vent de dos ; aussi progressaient-ils à une vitesse impressionnante. Lorsque Torak se retourna, il fut stupéfait de constater que la Forêt paraissait déjà très loin.

Bientôt, ils atteignirent les îles qu'il avait aperçues depuis la rive. Et cependant, ils n'accostèrent pas.

— Je... je croyais qu'on allait chez vous ! bégaya Torak.

— Mais on y va, étranger, on y va ! susurra Asrif.

— Pourquoi on ne s'est pas arrêtés, alors ?

Detlan rejeta la tête en arrière et éclata de rire :

— On n'habite pas ici ! On est beaucoup plus loin ! Il faut presque un jour de voyage pour y arriver... et j'exagère à peine !

— Hein ? s'exclama Torak.

Ils s'éloignèrent de la dernière île visible de la côte. Ils s'éloignèrent de la côte. Et, rapidement, de toute terre. À droite, à gauche, devant, derrière, il n'y avait rien. Que la Mer.

Torak s'accrocha aux rebords et se pencha vers l'eau agitée.

— Je ne vois pas le fond, constata-t-il.

— C'est normal ! répondit Detlan, qui avait pris conscience de l'étendue de l'ignorance de son prisonnier. C'est la Mer !

Torak se retourna. Les vagues avaient effacé les dernières traces de la Forêt. Et, avec elle, le dernier espoir de guérir ses habitants. Le garçon avait échoué, quel que fût le sort que lui réservait le clan du Phoque.

Soudain, un coup de vent secoua l'embarcation. Mais cette bourrasque apporta avec elle... un hurlement. Un hurlement de loup. Pas de n'importe quel loup. De Loup, le seul et l'unique. Loup qui demandait où était passé son frère de meute. Loup qui lui disait :

« Je suis là, moi ! Et toi, où es-tu ? »

Torak bondit sur ses pieds.

Loup ! C'était Loup !

— Assis ! aboya Detlan.

Asrif se moqua de son prisonnier :

— Trop tard pour revenir en arrière ! Évidemment, tu pourrais sauter à l'eau. Tu ne mourrais même pas noyé : on t'aurait tiré dessus avant !

Trop tard...

Asrif avait raison. C'était trop tard.

Torak avait entendu Loup hurler trop tard. La Forêt avait disparu derrière la Mer.

Loup était venu...

160

Loup avait entendu l'appel au secours qu'il lui avait lancé quand il était dans la Forêt...

Loup avait bravé la colère de l'Esprit du Monde pour venir à la rescousse de son frère de meute...

Mais Torak était désormais inaccessible. Loin de la Forêt. Hors de portée de Loup.

DIX-SEPT

Les trois canoës fendaient les vagues. Le soleil se noyait dans la Mer. Les dernières braises d'espoir finissaient de mourir dans le cœur de Torak.

Dans sa tête, il imaginait Loup courir sur la rive. Il l'entendait hurler. Il devinait son incompréhension : pourquoi son frère de meute l'avait-il abandonné ?

Insupportable.

Si seulement il avait pu hurler une réponse...

Si seulement il n'avait pas été à ce point stupéfait qu'il en avait perdu l'usage de la parole...

Si seulement il avait eu l'idée de hurler, lui aussi...

Maintenant, c'était trop tard. Il était trop loin. Les hurlements de Loup avaient disparu. Sauf dans sa mémoire.

Tout ça parce qu'il avait brisé la loi de la Mer.

Il aurait dû attendre Renn. Avec elle, il n'aurait jamais commis une telle bévue. Le clan du Phoque n'aurait pas été en colère contre lui. En ce moment même, il aurait retrouvé Loup.

Une pluie d'écume l'éclaboussa. Les yeux lui piquèrent. Sa blessure au mollet lui fit mal. Il se pencha sur sa jambe. Faillit basculer par-dessus bord.

— Vas-y, tombe à l'eau, étranger ! l'encouragea Asrif. Et compte sur nous pour te sauver !

— Garde ton souffle pour pagayer, Asrif ! rétorqua Bale. On a encore du chemin à faire !

Torak agrippa le rebord du canoë de ses doigts engourdis. Autour de lui, des vagues à perte de vue. La Mer avait tout effacé. La Forêt. La Montagne. Les Corbeaux. Loup.

Il avait l'impression de n'être qu'un grain de poussière insignifiant sur la peau liquide de cette vaste créature dont les flancs se soulevaient perpétuellement.

Quand il regardait par-dessus bord, il se perdait dans ce noir impénétrable. S'il tombait à l'eau, finirait-il par toucher le fond ? Ou son cadavre continuerait-il de s'enfoncer jour après jour, éternellement ?

Un oiseau frôla le garçon. Torak crut reconnaître une perdrix. Mais il vit que le volatile était noir du bec à la queue ; de plus, l'animal rasait les vagues, au point que ses ailes touchaient presque la Mer.

Un peu plus tard, les garçons passèrent près d'un groupe de plusieurs oiseaux de mer posés sur l'eau, en train d'échanger des nouvelles avec d'étranges grognements si différents des chants d'oiseaux sylvestres.

— Ce sont des macareux, expliqua Detlan. Vous n'en avez pas, dans la Forêt ?

164

— Non. Vous les chassez ?

Detlan secoua la tête :

— Ils sont sacrés pour nos Mages. Ils ne ressemblent pas aux autres oiseaux. Ce sont les seules créatures capables de voler dans les airs, de plonger dans la Mer et de se cacher sous terre. Voilà pourquoi nous les considérons comme des êtres sacrés : ils peuvent rendre visite aux esprits.

— Je parie qu'vous en avez pas des comme ça, dans la Forêt ! commenta Asrif.

« Quel prétentieux celui-là ! » pensa Torak.

Mais Asrif avait raison : il n'y avait pas de macareux, là d'où il venait.

Le soir tombait. Le soleil continuait de décroître. Bientôt, on serait à la Mi-été, l'époque où les nuits sont blanches et où le soleil ne se couche jamais.

Pour sa part, Torak serait allé se coucher avec plaisir. Il avait mal partout. Bercé par les vagues, il dodelinait de la tête.

Et soudain, loin, à travers les vagues, il entendit quelqu'un qui chantait.

Les trois garçons du clan du Phoque cessèrent de pagayer de concert. Bale effaça son masque qui le protégeait du soleil et scruta les vagues. Asrif grinça des dents. Detlan saisit l'amulette qui pendait sur sa poitrine.

Torak, allongé sur le côté, écoutait.

Le chant était si lointain... si solitaire... Ces longues plaintes ondulantes faisaient des vagues à la lisière de l'esprit de Torak... Des grognements profonds... abyssaux... On aurait dit que la Mer en personne se lamentait...

— Les Chasseurs, souffla Detlan.

— Ça vient de là-bas, déclara Asrif en tendant le doigt vers le nord-ouest.

Bale tourna la tête, puis acquiesça.

— Ils en veulent aux capelans, murmura-t-il. Faut pas les déranger.

Torak plissa les yeux. Ne vit rien. Jusqu'à ce qu'apparût, à dix mètres de lui, une grande bande d'eau calme. Elle lui rappelait l'aspect paisible qu'ont les ruisseaux lorsqu'ils coulent sur une pierre plate située juste sous la surface.

— Qu'est-ce que c'est ? chuchota-t-il.

— Un banc de capelans. En général, ils se cachent plus profond. Mais les Chasseurs les poussent de temps en temps vers la surface. Et les mouettes ne tardent pas à en profiter.

En effet, semblant surgir de nulle part, une nuée d'oiseaux de mer – mouettes, albatros ou goélands : difficile de les distinguer pour Torak – apparurent, miaulant à qui mieux mieux. Cependant, d'après Detlan, le véritable massacre se préparait sous la surface. Les Chasseurs s'apprêtaient à frapper.

Torak imagina la terreur des poissons serrés les uns contre les autres, à la recherche d'une position protégée... alors qu'ils n'avaient pas la moindre chance face aux Chasseurs venus les chercher dans l'obscurité.

— Qui sont ces « chasseurs » ? s'enquit-il.

— Regarde la surface, murmura Detlan.

Torak mit sa main en visière.

Et la Mer se mit à palpiter. Des bulles perlèrent sur la surface. L'eau devint vert pâle.

— Les capelans remontent, signala Detlan. Les Chasseurs sont sous eux. Au-dessous et autour. Ils n'ont aucune échappatoire. Ils sont obligés de remonter.

166

Les mouettes continuaient d'accourir. Le ciel était couvert d'oiseaux ; le vacarme de leurs piaillements stridents assourdissait les garçons.

Soudain, une masse poissonneuse remonta à la surface. C'était un paquet indistinct, agité, remuant. Les capelans étaient si serrés qu'ils coloraient la Mer d'une teinte argentée, et si agités qu'ils donnaient l'impression qu'elle bouillait. Dans leur panique, certains sautaient au-dessus des vagues, prêts à tout pour échapper à la menace qui venait du fond.

Mais, à l'air libre, les mouettes les attendaient.

Un poisson élégant fendit la surface juste à côté de Torak. Cette flèche d'argent n'était pas plus grande que la main.

Brusquement, un énorme oiseau, dont l'envergure dépassait celle d'un canoë, fondit sur les capelans. Il en saisit un au vol, dans ses serres, et remonta d'un puissant coup d'ailes.

« Un aigle ! » s'extasia Torak, fasciné par l'animal au plumage couleur de cendre qui s'éloignait.

Les mouettes attaquèrent à leur tour. La bataille pour la nourriture était sauvage. Torak aperçut une mouette qui tentait de s'échapper avec un capelan à moitié dévoré dans son bec, tandis que deux autres de ses semblables tiraient sur la queue pour récupérer ce qui pouvait encore l'être.

Puis il vit quelque chose qui occulta complètement les oiseaux.

Un aileron noir venait d'apparaître.

Le garçon retint son souffle.

L'aileron faisait la taille d'un homme et progressait infiniment plus vite qu'un canoë propulsé par une pagaie et le vent réunis.

— Ah, voilà les Chasseurs ! commenta Detlan.

Torak jeta un œil aux trois garçons. Leurs regards étaient aimantés par la bête. Et Bale était béat d'admiration.

Un deuxième aileron apparut. Et un troisième. Et un quatrième – légèrement déchiqueté au sommet, celui-ci. Ils progressaient avec célérité. Leur objectif était clair : entourer le banc de capelans.

Torak comprit pourquoi on parlait de « chasseur » et non de « pêcheur » : les hommes pêchaient le poisson ; ces monstres les traquaient avant de lancer l'assaut. Comme à la chasse.

P'pa avait dessiné à son fils des requins, sur des sentiers poussiéreux. Mais, jusqu'à présent, Torak n'avait pas imaginé à quel point ces animaux étaient spectaculaires. Ils étaient gigantesques. À leur côté, les garçons étaient si vulnérables, séparés de ces tueurs redoutables par la seule paroi du canoë, aussi solide qu'une coquille d'œuf !

Un claquement retentit. Un geyser monta dans le ciel. Une queue noire formidable apparut et heurta la surface derechef, soulevant une nouvelle tonne d'eau. L'eau ne fut plus qu'un chaos tonitruant d'écume tourbillonnante et de rayons de lumière brisés. Cette fois, quand le Chasseur à l'aileron déchiqueté fila, Torak s'aperçut qu'il avait un petit requin avec lui : son aileron, de taille plus réduite, restait dans le sillage de l'adulte.

Et les Chasseurs continuèrent leur ronde. Plongèrent. Refirent surface. Harcelèrent leurs proies. Puis, d'un coup, disparurent.

Le souffle court, Torak regarda autour de lui. Les monstres pouvaient être partout. Sous les canoës. Juste à côté. Mais ils étaient invisibles.

Jusqu'à ce qu'un grognement guttural éclatât. Une énorme vague doucha le canoë de la poupe à la proue. Et le monstre à l'aileron déchiqueté apparut.

Il était si proche que Torak aurait pu toucher l'énorme gueule du colosse, qui écarta les mâchoires, révélant des dents blanches et acérées, aussi longues qu'un majeur. En un éclair, l'œil noir et brillant de la bête fixa le garçon. Puis le Chasseur cabra son corps luisant et plongea. Le garçon s'attendait à ce qu'il revînt. Non. La chasse était finie. Mouettes, albatros et goélands se disputaient les restes. Des écailles argentées flottaient, éparpillées sur l'eau verte.

Bale s'inclina sur la Mer, à l'endroit où les Chasseurs avaient disparu. Puis il reprit sa pagaie, et le cortège repartit en silence.

Après – bien après –, Detlan se tourna vers Torak et lui dit :

— Voilà, tu les as vus...

Torak ne répondit pas tout de suite.

— Ils chassent en meute, finit-il par lâcher. Comme les loups.

— Les Chasseurs n'ont rien en commun avec aucune créature de la Forêt ! rétorqua son interlocuteur. Ce sont les animaux les plus rapides de la Mer. Et les plus intelligents. Et les plus dangereux.

Il hocha la tête :

— Un seul d'entre eux peut provoquer une vague suffisante pour engloutir le plus grand des canoës. Un claquement de queue peut briser un homme en deux ! Dans ses mâchoires, nous ne durerions pas davantage qu'un capelan. Tu connais beaucoup de créatures de la Forêt aussi puissantes ?

— Ils s'attaquent aux humains ? préféra s'enquérir Torak.

— Non, tant qu'on ne les chasse pas, expliqua Detlan.

— Et personne ne les chasse ?

— Ça va pas la tête ? Les Chasseurs sont des créatures sacrées de notre Mère la Mer. En plus, si l'un d'entre eux est attaqué ou tué, ils finissent toujours par le venger.

Une moue pensive passa sur le visage de Detlan.

— On raconte que, avant la Grande Vague, un garçon du clan du Cormoran a entraîné la mort d'un jeune Chasseur. Il ne l'avait pas fait exprès. C'était un accident. Le Chasseur s'était pris dans le filet à phoques que le garçon avait lancé ; et le pêcheur l'avait harponné avant d'avoir vu son erreur. Après, quand il s'est aperçu de ce qu'il avait fait, il a eu si peur qu'il n'est jamais remonté sur un canoë. Toute sa vie – toute sa vie entière, sans exception –, il est resté à terre avec les femmes. Mais bien des hivers plus tard, alors qu'il était devenu un très, très vieil homme, il fut pris d'une telle envie d'aller sur la Mer, il eut si peur de mourir sans avoir senti à nouveau l'eau sous son canoë, qu'il ordonna à son fils de sortir son embarcation. Ensemble, ils prirent la Mer. Les Chasseurs les attendaient. On ne les a plus jamais revus.

— Alors que le pêcheur n'avait pas voulu tuer le petit requin ! Il devait y avoir un moyen de le faire comprendre aux Chasseurs et de les apaiser pour que...

— Non, l'interrompit Detlan. Aucun.

Et le silence revint s'installer un long moment entre les garçons.

Le vent tomba. Ils entrèrent dans un banc de brouillard. Bale et Asrif disparurent à leur vue. Detlan pagayait sans un bruit.

Un rocher escarpé se découpa à la droite de Torak. Une mouette était perchée dessus.

— Ça, c'est le Rocher dont on t'a parlé, déclara Detlan en le désignant de la tête.

— Ta prochaine et dernière demeure, étranger, commenta Asrif, masqué par le brouillard.

Torak serra les dents. Il ne leur montrerait pas sa peur. Il ne leur offrirait pas cette satisfaction. Il ne flancherait pas. Il devait tenir bon. Il le fallait. Ainsi, la victoire de ses ennemis ne serait pas complète.

Même si, au fond de lui, il avait juste envie de pleurer.

Car le Rocher semblait à peine plus grand qu'un canoë. Sa partie émergée était à peine aussi haute que Torak. Une bonne vague, et il serait à la Mer. Impossible d'y survivre une journée complète. Alors, une lune, n'en parlons pas !

Ils continuèrent d'avancer dans le brouillard. Torak sentait l'humidité se déposer sur sa peau et imbiber ses étranges vêtements jusqu'à les rendre humides.

Devant le canoë, quelque chose flottait à la surface de l'eau.

Torak observa mieux.

Non, il n'y avait rien.

Puis, de nouveau, quelque chose. Une tête de chien gris avec un drôle de museau à moustaches et de grands yeux noirs curieux.

Detlan le vit et sourit.

— Bale, Asrif ! cria-t-il. Le gardien vient nous guider jusqu'à chez nous !

L'animal roula sur le dos, découvrant un petit bedon pâle et constellé de taches. Puis il se roula en boule, se gratta le museau avec sa patte qui ressemblait à une main, agita la tête, serra les narines et se mit à nager entre les canoës.

« C'est donc ça, un phoque ! » conclut Torak, amusé par ce mélange de grâce et de bonhomie.

Le gardien les guida fort bien, en effet ; et le brouillard se dissipa d'un coup, comme aspiré par la Mer ; et les voyageurs se retrouvèrent dans la lumière tombante du jour finissant.

— On arriiiiiive ! cria Detlan en riant.

Il plongea sa pagaie et lança dans le ciel crépusculaire une pluie de gouttelettes écarlates.

Torak n'en revenait pas. Devant lui se dressait une île à nulle autre pareille.

Trois monts jaillissaient de la Mer. Pas de Forêt. Juste ces montagnes et la Mer.

Les roches tombaient presque à-pic dans l'eau. Leurs flancs nus étaient constellés d'oiseaux de mer et de torrents qui tombaient en cascade depuis des lambeaux de manteau glaciaire situés dans les hauteurs. À leur pied, toutefois, Torak aperçut une bande verte ; et, autour, une grande baie incurvée avec une langue de sable que le soleil teintait de rose avant de disparaître.

De la fumée s'élevait de huttes grises bâties à même la plage. À côté de chaque cabane, plusieurs canoës en peau. Sur le sable, deux arbustes écarlates avaient été plantés et liés l'un à l'autre pour former une arche. À quoi pouvaient-ils bien servir ?

De l'autre côté de l'eau s'élevaient le murmure de voix humaines et les cris d'oiseaux. Les parois en étaient pleines. Elles grouillaient de milliers d'oiseaux qui donnaient un aspect vivant au roc. Mouettes et goélands paraissaient se cramponner à la montagne pour ne pas

172

en tomber. Les abris des membres du clan du Phoque aussi ne semblaient pas plus solidement installés. Torak avait du mal à comprendre comment des gens pouvaient vivre ainsi : coincés sur une minuscule bande de sable, entre la montagne et la Mer.

— Les Îles du Phoque, commenta Bale en approchant son canoë de celui de Detlan.

Pas de doute : il était fier !

— Il y a beaucoup d'îles ?

— Trois. Celle-ci, et deux plus petites au nord, où résident les membres des clans du Cormoran et du Varech. Mais celle-ci, c'est celle des Phoques. C'est la plus grande. Voilà pourquoi elle donne son nom à l'ensemble. C'est la plus grande, la plus belle, la meilleure.

« Bien sûr ! » pensa Torak. Quel clan ne s'imaginait pas être le plus grand, le plus beau, le meilleur ? Les Phoques ne faisaient pas exception à la règle. Rien de plus normal.

Cependant, tandis qu'ils approchaient, il constata que quelque chose ne tournait pas rond, dans cette baie. L'eau était cramoisie. Et pas seulement rosée par le soleil couchant.

C'est alors qu'il perçut une odeur écœurante. Douce. Salée. Très forte dans l'air où pas une brise ne soufflait. Ce n'était quand même pas...

Si.

La baie des Phoques était pleine de sang.

DIX-HUIT

Les cris des mouettes déchiraient l'air, vrillant les oreilles de Torak. L'odeur de sang avait saisi le garçon à la gorge.

Il vit des enfants pagayer dans des flaques rouges fumantes, tandis que des femmes nettoyaient des peaux dans une eau cramoisie. Des hommes s'agitaient, prestes comme des ombres, devant un grand feu. Ils empilaient d'énormes morceaux de viande sous les arbres qui formaient une arche.

Bras, jambes, mains, visages : tout était teint en écarlate, donnant à la scène un aspect onirique.

— Ils ont pris un gros poisson, devina Asrif.

— Le premier de l'été, commenta Bale, et on a raté ça à cause de...

Il ne termina pas sa phrase, mais Torak avait compris le message.

Toute la chair qui s'entassait provenait d'une seule bête ! Torak venait de repérer une queue plus longue qu'un canoë. Ce qu'il avait pris pour des arbustes, c'était en réalité la gueule d'un requin aux énormes mâchoires. Du moins le pensait-il.

Pourtant, la bête ne ressemblait pas à un Chasseur. Elle n'avait pas de dents. Sa gueule était pourvue d'une sorte de grande frange noire, qu'un homme du clan du Phoque ôtait avec un couteau. Il avait coupé aussi ses cheveux, qui gisaient près de ceux de l'animal.

Torak avançait sur les galets rougis qui glissaient et constatait que tout le monde jubilait. C'était la fête ! Une prise de cette taille assurait la nourriture du clan pour plusieurs jours.

— Ne bouge plus ! ordonna Bale. Islinn décidera de ton sort après le festin.

Laissé seul sur la rive, Torak sentait les regards que les Phoques posaient sur lui. Étranger, il l'avait été chez les Corbeaux. Ici, c'était encore pire. Et pourtant, il avait un lien de sang avec ces gens !

Il regarda Bale prendre ses affaires et les jeter à un homme au visage buriné venu à sa rencontre. En constatant leur ressemblance physique, Torak devina que le nouveau venu était le père du grand garçon.

Il vit Detlan flanqué d'une femme rayonnante et d'une petite fille – sa sœur, à l'évidence – qui sautait partout, réclamant son attention. Detlan semblait à la fois gêné et ravi.

Asrif, encore au bord de l'eau, se faisait sermonner par une femme encore plus petite que lui.

— On avait dit que tu ramènerais deux ballots de peau de saumon ! glapissait-elle en martelant la poitrine d'Asrif avec son index. Et il n'y en a qu'un ! Comment as-tu pu en laisser un là-bas ?

— Je sais pas, murmurait Asrif. J'en ai empaqueté deux – ça, j'en suis sûr. Mais après...

Bale parlait à son père en désignant Torak. Puis il courut sur la plage parler avec un homme assis près du feu.

Le crépuscule s'assombrit. Les membres du clan du Phoque se préparèrent au festin. Torak attendit. Il avait mal à la joue. Et il mourait de faim.

On n'avait pas pris la peine de l'attacher. Il était prisonnier de l'île autant que des membres du clan. Il n'avait nulle part où aller. Les montagnes cernaient la baie.

Sur la pointe orientale, un torrent dévalait une falaise escarpée. Au nord, un sentier grimpait vers un promontoire qui surplombait la Mer à la manière d'un énorme canoë immobile. Torak ne s'échapperait pas d'ici. Sauf si les Phoques le relâchaient. Il allait rester coincé sur ce bout de terre, pendant que, dans la Forêt, la maladie s'étendait peu à peu à tous les clans, et à tous les membres de tous les clans, avant de laisser place à la mort...

Cette pensée était insupportable.

Le ciel vira au bleu foncé. Des odeurs de nourriture s'élevaient et venaient chatouiller les narines de Torak. On avait suspendu des marmites en cuir à des trépieds en os de requin – ou à ce qui ressemblait à des os de requin. Des femmes bien coiffées discutaient en touillant leur contenu. Elles étaient tatouées au mollet, à la différence des hommes qui portaient les lignes bleues de leur tatouage de clan au bras.

Près d'elles, un groupe de filles gloussait en s'affairant autour des tas de viande fumante d'où provenait l'odeur puissante qui faisait saliver Torak. Le garçon connaissait la cuisine des Corbeaux ; mais il n'avait jamais rien vu de pareil à celle-ci. Un quartier de viande massif – il devait avoir la taille de Torak ! – avait été enveloppé dans des algues et enfoui dans un puits constitué de pierres brûlantes, et ensuite recouvert d'autres algues et de sable.

Les femmes entreprirent bientôt de partager la nourriture dans des bols. Torak nota la répartition des tâches : aux femmes la cuisine ; aux hommes le découpage de la carcasse.

Cela l'intriguait. Les filles du clan ne chassaient ni ne pêchaient, peut-être ? Il imagina avec amusement la réaction qu'aurait eue Renn devant cette bizarrerie...

Il regarda le clan rassemblé en cercle autour du feu. Il les enviait. Il avait si faim ! Mais personne ne se souciait de le nourrir.

Un murmure monta de l'assemblée. Il s'apparentait au ronronnement perpétuel de la Mer. Tous les participants levèrent les bras. Une silhouette sortit du cercle. C'était l'homme qui s'était coupé les cheveux.

Il portait un panier de capelans. Il s'approcha de l'arche en mâchoire et déposa l'offrande devant la gueule du monstre. Torak crut qu'il remerciait l'animal d'avoir donné sa vie pour le clan. Mais, au lieu de retourner au cœur du festin, l'homme s'enfonça dans l'obscurité du soir, et se rendit dans une grotte, au pied du promontoire.

Torak essayait de s'habituer à l'idée qu'il n'aurait pas à manger. Sans y parvenir. Heureusement, Detlan vint le chercher. Ils allèrent s'asseoir à l'écart du feu, avec Asrif et Bale.

Une fille tendit un grand bol, presque un saladier à Torak. Le récipient était si lourd que le garçon faillit le laisser tomber. Il s'aperçut avec étonnement que l'objet était en pierre. Pourquoi, au nom de la Forêt, fabriquer des bols en pierre ? Comment les transporter d'un campement à l'autre ?

Il n'y avait qu'une explication. Dérangeante. Peut-être le clan du Phoque ne changeait-il jamais de campement.

— Mange, lui ordonna Detlan en lui tendant une cuillère.

Torak jeta un œil à sa ration : de la chair noire et rose enveloppée de graisse grise et d'un petit morceau de viande pourpre. Le tout clapotait dans un bouillon qui puait la Mer, où flottaient un demi-capelan et deux espèces de choses allongées et pâles qui ressemblaient beaucoup à... des doigts humains.

— Ça ne plaît pas à monsieur ? lâcha Bale. Pourtant, on aurait pu ne rien te donner !

— T'as jamais mangé des couteaux ? lança Asrif.

Donc les doigts étaient en fait des coquillages, qu'on appelait « couteaux », conclut Torak.

— Qu'est-ce que c'est que ça ? s'enquit-il en désignant le morceau rouge.

— De la chair de requin, expliqua Detlan. Au-dessus, t'as de la graisse de baleine. Et ça...

Dégainant sa lame, il attrapa la viande pourpre dans son bol et poursuivit :

— ... c'est du cœur de requin. Très spécial. On a tous droit à un morceau. Ça donne force et courage.

— Tu vas en avoir besoin, ironisa Asrif. Et puis, profite : pour une fois que tu ne dois pas manger les cochonneries que vous mangez dans la Forêt...

Torak l'ignora et attaqua sa part.

La viande de requin était filandreuse.

La graisse huileuse et fade.

Quant aux couteaux, ils n'avaient aucun goût.

Par contre, les capelans étaient savoureux.

— Alors, comme ça, t'avais jamais vu de phoque, avant ? demanda Detlan. C'est vrai ?

— Perds pas ta salive avec lui, Detlan, conseilla Bale.

Mais Detlan paraissait fasciné par l'ignorance de Torak... qu'il prenait pour un affront personnel.

— Les phoques nous donnent tout, s'écria-t-il avec fougue. Nos vêtements, nos abris, nos canoës, notre nourriture, nos harpons, l'huile de nos lampes...

Il se tut pour réfléchir à ce qu'il avait oublié.

— Et vos manteaux ? voulut savoir Torak. Les trucs que vous mettez par-dessus vos gilets, là... C'est quand même pas du phoque !

— Eh si, rétorqua Asrif. Ce sont des boyaux de phoque.

— J't'ai dit, s'emporta Detlan, les phoques nous donnent tout, tout, tout ! Nous sommes plus que le clan : le peuple du Phoque.

— Mais il y a un détail que je ne comprends pas, intervint Torak en fronçant les sourcils. Personne n'a le droit de chasser sa créature de clan. Alors, pourquoi vous...

Il s'arrêta en pleine phrase, devant les mines horrifiées de ses trois interlocuteurs.

— Évidemment qu'on ne chasse pas *notre* phoque ! se récria Detlan.

Il frappa avec rage la fourrure à motifs qui ornait son gilet.

— Voici notre phoque : le phoque à capuchon ! Celui que nous chassons et que nous mangeons, c'est le phoque gris !

Torak n'avait jamais entendu invoquer une telle distinction, qui lui parut un peu facile. Son doute dut paraître trop évident, car Bale se leva, dégoûté :

— Je t'avais prévenu, Detlan : inutile de gaspiller sa salive avec un étranger pareil.

Il se tourna vers Torak et lança :

— Viens, toi ! C'est l'heure d'affronter notre chef.

Islinn, le chef du clan du Phoque, était un vieil homme voûté. On aurait dit que la vie avait presque entièrement abandonné son corps.

Ses rares cheveux blancs et sa barbe en bataille étaient mêlés d'éclats de silex bleu. Ses oreilles étaient percées : des coquillages en forme de lances y pendaient – si lourds qu'ils avaient étiré les lobes des oreilles jusqu'aux épaules du vieillard.

À cet instant, de nombreux membres du clan se levèrent et allèrent frapper la mâchoire du requin avec leurs mains. Le vieillard caressa sa barbe d'une main tremblante. Il n'avait toujours pas prononcé un mot.

Ses yeux chassieux bougeaient constamment. Torak se demanda si ce mouvement perpétuel tâchait de masquer un excès ou un manque d'intelligence.

Enfin, le vieillard prit la parole.

— Tu prétends être des nôtres, n'est-ce pas ? lâcha-t-il dans un souffle qui parut l'exténuer.

— La mère de mon père appartenait à votre clan.

— Comment s'appelait-il ?

— Je ne peux le nommer. Il est mort cet automne.

Le chef parut réfléchir un moment puis s'adressa à celui qui se tenait derrière lui.

Le visage de l'homme était masqué par la fumée. Cependant, Torak devinait à son épaisse chevelure couleur sable et à ses membres musculeux qu'il était beaucoup plus jeune qu'Islinn. Son gilet et ses pantalons étaient banals, mais sa ceinture était magnifique. Tressée en cuir et bordée par les becs rouge et jaune de macareux, elle mesurait deux mains de large.

« Ce doit être le Mage », devina Torak.

— Nomme la mère de ton père, exigea le chef.

Le garçon s'exécuta.

Le chef se mordit les lèvres. Dans l'assistance, quelqu'un poussa un cri étouffé.

— J'ai connu cette femme, râla le chef. Elle s'est unie à un homme de la Forêt. J'ignorais qu'elle avait eu un fils.

— Et qui nous dit qu'elle en a eu un ? gronda le Mage sans bouger la tête. Qui nous dit que ce garçon est vraiment celui qu'il prétend être ?

Il parlait doucement. Tous les membres du clan se penchèrent en avant pour ne pas perdre un mot.

La voix du Mage était remarquable : fluide et grave, avec une pointe d'autorité qui laissait entrevoir un grand pouvoir, comme celle de la Mer. C'était une voix qu'on avait envie d'entendre. Au point que Torak en oublia un bref instant qu'elle venait de le traiter de menteur.

— Je suis d'accord avec toi, Tenris, murmura le chef.

La fumée se dissipa un peu ; et Torak vit le Mage pour la première fois.

Ou plutôt, il vit une partie de son visage. Car Tenris était toujours de biais.

C'était un bel homme, quoique sa silhouette fût osseuse. Il avait le nez droit, la bouche large, entourée de rides (celles qu'on appelait parfois « lignes de rire ») prononcées, ainsi qu'une barbichette noir et or, qui laissait presque à nu l'os proéminent de sa mâchoire.

Torak comprit qu'il s'agissait du véritable chef du clan. Nul autre déciderait de son sort. Il pensa à Fin-Kedinn. Puis il insista :

— Je n'ai pas menti. Je suis des vôtres.

— Ta parole ne suffit pas, rétorqua le Mage.

Il se tourna vers la lumière. Et Torak vit le côté gauche de son visage.

Il était complètement brûlé.

Un œil gris luisait au fond d'une orbite vide. Son crâne était parsemé de plaques rose vif. Seule sa bouche était intacte. Il sourit à Torak, d'un sourire menaçant qui disait clairement : « Une question, peut-être ? »

Torak posa ses poings sur sa poitrine et s'inclina.

— Je reconnais que j'ai enfreint votre loi, dit-il. Mais c'était par ignorance. Mon père ne m'a jamais enseigné les us et coutumes du peuple du Phoque.

— Alors, explique-nous pourquoi tu traînais sur la plage, ordonna Tenris.

— Celle qui commande le clan du Cheval Sauvage m'a affirmé que je trouverais l'objet de ma quête près de la Mer.

— Et quel est l'objet de ta quête ?

— Un antidote.

— Pourquoi ? Es-tu empoisonné ?

— Non.

— Malade, peut-être ?

— Non plus.

Et le garçon raconta les derniers événements de la Forêt.

Dès qu'il parla de la maladie, l'effet fut spectaculaire.

Le chef étendit ses mains fripées.

Des cris éclatèrent.

— Pourquoi ne pas nous avoir prévenus ? tonna Bale. Et si tu avais apporté la maladie avec toi ?

— Vous connaissez cette maladie, n'est-ce pas ? supputa Torak. Vous l'avez déjà affrontée...

Bale lui tourna le dos, le visage bouleversé.

— Oui, nous l'avons affrontée, il y a trois étés, expliqua le chef. Le frère cadet de Bale est mort le premier. Trois autres membres du clan ont péri. Dont mon fils.

— Mais maintenant, vous êtes guéris ! s'exclama Torak. Vous vous en êtes débarrassés ! Vous avez trouvé un remède !

— Pour les membres du clan du Phoque ! cracha Bale. Pas pour toi !

— Vous ne pouvez pas faire ça ! protesta son prisonnier. Vous devez nous aider !

Le grand gaillard éclata d'un rire mauvais :

— Nous *devons* vous aider ? Celle-là, elle est bien bonne ! Tu enfreins notre loi, tu provoques la colère de notre Mère la Mer, et tu crois que nous *devons* te donner notre remède ?

— Tu ne sais pas ce qui se passe là-bas, dans la Forêt ! objecta Torak. Les membres du clan du Corbeau sont malades. Les clans du Sanglier, de la Loutre et du Saule sont touchés, eux aussi. Bientôt, il n'y aura plus assez de chasseurs, parmi eux, et...

— En quoi cela nous concerne-t-il ? l'interrompit Islinn. Pourquoi *devrions*-nous t'aider ?

La foule gronda avec force.

184

— Parce que votre sang coule dans mes veines ! s'emporta Torak.

— Parce que *tu dis* que notre sang coule dans tes veines, corrigea Tenris.

— C'est la vérité ! affirma le garçon. Et je peux prouver mes dires ! Où est mon sac ?

Le Mage jeta un coup d'œil à Asrif, qui courut à sa cabane et revint peu après avec les affaires du prisonnier. Vite, Torak défit la protection qui entourait le couteau que lui avait légué son père. Fin-Kedinn lui avait conseillé de ne jamais le montrer. Mais nécessité faisait loi.

— Cette lame a été taillée par des membres de votre clan. La mère de mon père la lui a donnée, et il a sculpté le manche lui-même.

Tenris examina le couteau avec une attention extrême. Sa main gauche était brûlée. Elle ne ressemblait plus qu'à une serre tordue. En revanche, sa main droite était indemne. Ses longs doigts bruns tremblèrent lorsqu'il toucha l'acier.

Torak attendait son verdict le cœur battant. Il avait abattu son arme maîtresse. Son dernier atout. Si le Mage n'était pas convaincu, il n'avait plus rien à proposer.

Le chef aussi observait le couteau. Et, apparemment, il n'aimait pas ce qu'il voyait.

— C'est impossible... Tenris, qu'en dis-tu ?

— Le manche est en ramure de grand cerf, et l'acier est une ardoise bleue de la Mer...

Le Mage darda un regard glacial sur Torak.

— Ainsi, tu prétends que ce couteau appartenait à ton père. Qui était-il pour oser mêler la Forêt et la Mer ?

Le garçon se tint coi.

— Je parie qu'il était une sorte de Mage...

Torak secoua la tête.

— Tu ne mens pas bien, décidément !

— Fin-Kedinn m'a conseillé de ne pas parler de lui.

— Fin-Kedinn..., répéta Tenris. J'ai déjà entendu ce nom. C'est un Mage, lui aussi ?

— Non.

— Mais il y a des Mages parmi les Corbeaux...

— Oui. Une Mage. Elle s'appelle Saeunn.

— Elle t'a enseigné sa Magie.

— Non. Moi, je suis un chasseur. Comme mon père. Il m'a appris à chasser. À traquer des proies. Pas à être Mage.

Tenris plongea son regard dans celui de Torak. Et le garçon sentit la puissance de l'intelligence de l'homme, à la manière d'un soleil puissant qui réussirait à percer les nuages.

Soudain, le visage du Mage s'adoucit.

— Il ne ment pas, déclara-t-il au chef. Il est vraiment des nôtres.

Le chef regarda Torak en plissant les yeux.

Bale secoua la tête. Il restait plus que sceptique.

— Alors, vous allez m'aider ? demanda le garçon. Vous allez me montrer votre remède ?

— C'est à notre chef de décider, déclara Tenris.

Cependant, il se pencha en avant et chuchota quelques mots à l'oreille du vieil homme.

Aidé par Tenris et par Bale, le chef se mit debout.

— Puisque tu es des nôtres, tu seras traité comme tel, déclara-t-il.

Il reprit son souffle et ajouta :

— Si l'un de nous enfreint la loi, il doit apaiser lui-même notre Mère la Mer. Aussi devras-tu en faire autant. Demain, on t'emmènera au Rocher, et tu devras y rester une lune. J'ai parlé !

DIX-NEUF

Torak est de retour à l'orée de la Forêt. Le soleil brille. Éclate. La Mer est d'un bleu étincelant. Le garçon manque de s'étouffer à force de rire. Il roule sur Loup, qui lui roule dessus aussitôt après. Sous eux, le sable est doux et chaud.

Et c'est le bonheur, un bonheur fait d'un tourbillon de queue battant l'air, de pattes qui fusent, de corps qui bondissent... Et Loup atterrit juste sur la poitrine de Torak, et il le renverse, et il le plaque au sol, et il couvre son visage en frottant son museau contre le nez du garçon, et Torak lui attrape la gueule, il lui lèche le museau, et il lui explique avec de lents grognements-jappements combien Loup lui a manqué...

Loup grogne tant et plus ! Ses flancs et ses pattes sont solides : les muscles forment comme une deuxième carapace sous son épais manteau de poils. Quand il se dresse sur ses antérieurs et pose ses pattes avant sur les épaules de Torak, sa gueule fait face au visage du garçon. Pourtant, il n'a pas changé. Il a toujours ses yeux d'ambre clair et cette odeur que Torak aime tant, où l'herbe douce se fond dans les tanins chauds d'une fourrure propre. Son mélange d'esprit joueur et de sagesse mystérieuse ne l'a pas quitté non plus.

De sa langue râpeuse, Loup lèche la joue de Torak. Se met à courir sur la plage. Puis revient, un bouquet d'algues entre les dents, l'air de dire : « Viens le prendre, si tu oses... »

L'instant d'après, le bouquet d'algues flotte sur la Mer glaciale, et tous deux luttent pour rester en vie. Loup est terrifié par l'eau profonde. Trop de souvenirs douloureux lui remontent en mémoire. Il agite son museau au-dessus des vagues. Ses oreilles sont plaquées contre son front. La terreur dessille ses yeux. Torak s'efforce de nager près de lui pour le rassurer ; mais ses membres sont cotonneux. Ses mouvements deviennent gourds. Et il s'éloigne de plus en plus de l'animal.

C'est alors qu'il voit, juste derrière Loup... l'aileron d'un Chasseur.

Torak crie pour l'avertir du danger. Aucun son ne sort de sa bouche. Loup est pris au piège. Nulle terre où se hisser. Impossible d'échapper au monstre. La Mer sans pitié est partout. Et le Chasseur fond sur sa proie.

Mais Torak ne le laissera pas se jeter sur Loup. Aussi sûr que les vagues lui giflent le visage. Aussi sûr qu'il s'appelle Torak. Pas d'hésitation. Il sait ce qu'il lui reste à faire.

Il inspire à fond. Plonge. Progresse avec une lenteur exaspérante. Réussit toutefois à nager en direction de Loup. Sous l'animal. Puis au-dessus. Désormais, il est entre le Chasseur et Loup. Son frère de meute a une chance de s'en sortir.

Pas Torak. Car rien ne le sépare du grand aileron noir. Il ne peut que voir la vague argentée foncer vers lui. Il distingue la grosse gueule de la bête sous la surface de l'eau verte. Son cœur hurle de terreur.

Le Chasseur ouvre ses mâchoires en grand. Ses immenses dents étincellent. Il s'apprête à avaler Torak vivant...

... quand le garçon se réveilla en sursaut.

Il était étendu dans un abri du clan du Phoque, entouré de gens qui dormaient. Des larmes mouillaient ses joues. Il les essuya. Il avait hâte de revoir Loup. Même en rêve.

Hélas, Loup était loin. Très loin. Et lui, Torak, était voué à périr sur le Rocher.

Un instant, il resta éveillé, les yeux perdus dans l'obscurité. Au-dessus de lui, il apercevait l'arche formée par les mâchoires non d'un requin mais, comme on le lui avait expliqué, d'une baleine. Les côtes du mammifère formaient le squelette de son abri. Des peaux de phoque couvraient le tout. Le requin ne l'avait pas touché ; par contre, la baleine l'avait bel et bien avalé.

Il se leva en silence et se faufila entre les dormeurs. Bale se retourna. Lui jeta un coup d'œil suspicieux. Le laissa passer. Il n'avait rien à craindre : où donc son prisonnier aurait-il pu fuir ?

Torak sortit d'une démarche mal assurée dans la lueur grise qui baignait la plage. Très haut au-dessus de lui, les nuages venaient crever sur les sommets des monts et s'écoulaient lentement le long des falaises escarpées. Dans le campement, pas un mouvement. Pas même un chien.

Torak avait soif. Il se dirigea vers la baie où un torrent dévalait une paroi avant de se jeter, lentement, dans la Mer. Ici, la baie des Phoques était plus luxuriante qu'elle ne l'avait paru la nuit dernière. L'herbe était ornée de pissenlits jaune vif et de géraniums violets. Sur les premières pentes des monts poussaient sorbiers et bouleaux aux couleurs brillantes.

Le garçon pensa que les Phoques étaient cruels de le laisser jouir d'une telle liberté. Il avait l'impression d'être pareil à un poisson pris dans une nasse : il continuait à nager, à respirer, mais il savait qu'il était piégé et qu'il n'en avait plus longtemps.

Il s'agenouilla près du ruisseau et prit de l'eau glacée dans ses mains en coupe.

Et il le vit.

Le Suiveur.

Il était là. Accroupi sur un rocher. De l'autre côté du ruisseau. En train de l'observer.

— Que veux-tu ? gronda Torak d'une voix rauque. Que me veux-tu ?

La créature resta immobile. Silencieuse. Sa très longue crinière en bataille cachait tout d'elle. Sauf ses serres et l'éclat inquiétant de ses yeux.

— Pourquoi me suis-tu ? s'écria Torak. Que me veux-tu ?

Une ombre passa sur les rochers et se dirigea vers lui. Torak leva les yeux. Une mouette. Lorsqu'il regarda de nouveau de l'autre côté, le Suiveur avait disparu.

Le garçon sauta en criant dans le ruisseau pour passer sur l'autre rive. Mais la créature avait bel et bien disparu parmi les buissons et les genévriers.

Torak constata qu'il n'avait pas rêvé. En se penchant pour examiner le rocher où il avait aperçu le Suiveur, il remarqua les traces qu'il avait laissées sur le lichen.

Son esprit fonctionnait à toute vitesse. La créature l'avait suivi à travers la Mer.

— À qui parlais-tu ? grogna une voix derrière lui. C'était Bale.

— Tu parlais à quelqu'un, insista-t-il. À qui ?

— À personne. Juste... à moi.

« Pourquoi le Suiveur m'a-t-il traqué jusqu'ici ? se demandait Torak. Comment avait-il réussi à passer la Mer ? »

Soudain, le garçon se rappela un détail troublant. Un ballot de peaux de saumon avait disparu. Voilà l'explication ! Pendant qu'Asrif, Detlan et Bale s'occupaient de leur prisonnier, le Suiveur avait vidé l'un des ballots et s'était caché à l'intérieur. Torak détestait cette idée. Savoir que la créature s'était trouvée si proche de lui, roulée en boule dans un canoë...

— Je ne te crois pas, déclara Bale. Si tu n'avais parlé qu'à toi, pourquoi aurais-tu l'air aussi gêné ?

Le garçon ne lui répondit pas. Il avait l'air gêné parce qu'il était gêné. « Et si tu avais apporté la maladie avec toi ? » avait lancé Bale, la nuit dernière.

Il avait parlé de la maladie. Pas du Suiveur.

Qu'importe : cela ne ferait pas une grande différence, à l'arrivée. Le résultat risquait même d'être strictement identique. Le Suiveur répandait la maladie.

Bien sûr, le clan du Phoque avait la chance de connaître un remède. Mais serait-il encore efficace ? Dans tous les cas, Torak devait les avertir.

Il se redressa et franchit le courant dans l'autre sens.

— Où est Tenris ? demanda-t-il.

— Pourquoi ? s'étonna Bale.

— Je dois lui parler.

— Il ne t'aidera pas, tu sais.

Torak haussa les épaules. Il venait d'avoir une idée. Dangereuse. Évidemment. Passer un marché avec un Mage était toujours dangereux.

Pas beaucoup plus, cependant, que d'être abandonné sur le Rocher pendant une lune.

— Où est-il ? insista-t-il.

— Sur l'À-pic. Mais il refusera de te parler.

— On parie ? proposa Torak.

Puis il s'élança vers l'endroit que Bale lui avait indiqué.

Le sentier montait sèchement à flanc de montagne. Par endroits, Torak dut se mettre à quatre pattes pour continuer à progresser.

Il atteignit le sommet en ahanant. Il se retrouva sur un étroit goulet rocheux qui s'élargissait jusqu'à un promontoire en forme de bateau, suspendu au-dessus de la Mer. Au milieu, un bloc de granit, vaguement sculpté pour ressembler à un poisson. Au-dessus, des pierres : les œufs de Mer. À côté, le Mage, qui murmurait dans sa barbe.

— Il faut que je vous parle ! souffla Torak.

— Pas si fort ! ronchonna Tenris sans lever les yeux. Et prends garde à ne pas abîmer les lignes.

Le garçon baissa les yeux.

Sur toute la surface de l'À-pic, des lignes argentées tissaient leur toile. Elles formaient des silhouettes de Chasseurs et de poissons, d'aigles et de phoques, certains chassant, d'autres fuyant, d'autres encore mêlés l'un dans l'autre comme s'ils avaient été surpris en train de se dévorer – chacun dansant l'éternel ballet de la vie, c'est-à-dire de la proie et du prédateur. Ces figures n'étaient pas sculptées avec un marteau, mais polies dans la roche, et si légères, si fines, que ni le lichen ni l'érosion n'avaient de prise sur elles.

Le Mage des Phoques se leva. Dans sa main brûlée, il prit trois œufs qu'il lança sur l'À-pic.

— Tu es venu passer un marché avec moi, dit Tenris.

— Oui, avoua Torak.

— Tu espères encore sauver ta vie...

— Oui.

— ... alors que tu as offensé notre Mère la Mer.

— C'était malgré moi !

— Elle s'en moque bien ! Tiens, donne-moi un coup de main. Passe-moi les œufs de Mer lentement, l'un après l'autre.

Torak ouvrit la bouche pour protester. Puis la referma.

Il suivit le Mage à travers le promontoire, et lui tendit les pierres quand Tenris lui faisait signe. Quand ils approchèrent du bord, Torak glissa un œil sur la Mer. La vue était magnifique. Et vertigineuse.

— Elle paraît calme, aujourd'hui, n'est-ce pas ? commenta le Mage. Mais as-tu idée de sa redoutable puissance ?

Torak secoua la tête.

Tenris se pencha pour déposer une autre pierre avec grâce. À sa ceinture, les becs de macareux cliquetèrent doucement.

— Hier, l'un des nôtres a tué une baleine, et nous avons célébré sa prise, déclara l'homme. Mais il a aussi tué l'un de ses enfants. Pour sa peine, il doit faire pénitence. Pendant trois jours, il n'a le droit ni de manger ni de toucher sa compagne. Il ne pourra revenir parmi nous qu'au moment où les âmes de la baleine auront regagné notre Mère la Mer.

Du menton, il désigna les pierres qu'il avait disposées sur le promontoire.

— C'est à ça que je travaille, expliqua-t-il. Je dessine un chemin pour guider ces âmes.

Il se tut un instant. Puis reprit :

— Il faut que tu comprennes une chose, Torak : *notre* Mère la Mer a des manières plus âpres, moins prédictibles que celles de *ta* Forêt.

De la rive montaient des bruits de voix. Le campement du clan du Phoque se réveillait. Bale parlait avec deux hommes et désignait l'À-pic.

— Mage, dit Torak, je dois vous dire que j'ai...

— Elle vit au plus profond de la Mer, l'interrompit Tenris en levant la main. Et elle est plus puissante que le soleil. Et si elle est satisfaite, elle envoie les phoques et les poissons et les oiseaux pour que nous les chassions ; et si elle est en colère, elle garde ses animaux pour elle, et, avec sa queue, elle provoque les tempêtes. Quand elle inspire, elle se creuse et c'est marée basse. Quand elle expire, la marée monte.

Il s'arrêta de parler et observa les silhouettes qui s'agitaient sur la plage.

— Elle tue sans avertissement, sans malice, sans pitié, poursuivit-il. Il y a bien, bien des étés, la Grande Vague est venue de l'ouest. Seuls ceux qui sont grimpés sur l'À-pic ont survécu.

Il se tourna vers le garçon :

— Comprends ceci, Torak ! Le pouvoir du vent est immense ; mais celui de la Mer est inimaginable.

« Pourquoi me raconte-t-il tout ça ? » s'étonna le garçon.

— Parce que savoir, c'est pouvoir, répondit le Mage comme s'il avait lu dans ses pensées.

Torak le fixa et se risqua à poser la question qui le préoccupait :

— Est-ce ici que vous avez fabriqué le remède ?

Tenris sourit :

— Je me demandais comment tu allais amener le sujet...

Il revint à l'autel de pierre, prit une pipe en pince de crabe posée dessus, la porta à sa bouche et en tira une fine fumée bleue aromatique.

— Le problème, pour concocter le remède, ce n'est pas où, mais quand. On ne peut le préparer qu'une nuit par an. La nuit la plus puissante de toutes. Peux-tu deviner laquelle ?

— Celle du Solstice d'été ? suggéra Torak.

— Je croyais que tu ignorais tout de la Magie..., ironisa Tenris.

— À peu près tout, rectifia le garçon. Seulement, je suis né la nuit du Solstice d'hiver, et c'est resté gravé dans ma mémoire. Je sais que c'est la nuit où se produisent les plus grands changements ; et chacun sait que la Magie...

— ... c'est l'art du changement. De la métamorphose. Comme la vie. La voix devient feuille. La proie est chassée à son tour. Le garçon se transforme en homme. Tu as l'esprit vif, Torak. Mon enseignement aurait pu t'être profitable. Dommage que tu sois destiné au Rocher...

Le garçon saisit sa chance :

— Voilà ce que je suis venu vous dire. Je ne... Je n'irai pas au Rocher.

Tenris se raidit. Dans la lumière éclatante du matin, ses brûlures semblaient blêmes.

— Pardon ? grogna-t-il.

— Je n'irai pas au Rocher. Vous allez concocter le remède. Et je repartirai avec d'où...

— Je vais concocter le remède ? répéta Tenris d'une voix glaciale, sans attendre la fin de la phrase de son interlocuteur. Moi ? Et pourquoi je ferais ça ?

— Parce que, sinon, le clan du Phoque mourra.

Torak parla du Suiveur à Tenris. Il lui expliqua comment la créature avait atteint l'île. Il ajouta que, d'après lui, ce Suiveur était un espion des Mangeurs d'Âmes, envoyé pour causer la maladie.

Le Mage l'écouta sans l'interrompre. Il se contentait de fumer sa pipe en crabe. Impossible de déterminer ce qu'il éprouvait ; mais le garçon devinait qu'il réfléchissait à toute vitesse.

Il observa avec appréhension le Mage qui tournait autour de l'autel minéral. L'homme se saisit d'une pierre. S'avança vers le garçon. Grogna :

— Tu avais tout prévu ?

— B... bien sûr que non !

— Parce que je dois te prévenir, Torak : je déteste les attrapes.

— Je n'ai attrapé personne ! Je ne savais pas que le Suiveur avait traversé la Mer. Je vous demande juste de concocter le remède parce que...

— Tu me demandes « juste » de concocter le remède ? Tu te rends compte de ce que tu viens de dire ?

Tu crois que c'est une potion qui se concocte aussi facilement que ça ? J'ai mis trois lunes pour la peaufiner ! J'ai dû escalader les Hauteurs de l'Aigle pour trouver la racine nécessaire à son élaboration, car elle ne pousse nulle part ailleurs ! La nuit du Solstice d'été, j'ai lancé un sort que personne n'avait osé lancer depuis que la Grande Vague avait frappé le monde !

— Nous avons quatre jours pour nous préparer avant la nuit du Solstice, signala simplement Torak.

Tenris le fixa avec étonnement :

— Tu es du genre têtu, hein ?

— Je n'ai pas d'autre choix. Les clans de la Forêt sont malades.

Le Mage fit tourner l'œuf de Mer dans sa main. Un éclat inquiétant passa dans son regard :

— Qu'est-ce qui m'empêche de t'envoyer sur le Rocher malgré tout, et de garder le remède pour le clan du Phoque ?

— Je n'avais pas pensé à cela, admit le garçon.

— Tu vois ? On ne donne pas d'ordre à un Mage. Surtout quand il s'appelle Tenris.

— Je croyais qu'un Mage était censé aider les gens, objecta le garçon. Même s'ils n'étaient pas de son clan.

— N'oublie pas que tu ne connais rien aux Mages, gronda Tenris. Tu n'es qu'un chasseur, c'est toi qui l'as dit.

— Mais les Corbeaux ont besoin de vous ! Et le clan de la Loutre aussi, et le clan du Saule, et le clan du Sanglier ; et je suis sûr que les autre clans aussi ! Si vous me mettez sur le Rocher, qui rapportera le remède dans la Forêt ?

Le Mage plaça la dernière pierre à ses pieds avant de lâcher :

— Et si je concoctais le remède – j'ai dit : *si* je le concoctais, je n'ai pas dit que ce serait le cas –, serais-tu capable de m'aider ? Nous serons bientôt seuls. Tous les étés, les clans du Phoque fêtent le Solstice d'été sur une île différente. Cette année, ce sera sur l'île des Cormorans. Beaucoup d'entre nous partent aujourd'hui. Les autres suivront, et le campement sera vide.

— Je ferai ce que vous m'ordonnerez de faire, promit le garçon.

Tenris se redressa. Une grimace de pitié passa sur son visage.

— Pauvre petit Torak..., murmura-t-il. Tu ne sais pas ce qui t'attend. Tu ne sais même pas où tu es...

Le garçon regarda à ses pieds. Il vit le motif que Tenris avait dessiné avec les œufs de Mer.

C'était une énorme spirale. Au centre se tenaient les deux humains, pris dans la figure comme deux mouches dans une toile.

VINGT

Renn avait inspecté la rive de long en large. Et elle n'avait rien trouvé. Pas le moindre indice. Où avait bien pu passer Torak ? On ne disparaissait pourtant pas comme ça !

Nuit et jour, Loup avait suivi l'odeur. Jamais il n'avait écouté sa fatigue. Il n'avait pas cessé de fendre les arbres, d'inspecter les fourrés, de courir... puis de revenir vers la jeune fille pour qu'elle ne restât pas trop en arrière.

Lorsqu'il avait atteint l'embouchure des Grandes Eaux, son excitation avait laissé place à une agitation pure et simple. Il gémissait. Parcourait la plage à grandes foulées. Rejetait la tête en arrière. Poussait des hurlements. Terribles. Déchirants.

Renn avait repéré les reliefs de deux feux. Un grand brasier en bataille, sur les rochers, et un plus petit – celui de Torak, cela ne faisait aucun doute. Les lignes à double hameçon, aussi, c'était du Torak tout craché.

Mais de Torak lui-même, nulle trace. Comme si la Mer l'avait avalé.

La nuit venue, la jeune fille se lova dans ses affaires de couchage. Écouta le soupir lent et régulier des vagues. Essaya d'imaginer ce qui avait pu arriver au garçon.

La Mer avait-elle envoyé une tempête pour le noyer en un clin d'œil ? Le Peuple Caché l'avait-il attiré à lui, dans ses longues chevelures vertes prédatrices ?

Renn dormit d'un sommeil agité. Loup ne dormit pas. Toute la nuit, il arpenta la rive.

Au matin, il était toujours là. Il ne voulait pas manger. Ni chasser. Ni s'intéresser aux oiseaux qui nichaient sur la falaise.

Tant mieux pour lui : la jeune fille avait reconnu des fulmars. Elle savait que ces oiseaux, ressemblant aux puffins et aux pétrels avec un plumage plus clair, étaient capables de planer longtemps et loin des côtes... et à peu près incapables, par contre, de marcher. Surtout, certains lâchaient une fiente puante – et Renn n'aurait pas su comment dire à Loup de se méfier de ces volatiles.

Vers la mi-journée, elle décida qu'elle ne resterait pas plantée là un instant de plus.

— Je vais chercher de l'aide, annonça-t-elle à Loup. Évidemment, tu ne comprends pas ce que je te dis... Bon, tu veux venir quand même ?

Loup tourna les oreilles dans sa direction. Mais il ne bougea pas d'un pouce.

— Quelqu'un l'a peut-être vu ! insista-t-elle. Des chasseurs... Des... Je sais pas, moi ! Viens, on y va !

Loup sauta sur les rochers, les yeux fixés sur la Mer.

— Loup ! S'il te plaît... Je ne veux pas y aller toute seule...

L'animal ne la regarda seulement pas.

Elle avait sa réponse. Elle irait seule.

Le cœur serré, elle remit son sac sur ses épaules et se dirigea vers la Forêt.

Derrière elle, Loup leva le museau et hurla.

Loup courait en cercles. Il ne savait pas quoi faire.

Il était perplexe. Déchiré.

D'un côté, il voulait rester où il était. Il devait y attendre le retour de son frère de meute.

De l'autre, il devait aussi suivre la femelle vers la Mer. Il détestait cet endroit. Terrible. Le sol trop pâle lui piquait les yeux. Les rochers trop chauds lui brûlaient les pattes. Et les oiseaux lui criaient de s'en aller. Mais le pire, ce qu'il redoutait le plus, c'était la gigantesque créature allongée devant lui. Elle ne cessait de gémir dans son sommeil. De remuer. Elle avait une odeur froide et ancienne qu'il connaissait alors qu'il la humait pour la première fois. Si elle se réveillait...

Loup ne comprenait pas pourquoi Grand Sans Queue était parti où son frère de meute ne pouvait le suivre. Ni pourquoi son odeur était si mélangée à celle de trois autres Sans Queue. Des mâles pas encore adultes. En colère. Qui ne venaient pas de la Forêt. Ils appartenaient à la Vaste Eau.

Et voilà que la femelle l'avait abandonné dans cet endroit hostile. Elle aussi s'était effacée. Elle avait regagné les arbres. Bruyamment, comme tous les Sans Queue. Loup ne voulait pas qu'elle s'en allât. Parfois, elle se mettait en rogne ; cependant, le plus souvent, elle était maligne. Et gentille.

Devait-il la suivre ? Et si Grand Sans Queue revenait entre-temps et ne trouvait personne ?

Loup courait en cercles. Il ne savait pas quoi faire.

Renn ne s'attendait pas à ce que Loup lui manquât à ce point.

Il lui manquait pour sa chaleur, quand il se couchait contre elle.

Il lui manquait pour ses petits gémissements impatients, quand il voulait un gâteau au saumon.

Il lui manquait même pour son enthousiasme de vieux louveteau, quand il se jetait à l'eau pour chasser les canards.

Elle était triste qu'il n'eût pas choisi de la suivre. Elle se sentait seule en traversant les pierres émergentes qui permettaient de passer les Grandes Eaux pour gagner le bois de bouleaux, de l'autre côté du fleuve.

Ce n'était pas la première fois qu'elle se demandait ce qu'elle fichait loin de son clan, perdue dans une Forêt où rôdaient la maladie, la démence et la mort. Pourquoi s'était-elle lancée dans cette aventure ? Si Torak avait voulu qu'elle l'accompagnât, il le lui aurait proposé ! Au lieu de quoi, il n'avait rien dit. Il l'avait abandonnée. Elle courait après un ami qui n'avait pas voulu d'elle.

À mesure qu'elle s'enfonçait sous les arbres, le calme et le silence commencèrent de la troubler. Pas un frémissement dans les feuilles. Pas un craquement dans les branches. Pas une ondulation dans les herbes.

Et personne. Ce qui n'était pas normal.

Il aurait dû y avoir des gens, dans le coin. Renn connaissait cette partie de la Forêt. Quand elle avait eu neuf ans, Fin-Kedinn l'avait placée au sein du clan de la Baleine, afin qu'elle y apprît les us et coutumes de la Mer.

Elle savait que de nombreux clans chassaient le long de la côte : ceux de l'Orfraie[1], du Saumon, du Saule. Ils venaient pêcher la morue au printemps, le saumon en été ; en hiver, à l'époque des tempêtes, ils profitaient des phoques et des harengs qui venaient se réfugier dans ces eaux plus paisibles.

Pourtant, la Forêt semblait vide. Absolument vide.

Inquiétant.

Devant la jeune fille, le rideau d'arbres était moins dense. Renn aperçut plusieurs grandes cabanes de branchages. Elles ressemblaient aux abris que se bâtissaient les aigles.

Le moral de la jeune fille grimpa d'un cran : le clan de l'Orfraie comptait parmi les clans de Mer les moins hostiles aux inconnus. Ils étaient fiers, orgueilleux à l'occasion ; toutefois, ils accueillaient toujours les étrangers avec chaleur, et l'idée de mélanger la Forêt et la Mer ne les heurtait guère – logique, puisque leur créature de clan prenait ses proies dans l'une comme dans l'autre.

Cependant, leur campement était désert. Les feux avaient été piétinés, laissant dans l'air une senteur âcre de fumée. Renn s'agenouilla devant un bûcher. Toucha les cendres. Chaudes. Elle se dirigea vers leur tas de déchets. Certaines coquilles de moule étaient encore humides. Le clan de l'Orfraie venait de partir.

Derrière elle, Renn entendit quelqu'un respirer.

Elle pivota.

Cela venait de la cabane sur sa droite.

Elle dégaina son couteau. S'avança. Demanda :

— Y a quelqu'un ?

Un gargouillement guttural lui parvint de l'obscurité.

---

1. L'orfraie est aussi appelée « le grand aigle de mer ».

La jeune fille se figea.

Et l'obscurité explosa.

Renn bondit en arrière. Cria. Mais la créature était presque sur la jeune fille... quand elle s'immobilisa. Ses poignets étaient entravés par de lourds liens de cuir.

— Qu'est-ce que tu fiches ici ? rugit quelqu'un derrière Renn.

L'instant d'après, des mains puissantes l'entraînaient en arrière.

— Tu es malade ? poursuivit son agresseur. Réponds ! es-tu malade ? Qu'est-ce que c'est, cette marque, là, sur ta main ?

— Une m... une morsure..., bégaya-t-elle. Juste une morsure... Je ne suis pas malade...

Son agresseur la retourna et, sans ménagement, examina son visage et son cuir chevelu.

— Je ne suis pas malade, répéta-t-elle. Que s'est-il passé, ici ?

— La même chose que partout ailleurs, murmura l'homme.

— La maladie vous a frappés, vous aussi..., commenta Renn.

Sur le seuil de sa cabane, la créature qui, autrefois, avait été un homme, se balançait d'avant en arrière, grognant et reniflant. Son crâne était à vif aux endroits où il était parvenu à s'arracher les cheveux. Ses yeux étaient luisants de pus.

L'autre homme le regardait avec une grimace qui exprimait tristesse et souffrance. Mais pas une once de dégoût.

— C'était mon ami, déclara-t-il. Je n'ai pas pu me décider à le tuer. Et pourtant... j'aurais dû. Ça aurait mieux valu. Pour tout le monde.

Il revint à Renn :

— Qui es-tu ? Que fais-tu ici ?

— Je suis Renn. J'appartiens au clan du Corbeau. Et toi, qui es-tu ?

— On m'appelle Tiu.

Il leva sa main gauche. Au dos, elle vit son tatouage de clan : quatre marques symbolisant l'empreinte caractéristique de l'Orfraie.

— Que va-t-il arriver à ton ami ? demanda Renn.

Tiu alla récupérer un javelot de pêche qu'il avait posé contre un arbre.

— Dans quelques jours, il aura rongé ses cordes. Et après... il devra survivre. Comme tout le monde.

— Mais... il risque de contaminer quelqu'un !

— On sera partis depuis longtemps, expliqua l'homme.

— Vous quittez la Forêt ? s'étonna Renn.

Après un dernier regard pour son ami, Tiu s'éloigna de la clairière, en direction de l'ouest. La jeune fille le suivit en courant.

— Nous nous rendons à l'île des Cormorans. C'est à leur tour d'organiser les rituels du Solstice d'été. Et, contrairement à certains, ils n'ont pas peur de nous accueillir.

— Et les autres clans ? s'enquit Renn tandis qu'ils avaient rejoint une petite crique où des gens chargeaient de lourds ballots de cuir dans des canoës.

— Le clan de la Baleine et celui du Saumon sont déjà partis pour les Cormorans depuis quelques jours, annonça Tiu. Le clan du Saule a migré vers le sud. Et toi ? Pourquoi n'es-tu pas avec ton clan ?

— Je suis à la recherche d'un ami. Peut-être l'avez-vous vu... Il s'appelle Torak. Il est fin, un peu plus grand que moi, il a des cheveux noirs, et...

— Non, jamais vu, lâcha Tiu en aidant une femme qui se débattait avec un ballot.

— Moi, je l'ai vu ! s'exclama un jeune homme en train de charger des cordes sur son bateau.

— Quand ? Où ? Est-ce qu'il allait bien ?

— Des membres du clan du Phoque l'ont embarqué. Tu ne le reverras plus.

— Ils étaient trois, continua le jeune homme quand Renn le pressa de questions. Trois garçons. Ils sont venus il y a quelques jours. Ils avaient des vêtements en phoque et des silex à troquer. Mais ça ne me disait rien, alors, je ne me suis pas montré.

Il fronça les sourcils :

— Des membres du clan de la Baleine ont fait affaire avec eux. Ils voulaient tellement leurs œufs de Mer qu'ils n'ont pas parlé de la maladie. Ça risquait d'effrayer les Phoques en leur rappelant de mauv...

— Et Torak ? l'interrompit Renn. Tu dis que tu as vu qu'ils l'avaient enlevé !

— Tout ce que j'ai vu, c'est un garçon dans un canoë. Brun, comme tu as dit. Avec un visage fin. En colère. Avec des bleus un peu partout. Il a essayé de leur échapper, et ils n'ont pas apprécié...

— Pourquoi l'ont-ils enlevé ? gronda la jeune fille en serrant les poings.

— Avec les Phoques, comment savoir ? Ils n'ont pas grand-chose en commun avec nous. D'ailleurs, c'est leur fierté. Ils n'ont pas appris à vivre en paix avec la Forêt.

— Il faut que j'aille sur leur île !

Tiu revint vers Renn en ricanant :

— Impossible !

— Mais vous allez aux Cormorans. Leur île n'est pas loin de celle où vit le clan du Phoque, n'est-ce pas ?

— Tu ne comprends pas : nous n'avons pas de querelles avec les Phoques, et c'est très bien comme ça ! Nous ne souhaitons pas nous créer des ennuis.

— Torak est en danger !

— Nous sommes tous en danger, rétorqua Tiu.

Renn avisa les visages des Orfraies : on y lisait la peur. Comment les persuader de l'aider ?

— Je ne vous ai pas tout dit, déclara-t-elle. Torak a des pouvoirs que ni vous ni moi n'avons. Il va trouver un remède.

— Bien sûr..., ironisa Tiu. Tu ne viendrais pas d'inventer ça pour la circonstance, par hasard ?

Renn hésita. Si elle entrait dans les détails, elle désobéirait aux consignes de discrétion que lui avait données Fin-Kedinn. Mais Fin-Kedinn n'était pas là. Et Torak était en danger. La jeune fille se décida :

— Non, écoutez-moi ! Vous savez tous ce qui s'est passé l'hiver dernier, avec l'ours monstrueux...

Les gens s'arrêtèrent de s'agiter et s'approchèrent pour écouter la suite.

— Ce n'était pas un ours normal, rappela Renn. C'était une créature possédée. Il a tué plusieurs membres de notre clan. Et par ici aussi, non ? Je sais que deux membres du clan du Saule y ont laissé leur vie. Et nous avons appris qu'un enfant de votre clan avait disparu.

— Pourquoi parles-tu de ça ? protesta Tiu, hors de lui. Qu'est-ce que cette histoire vient faire maintenant ? Quel rapport avec ce Torak ? Où veux-tu en venir ?

— C'est Torak qui a débarrassé la Forêt de l'Ours.

Tiu sursauta :

— Quoi ? Un simple garçon...

— Il n'est pas un simple garçon. Il a des pouvoirs. Fin-Kedinn vous l'aurait dit s'il avait été là. Vous connaissez Fin-Kedinn ?

— Beaucoup de clans le respectent, admit Tiu en inclinant la tête.

— C'est mon oncle. Il pourrait vous confirmer mot pour mot ce que je viens de vous dire.

Tiu et quelques autres membres du clan de l'Orfraie se reculèrent pour discuter. Renn les observait avec anxiété. Quelques instants plus tard, Tiu revint et déclara :

— Désolé. Nous ne voulons pas d'ennuis avec les Phoques.

— Alors, ne m'emmenez pas à leur campement, suggéra Renn. Emmenez-moi n'importe où sur leur île. Je trouverai bien toute seule.

Le jeune homme qui avait vu Torak intervint :

— Il y a une petite baie à l'ouest de leur campement. On peut la déposer là, et ils n'en sauront jamais rien.

— Moi, déclara une femme, je peux lui donner des vêtements adaptés à notre coin et la purifier pour son voyage. Kyo a raison, Tiu : il faut l'aider !

L'homme soupira :

— Tu es exigeante...

— C'est vrai, reconnut Renn.

Elle était prête à suivre les Orfraies quand elle remarqua l'éclat de deux yeux d'ambre qui la regardaient.

Son cœur bondit dans sa poitrine.

Elle retint Tiu par la manche :

— Et, à propos, j'ai encore une demande à vous faire !

210

— Quoi encore ?

— Eh bien, il faudrait que vous emmeniez quelqu'un d'autre avec moi sur l'île...

Les Orfraies éclatèrent de rire.

Ils s'enfuyaient. Ils venaient d'enterrer plusieurs d'entre eux. Ils abandonnaient l'un des leurs, malade et fou à lier. Mais la vue d'un jeune loup couvert de guano de fulmar était trop amusante !

— On n'aura même pas à le purifier ! remarqua un homme. Il s'en est occupé tout seul !

Malgré cela, Renn aurait aimé se jeter sur Loup pour exprimer son soulagement de le voir revenu. Cependant, elle avait retenu la leçon de leur dernière rencontre ; et elle se contenta de le saluer en poussant de petits grognements et en lui gratouillant le flanc.

Loup agita faiblement la queue. Il avait l'air en piteux état. Il s'était pris un lâcher de guano en pleine gueule, et il n'avait pas arrangé la situation quand il s'était frotté contre le sable pour s'en débarrasser. Il n'oublierait pas de sitôt qu'il faut se méfier des fulmars !

— Toi qui aimes les odeurs corsées, tu es gâté ! plaisanta Renn.

L'animal frotta sa gueule contre la veste de la jeune fille pour essayer d'ôter son masque aux relents redoutables.

Tim passa près de lui, un ballot dans les bras.

— Si tu arrives à le faire monter dans mon canoë, tu peux l'emmener, lança-t-il. Sinon, faudra le laisser ici.

— Pas question ! s'exclama Renn.

— Alors, dépêche-toi, on part !

— Viens, Loup ! s'écria Renn.

Et elle courut vers l'embarcation.

Pas Loup.

Il s'assit sur ses pattes arrière. Poils hérissés. Yeux fixés sur le canoë qui se balançait au bord de l'eau.

La gorge de la jeune fille se serra.

Pas besoin d'être expert en langage de loup pour comprendre le message :

« Je ne monterai pas. Jamais. Jamais. Jamais. »

VINGT-ET-UN

Torak rêvait de Loup. Encore. Cette fois, l'animal l'avertissait en grognant :

« Wouf ! Wouf ! Danger ! Ombre ! Chassé !

— Quelle ombre ? lui demandait Torak. Où ? »

Mais Loup continuait à s'éloigner. Toujours plus. Et Torak ne pouvait pas courir à ses trousses, car quelqu'un le retenait.

— Lâche-moi ! cria-t-il.

— Réveille-toi ! dit Bale.

— Hein ?

Torak ouvrit les yeux. Il était dans l'abri commun des Phoques. La lumière du jour passait à grands flots à travers l'entrée.

Une journée s'était écoulée depuis son entrevue avec Tenris, sur l'À-pic. Une journée d'attente. Le Mage des Phoques tentait de persuader Islinn de ne pas envoyer son prisonnier sur le Rocher.

Et, pendant ce temps, le Solstice d'été approchait. Et la maladie continuait son œuvre dans la Forêt.

— C'est qui, Loup ? s'enquit Bale tout à trac.

— Hein ? Personne. Je ne sais pas de quoi tu parles !

— Tu me dégoûtes, cracha le grand garçon. Tu viens à peine d'ouvrir les yeux, et tu mens déjà.

Torak ignora l'attaque. Le rêve ne l'avait pas abandonné. L'ombre. Chassé. Qu'est-ce que cela pouvait bien signifier ? Etait-ce une forme d'avertissement contre le Suiveur ? Ou contre autre chose ?

Bale s'impatienta et lui donna un coup de pied dans les jambes :

— Allez, debout !

— Qu'est-ce qu'il y a ? On part pour les Hauteurs ?

— Demain. Aujourd'hui, je dois t'apprendre à pagayer.

— Toi ? Mais pourquoi toi ?

— Ordre de Tenris. Ça ne m'enchante pas plus que toi, si ça peut te rassurer. Dépêche-toi d'avaler quelque chose et rejoins-moi sur la plage. Je vais préparer les bateaux.

— Pourquoi Bale ? demanda Torak au Mage.

Tenris était sur les rochers, en train de ramasser des algues.

— Pourquoi pas quelqu'un d'autre ? insista-t-il. N'importe qui d'autre...

Le Mage lui décocha un sourire de biais.

— Évitez aux gens de se retrouver sur le Rocher, dit-il, et regardez comme ils vous en sont reconnaissants !

— Mais Bale...

— ... est le meilleur pagayeur que je connaisse. Je peux aussi te mettre avec les moins doués : tu veux apprendre à pagayer ou à te noyer ?

— À pagayer, mais...

— Tu as raison. Pour mourir, on n'a pas besoin de se tuer : il suffit d'attendre. Tiens, au lieu de te plaindre, prends ce panier et regarde, tu apprendras peut-être quelque chose.

— Attendez, je...

— Ça, c'est du varech, déclara Tenris sans plus écouter le garçon.

Il tendit une longue tige brune.

— Quand on le fait sécher, il durcit, expliqua-t-il. Il devient aussi solide que ça.

Il tapota la garde de son couteau.

— Pour en tirer de la corde, il faut le laver à l'eau douce puis le laisser tremper dans l'huile de phoque. As-tu bien observé comment je l'ai coupé ? On en laisse toujours la base sur le rocher. Ainsi, il pourra repousser. C'est très important. Compris ?

Torak acquiesça vaguement et garda le silence, le visage fermé.

— Arrête de bouder ! lui ordonna le Mage. Tu vas avoir besoin de Bale. Et Asrif...

— Quoi ? glapit Torak. Asrif aussi ?

— C'est le meilleur grimpeur que je connaisse.

— Et Detlan ?

— Tu vas aussi en avoir besoin, confirma Tenris.

— Ah ! ironisa le garçon. Je m'disais aussi...

— De bons muscles ne sont jamais inutiles, crois-moi.

— Donc nous serons quatre ?

— Torak, tu ne peux pas réussir seul.

— Je m'en doute. Mais je pensais que vous nous accompagneriez. C'est vous qui avez trouvé la racine, la dernière fois. Vous savez comment on fait. Pourquoi vous ne voulez pas venir ?

Il avait appris à apprécier le Mage, qui lui rappelait Fin-Kedinn. En moins distant. Et en plus affectueux.

Le Mage soupira et toucha la partie écorchée de son visage.

— Le feu ne m'a pas seulement brûlé la peau. Il a aussi abîmé mes poumons.

Il jeta le varech dans le panier et conclut :

— Je ne vous servirais à rien, sur les Hauteurs. Au contraire.

— Je... je ne savais pas. Je suis désolé.

— Et moi donc ! répondit Tenris. Mais ce n'est pas la seule raison pour laquelle je vous envoie ensemble. Vous êtes du même sang. Malgré que tu en aies, il va falloir que tu gagnes leur confiance.

— Leur confiance, je m'en moque complètement ! rétorqua Torak.

— Eh bien, tu as tort, lâcha le Mage d'une voix douce mais forte. Concentre-toi sur Bale. Ça doit être lui, ton objectif. Si tu le gagnes à ta cause, les autres suivront. Et un dernier conseil...

Il reprit le panier au garçon avant de dire :

— Apprends vite ce qu'ils t'enseigneront. Ça t'aidera.

— NON ! rugit Bale, furieux, en se rapprochant du canoë de Torak. Non, non et non ! Plie les jambes sur le côté, pas devant toi ! Tu n'es pas stable ! Reste droit ! Plus droit ! Mais non, ne te mets pas autant en arrière, tu vas verser ! Tu n'as aucun sens de l'équilibre, ou quoi ?

Le grand gaillard redressa le canoë d'un coup.

— Je t'ai déjà expliqué cent fois ! gronda-t-il. Ta pagaie n'est pas faite pour t'aider à rester droit ! Pour rester stable, tu dois compenser le mouvement avec tes hanches et tes cuisses. Ne serait-ce que parce que tu auras moins mal à la fin de la journée. Et puis, imagine que tu attrapes un phoque : pour le récupérer et le monter à bord, tu auras besoin de tes deux mains libres. Si tu t'en sers pour ne pas tomber à l'eau, comment te débrouilleras-tu, hein ? Ben, tu ne te débrouilleras pas. Tu sais ce qui t'arrivera ? Plouf. Voilà. Plouf !

— C'est pas de ma faute si ça gîte autant, grommela Torak. Il est trop petit, ce truc. J'ai toujours l'impression qu'il va se renverser. C'est comme si j'étais une coccinelle sur une brindille au milieu de la Mer...

— N'accuse pas le bateau ! glapit Bale. Il n'y a qu'un coupable, ici : toi !

— Et pas le bateau, peut-être ? protesta le garçon. Pourquoi il est si fin, d'abord ?

— Plains-toi ! S'il avait été plus gros, tu aurais usé tes forces à lutter contre le vent. Allez, réessaye... Mais NON ! Je t'ai déjà dit : pas comme ça ! Tu le fais exprès ?

— Euh, non...

— Alors, qu'est-ce qui ne va pas ? Je t'écoute !

— Eh bien, je... je...

— Tu frappes l'eau, voilà le problème ! s'emporta Bale.

— Et il ne faut pas ?

— Bien sûr que non ! Il faut couper la surface avec ta pagaie.

— Pourquoi ?

— La discrétion ! Il faut être silencieux, com-plè-te-ment si-len-ci-eux !

— Oui, ben, j'essaye, lâcha Torak, les dents serrées.

— Pas assez. Force-toi ! Non mais c'est quoi, ce coup de pagaie ridicule ? Vous n'avez pas de canoës dans la Forêt ?

— Bien sûr que si ! Le clan du Sanglier en construit avec des troncs qu'il creuse ; les Corbeaux en fabriquent avec du cuir durci... Et laisse-moi te dire que c'est autre chose que ça ! Ils sont solides, et...

Bale se mit à glousser :

— ... et avec eux, vous n'iriez pas loin, sur la Mer, crois-moi ! Un bateau à fond rond ferait des bulles qui avertiraient les phoques à cinquante jets de harpon de distance. Quant à une embarcation en cuir durci, laisse-moi rire ! On ne pourrait pas virer de bord à volonté ; et, au premier coup de vent, blam ! le bateau se briserait en deux ! Non, il faut passer à travers les vagues, pas au-dessus. Tu dois effleurer la surface, comme un cormoran...

Une vague plus grosse que les autres frappa la proue de Torak, douchant le garçon.

Sur la rive, des enfants éclatèrent de rire. Les plus petits jouaient avec des canoës dans de petites mares sur la plage, protégés par du cuir de phoque. Les plus grands tournaient autour des débutants pour leur apprendre les subtilités de l'art de la pagaie. Contrairement à Torak, les enfants n'avaient pas à se soucier du roulis. Pour que leurs embarcations ne tanguassent pas, on les avait stabilisées à chaque bout avec des sacs faits en intestins séchés remplis d'air.

Quand Bale avait menacé Torak de reprendre tout depuis le début avec un canoë pour bébé, le garçon s'était senti humilié. À bon droit. Mais, à présent, après une journée épuisante passée à lutter contre les flots sans parvenir à dompter cet imbécile de bateau, il se demandait s'il n'avait pas commis là un stupide péché d'orgueil.

Bale n'avait aucune pitié. Il ne pardonnait rien. C'était un professeur redoutable. Visiblement, il n'espérait qu'une chose : pouvoir dire à Tenris que Torak était un incapable, et qu'il était inutile de s'obstiner. Que son élève était le pire incapable de tous les temps. Et qu'il était sans doute trop vieux (et trop bête) pour arriver à quoi que ce fût.

Bale n'était pas loin d'arriver à ses fins. Torak était trempé jusqu'aux os. La tête lui tournait : le soleil tapait trop fort. Il avait mal aux jambes. Mal aux épaules. Il n'en pouvait plus. La fatigue faisait trembler ses bras. Il n'était plus capable de tenir fermement sa pagaie. Son équilibre devenait de plus en plus précaire.

Pour comble de malheur, Bale, lui, dominait la situation. Pas de quoi remonter le moral d'un Torak en perdition. Alors que le garçon manquait de verser à chaque vaguelette, il voyait son meilleur ennemi manier son canoë avec dextérité. C'en était franchement décourageant. Bale restait aussi droit que s'ils avaient été assis sur la terre ferme. Et il ne crânait même pas. Non, il était juste tellement à l'aise sur l'eau qu'il n'avait même plus besoin de réfléchir aux mille et un détails qui se mélangeaient dans la tête de Torak.

À présent, le vent s'était levé. Le garçon avait de plus en plus de mal à ne pas sombrer. Bale vint se placer près de lui.

— Va falloir que tu t'améliores, déclara-t-il en ôtant un peu de l'eau qui avait envahi le canoë de son élève.

— Sinon quoi ?

— Sinon, tu resteras là.

— Je commence juste ! protesta Torak. Toi, tu pagayes depuis que t'as... combien ? Six ans ?

— Cinq.

Le gaillard jeta un œil vers la rive, et un rictus triste chiffonna son visage :

— Mon frère avait commencé encore plus tôt.

— Donne-moi une chance !

L'apprenti professeur hésita avant de lâcher :

— Très bien. Tu vas aller par là. Je te suivrai. Maintenant, tu oublies les conseils. Tu oublies ce que je t'ai dit. Tu oublies tout. Tu te contentes de regarder devant toi et d'aller aussi vite que tu peux. D'accord ?

Torak acquiesça.

Il avait compris que Bale ne lui donnait pas juste une deuxième chance. Il lui donnait une dernière chance de prouver qu'il n'était pas un cas désespéré. Et il allait la saisir. Le sort de la Forêt en dépendait.

Il commença de pagayer.

Premiers coups de rame : le canoë avançait par saccades, pareil à un sanglier qui caracole au printemps, s'arrête et volte avant de repartir. Les vagues crachaient leur écume au visage du garçon, qui s'obstinait.

Puis il sembla trouver son rythme. Sa pagaie fendait l'eau sans éclaboussures. À chaque coup de rame, le garçon sentait le pouvoir de la Mer vibrer sous lui – *sous* lui, pas *contre* lui. Il accéléra. Et, soudain, son bateau bondit de l'avant ; et Torak fendit les flots, rapide et libre comme un oiseau.

— J'ai réussi ! cria-t-il. J'ai compris l'astuce !

Bale se porta à sa hauteur, à quelques coups de pagaie sur sa droite.

— C'est génial ! s'exclama Torak. C'est merveilleux !

Son professeur de canoë opina et se mordit les lèvres pour ne pas sourire.

Brusquement, le vent changea de cap. Et le canoë de Torak pivota. Désormais, il se dirigeait droit vers... Bale.

— Tourne ! hurla le gaillard. Tourne, ou tu vas m'éperonner !

Paniqué, Torak donna un furieux coup de pagaie dans l'eau. Il sentit un choc... et il continua de filer droit sur son professeur :

— J'peux pas !

Ce fut Bale qui se dégagea pour éviter la collision, tandis que le canoë de Torak continuait sa route à toute vitesse... Jusqu'à ce qu'une vague le soulevât. L'instant d'après, Torak était dans l'eau.

Ses vêtements – et la fatigue – l'attiraient vers le fond. Il commençait de manquer d'air quand il sentit qu'on l'attrapait par le col de sa veste. Bale l'avait sauvé.

Et l'interpellait d'un ton rageur :

— À quoi tu joues ? Tu aurais pu nous noyer tous les deux !

— C'était un... un accident...

— Un accident ? T'as essayé de me percuter, oui !

Il fulminait. Cependant, il remit le bateau de Torak dans le bon sens, et le garçon put ainsi se hisser sur son canoë.

— Mais non... C'était vraiment un... un accident ! Ma pagaie s'est... s'est brisée...

— Arrête de me prendre pour un imbécile ! Les pagaies sont incassables ! Elles sont faites dans le meilleur bois flottant, et...

— Et ça, c'est quoi ? le coupa Torak en exhibant ce qui restait de sa pagaie. Si elles sont si fortes, tes pagaies, pourquoi se cassent-elles aussi facilement qu'une allumette ?

Le silence retomba.

Car Torak venait de voir l'endroit où la pagaie s'était brisée. Net. Quelqu'un l'avait sciée à moitié. Une coupure presque invisible qui rendait la pagaie utilisable jusqu'au moment où on aurait besoin de donner un coup de rame un peu plus fort.

— Qu'est-ce que c'est ? demanda Bale.

Torak pensa au Suiveur. Mais ç'avait pu être n'importe qui. Asrif, Detlan, Bale lui-même... ou n'importe qui parmi les membres du clan du Phoque.

Sans un mot, il tendit sa pagaie à son professeur. Qui la prit. L'observa. Comprit où se situait le problème.

— Tu crois que c'est moi qui ai fait ça ?

— Est-ce que c'est toi ?

— Non !

— Pourtant, tu voulais m'éliminer. Tu l'as dit.

— Si j'avais coupé ta pagaie, je n'aurais rien dit !

— Tu veux quand même m'éliminer.

— Évidemment ! Tu vas nous ralentir, avoir des tas de problèmes, et il faudra t'aider...

— N'importe quoi ! s'emporta Torak, même s'il n'était pas convaincu que Bale eût tort. Nous voulons la même chose. Le remède.

— Oui, je sais que je suis censé croire que mon clan est à nouveau menacé. Après tout, c'est parce que tu as fait avaler ça à Tenris que tu n'es pas sur le Rocher...

— Qu'est-ce que... Qu'est-ce que tu racontes ?

— J'ignore quelle salade tu as servie à Tenris, quand vous étiez sur l'À-pic, cracha Bale en lui jetant sa pagaie brisée. Mais ce dont je suis sûr, c'est que tu es un sale petit menteur et un lâche prêt à tout pour sauver sa peau. Peut-être que c'est pour ça que tu t'imagines tout de suite que j'ai pu couper ta pagaie. Parce que toi, tu fais ce genre de farces, dans ta Forêt !

Les insultes de Bale sonnaient aux oreilles de Torak tandis qu'il revenait, tant bien que mal, au rivage. Le grand gaillard était parti loin devant. Il avait déjà sorti son embarcation de l'eau quand Torak arriva. Il estimait sans doute qu'ils n'avaient plus rien à se dire. En un sens, il n'avait pas tort.

Mais Torak ne pouvait pas partager son avis. À cause des propos qu'avait tenus Tenris :

« Tu ne peux pas réussir seul... Il va falloir que tu gagnes leur confiance... Concentre-toi sur Bale... Les autres suivront... »

Il n'avait sûrement pas dit cela à la légère. Le garçon devait lui faire confiance. Pour cela, il lui fallait prouver à Bale qu'il n'avait pas menti pour sauver sa peau.

Il avait une idée. S'il réussissait à prouver que le Suiveur était sur l'île, Bale le croirait.

Il n'avait pas d'autre choix.

Si Torak trouvait des indices – des empreintes, par exemple –, Bale ne pourrait plus rien dire.

Et ce n'était pas impossible. Loin de là. On pouvait être nul en canoë et traquer comme un chef.

Comme il atteignait la pointe septentrionale de la baie, le jour se mit à baisser. En temps normal, c'eût été le crépuscule. Mais, à cette époque de l'année, surtout lorsqu'on était si proche du Solstice, une lueur bleue remplaçait la grisaille obscure habituelle.

Torak abandonna son canoë sur la plage. Traversa le courant. S'avança dans la baie. Des sternes s'envolèrent puis plongèrent vers lui. Il les ignora.

C'était une bonne heure pour mener une traque. Avec la lumière basse, les ombres étaient plus nettes. En plus, les Phoques étaient occupés autour des feux, qu'ils étaient en train de ranimer en vue du dîner. Si bien que personne ne vit Torak s'éloigner. Il n'avait pas tellement envie d'expliquer ce qu'il mijotait.

Pas d'empreintes sur la boue. Mais ici, sur l'herbe, une trace – minuscule –, qui prouvait qu'une petite créature avait traversé cette partie marécageuse en passant. Était-ce le Suiveur ?

Pas facile de suivre cette piste. Torak se servit de l'astuce que son père lui avait apprise. Il tourna la tête et observa l'endroit de biais, du coin de l'œil.

Il tomba plusieurs fois sur une impasse. Puis aboutit sur un amas de rochers couverts de mousse qui plongeaient dans la Mer. Au-dessus, à l'extrémité de la baie, se dressait un bois de bouleaux. Cependant, la piste ne se dirigeait pas vers le bois : elle conduisait au cœur de l'amas de rochers.

Le garçon avisa un petit morceau de lichen arraché. Il repéra aussi une odeur de moisi sur un tas d'algues séchées où le Suiveur s'était assis.

Enfin, près d'une bande de sable visible à marée basse, il découvrit ce qu'il cherchait : une empreinte de serres parfaite. Très récente. Vent, insectes et vers de sable n'avaient pas eu le temps d'en effacer les contours.

« Alors, qu'est-ce que tu dis de ça, Bale ? » lança-t-il dans sa tête.

Un ricanement glaçant éclata sur sa gauche.

Et il la vit.

C'était une petite silhouette que masquait une longue chevelure, sale et broussailleuse comme un bouquet d'algues envasées.

Torak était trop excité pour éprouver de la peur. Il l'avait, sa preuve ! S'il attrapait la créature, Bale serait obligé de reconnaître qu'il n'avait pas menti. Cela n'en ferait peut-être pas un ami pour autant ; mais du moins Torak aurait-il lavé son honneur offensé.

La créature pivota et s'enfuit.

Torak se rua à ses trousses.

Les algues et la mousse glissaient sous ses pieds nus. Une partie de lui l'incitait à être prudent. S'il tombait dans la Mer, le Suiveur serait ravi. Il aurait atteint son but. Il aurait effacé le dernier espoir de la Forêt.

Le garçon gagna un amas de rochers que la Mer arrosait d'écume. Trop large pour le franchir d'un bond. Et pourtant, le Suiveur était parvenu à passer de l'autre côté. Là, il souriait d'un sourire qui sentait mauvais. Ses yeux luisaient de malice. La créature défiait Torak. Osera sauter ? Osera pas ?

— Compte pas sur moi, souffla le garçon. Je ne suis pas assez bête pour ça !

Le Suiveur montra les dents. Siffla tel un serpent. Ses serres cliquetèrent contre la pierre ; et il disparut dans la pénombre.

Torak longea l'amas de rochers. Direction l'endroit où les algues étaient plus sèches. Moins glissantes. Moins dangereuses. Il se demanda comment des algues pouvaient être sèches au milieu de cette humidité. Pas le temps de s'en inquiéter. Il monta dessus pour atteindre le sommet des rochers. Et il sentit que les algues glissaient sous son poids. Il voulut se raccrocher, par réflexe, mais il était déjà au fond du trou.

Il était tombé dans un piège. Le piège le plus stupide qui soit. Le plus simple. Le plus efficace. Le trou masqué par des herbes mortes.

Torak était glacé par le froid qui l'enveloppait. Il donna des coups de pied afin de se dégager et de trouver une prise suffisante pour lui permettre de se hisser hors du piège.

Vue d'ici, la houle était plus forte qu'elle n'avait d'abord semblé au garçon. Il songea toutefois qu'il réussirait à s'extraire de là assez vite. Et sans dommage : la seule partie de lui qui en prendrait un coup, ce serait sa fierté.

Il se passa une main sur le visage pour ôter les algues qui le couvraient. Tâtonna. Mais les algues étaient denses. Il n'arrivait pas à s'en débarrasser. Ou alors ses doigts ne rencontraient que la pierre.

« Parce que ce ne sont pas des algues, comprit-il. Ce sont des cordes en varech tressé serré. Elles forment un filet à phoques. » Le garçon était tombé dans un piège à phoques. Dont le Suiveur connaissait l'existence. Et où il l'avait attiré.

Torak était plongé dans son trou. Projeté par la houle contre les rochers. Il avait du mal à respirer. Se maintenir à la surface était difficile, car le filet s'accrochait à ses jambes, entravant ses mouvements. Apparemment, il était noué au sommet des rochers et lesté par quelque chose de lourd, peut-être une pierre, ce qui rendait ardu de maintenir la tête et les épaules hors de l'eau.

Comme Bale allait se moquer de lui ! Comme les membres du clan du Phoque allaient *tous* ricaner quand ils le découvriraient prisonnier dans un piège à phoques, à portée de flèche du campement.

S'il avait eu un couteau, il se serait sorti de là. Il aurait coupé les liens qui s'étaient resserrés autour de lui. Mais les Phoques ne lui faisaient pas assez confiance pour lui laisser une arme. Il allait devoir appeler au secours. Et tant pis pour les moqueries.

— À l'aide ! cria-t-il. Je suis tombé !

Le vent soufflait. Des sternes criaient. Les vagues venaient claquer bruyamment contre les rochers.

Personne ne vint.

Personne ne pouvait l'entendre.

L'eau stagnante montait. La houle aussi, bizarrement. Désormais, la mer lui arrivait juste sous le menton.

C'est alors que Torak comprit. Et il commença d'avoir peur.

Un, il était pris dans un piège à phoques.

Deux, il aurait beau s'égosiller, Bale et les autres ne l'entendraient pas.

Et trois, la marée montait.

Vite.

VINGT-DEUX

La corde qui emprisonnait Torak se resserrait, et l'eau montait toujours, si bien que le garçon avait de plus en plus de mal à garder le menton hors de l'eau.

Le courant l'attirait vers le fond. Puis le projetait contre les rochers. La Mer lui coupait le souffle. Son odeur salée le prenait à la gorge. Son gémissement permanent le hantait. Elle l'avait capturé. Elle ne le laisserait pas s'enfuir.

Il essaya de ne plus penser à elle pour décider de ce qu'il lui fallait faire. Il devait y avoir une manière de sortir de ce filet. Après tout, s'il était tombé dedans, c'est qu'il pouvait en sortir.

Mais il avait beau chercher, il ne voyait pas comment.

Les mailles du filet étaient trop petites. Pas moyen de passer ses poignets au travers. Les nœuds qui tenaient les liens étaient aussi durs que des galets. Inutile de tenter de les ouvrir – d'autant que les doigts de Torak s'engourdissaient sans cesse davantage. Et le varech était bien trop solide pour que Torak eût une chance de le déchirer avec ses mains – ou même avec ses dents.

« On doit construire des pièges extrêmement solides, lui avait expliqué Detlan au déjeuner. Sinon, ils ne retiendraient pas un phoque adulte. Alors, crois-moi, on les fait solides. »

Il n'avait pas menti. Pour être solides, ils étaient solides !

Si seulement il avait eu son couteau ! Voyons, à défaut, de quoi pouvait-il se servir ?

Comme pour le punir de ces mauvaises pensées, la Mer le projeta contre les rochers... donc contre les moules.

Les moules ! Elles avaient des bords tranchants !

Si Torak réussissait à en arracher une... Peut-être parviendrait-il à scier ses liens...

La houle le projeta en arrière. Puis le tira vers le fond. Le garçon lutta pour remonter à la surface, les oreilles vibrant du ricanement infini de la Mer.

Il s'intima l'ordre de ne pas l'écouter. Il allait plutôt s'écouter lui-même. Écouter le sang qui rugissait à ses oreilles. Écouter n'importe quoi – mais pas elle.

Le garçon luttait pour maintenir la tête hors de l'eau. Soudain, il réussit à saisir une moule entre le pouce, l'index et le majeur. Le crustacé était puissamment accroché à la roche. Torak le sentait qui luttait de toutes ses forces pour ne pas être décroché. Le garçon serra les dents. S'escrima. Mais la moule ne céda pas. Elle faisait partie de la roche, désormais.

C'est alors que Torak se souvint de l'oiseau noir et blanc qu'il avait vu s'attaquer à des moules sur le rivage. Il avait aperçu des oiseaux semblables sur l'île des Phoques. Detlan les appelait les « gobeurs d'huîtres » ou les huîtriers. Ces volatiles avaient une technique particulière pour arracher les crustacés, et notamment les moules : ils y allaient d'un coup. Ne leur laissaient pas le temps de lutter. Les prenaient par surprise. Et ça marchait.

Le garçon décida d'employer la même technique. Au juger, il avisa un autre coquillage et l'attaqua aussitôt. Gagné ! Mais la moule était glissante. Elle lui fila entre les doigts et s'enfonça dans les eaux. Hors de portée.

Derechef, le rire de la Mer éclata et se répercuta. Lancinant, il enveloppait le garçon, tentait de le bercer : « Tu ne t'en sortiras pas, ricanait la houle, abandonne... Abandonne... »

« Non ! cria-t-il dans sa tête. Pas maintenant, pas déjà... »

Un sanglot lui monta dans la gorge. Pas déjà. Pas maintenant. Il devait d'abord trouver un remède. S'assurer que les clans étaient tirés d'affaire. Et revoir Loup. Et Renn. Et Fin-Kedinn...

Son seul problème, c'est que la pierre attirait le filet vers le fond. À moins que...

Une idée le frappa, comme une vague glacée en plein visage. S'il réussissait à se libérer de cette pierre, le lien deviendrait son allié. Il obligerait la Mer à travailler contre elle-même. À mesure qu'elle attirerait le filet vers le fond, elle hisserait le garçon sur les rochers.

Plus de temps à perdre avec les moules ! Il n'y avait plus qu'à plonger et à s'occuper de cette pierre !

Ce qu'il fit après avoir inspiré à fond.

Il vit l'eau tourbillonner dans un chaos d'obscurité et d'algues vaseuses. Impossible de repérer où le filet était accroché au rocher. Impossible de distinguer *a priori* la surface du fond.

Torak émergea. Avala une goulée d'air. Les vagues avaient encore monté. Il ne pouvait plus respirer que par moments. Le reste du temps, l'eau baignait ses lèvres. Le sel lui brûlait les lèvres, la gorge, les yeux. Ses jambes étaient lourdes. Ses pensées se pétrifiaient, comme si la pierre les avait aspirées. Il avait froid jusque dans les os.

— Au secours ! cria-t-il. À l'aide ! S'il vous pl...

Son cri s'acheva sur un gargouillis horrible à entendre.

La lumière décroissait. L'ombre estompait les contours des choses. Il distinguait encore le promontoire au-dessus de lui. Le ciel d'un bleu profond, presque noir. Les étoiles scintillantes qui paraissaient s'éloigner de lui. De plus en plus vite.

La noyade.

Voilà ce qui l'attendait.

La pire des morts. Une mort qui n'avait pas de secret : la Mer allait prendre possession de lui. Elle allait l'envahir. Chasser les derniers signes de vie. Séparer ses âmes. Sans Marques, celles-ci ne se retrouveraient jamais les unes les autres. Il allait devenir un démon de la Mer. Il errerait à jamais sur les eaux, bouffi de haine, animé par le seul désir de détruire les êtres vivants et de leur ôter la vie jusqu'au dernier souffle, si possible dans d'atroces souffrances.

Une vague le gifla. Pénétra dans ses narines. Il inspira... de l'eau. Toussa. Recracha comme il put. Il avait l'impression d'absorber non de l'eau brûlante mais du feu liquide.

Il avait l'impression que la Mer lui murmurait à l'oreille : « Tu te trompes... Je suis au-delà de la pitié ou de la malice... Par-delà le bien et le mal... Plus forte que le soleil... Je suis l'éternité... Je suis la Mer... »

Torak était épuisé. Il n'en pouvait plus. Il n'avait plus la force de lutter contre l'eau. Il avait besoin de s'arrêter un moment. Juste d'un petit repos. Le dernier.

Il coula.

Aussitôt, la Mer resserra ses bras maternels autour de lui. Elle les resserra si fort que Torak crut que sa poitrine allait exploser.

Mais une ombre attira le regard du garçon. Un éclair argenté dans la pénombre.

« Un poisson », supposa-t-il, l'esprit vaseux.

Pas un : beaucoup. Un banc. Une foule de spectateurs venue assister au décès de la grosse créature qui allait les rejoindre.

Et il s'enfonça encore ; et brusquement les flèches d'argent s'écartèrent, explosant autour de lui – gouttes de lumière dans l'eau noire ; et la Mer l'emporta vers sa dernière demeure.

Tout se relâcha en Torak. D'un coup, plus rien ne retenait le garçon. Plus de froid. Plus d'obscurité. Plus de filet le tirant vers le bas. Plus de sel dans sa gorge. Plus même de sang martelant sa tempe. Il était léger et souple comme un poisson. Comme un poisson, il n'avait ni chaud ni froid. À présent, il faisait partie de la Mer.

Tout était si clair, à présent ! La vase ? disparue. Les rochers, les algues qui flottaient, les poissons batifolant en nombre autour de lui – avec leurs couleurs vives, leurs mouvements vifs – quoique étrangement étirés aux extrémités. Il ignorait comment cela s'était passé ; mais le fait était là : il s'était transformé en poisson. Il était *devenu* poisson.

L'eau glissait sur son corps. Un mouvement spontané et une profonde curiosité l'animaient. Il percevait la force des vagues se heurtant aux rochers ; il sentait les soupirs de sa Mère la Mer.

Puis la terreur fit voler en éclats le banc de poissons auquel Torak appartenait. Le garçon éprouva lui aussi cette panique. Quelque chose les chassait. Quelque chose qui venait des profondeurs. Quelque chose d'énorme. Mais quoi ? Qu'est-ce qui pouvait bien les avoir repérés ? Il essaya de le demander à ses nouveaux frères. Nul ne lui répondit. Chacun filait. Fuyait le prédateur, laissant Torak se débrouiller tout seul.

Et Torak redevint Torak. Sa poitrine lui cuisait. Le sang rugissait à ses oreilles. Pas le temps de se demander ce qui s'était passé. Il coulait. Étouffait. Se noyait. Mourait.

Aveuglé par la souffrance, il donna un coup de pied pour se dérober au baiser mortel de sa Mère la Mer. Le filet s'agrippa à lui. Le retint. L'agrippa.

À cet instant, une colonne d'eau blanche le projeta sur le côté. Le prédateur était sur lui, plongea ses dents avec férocité dans le filet... et le libéra.

Puis des mains le saisirent, le tirèrent hors de l'eau. Pas assez. Il coulait derechef. Ses paumes s'écorchaient sur les moules.

Dans un dernier effort, il donna un ultime et formidable coup de pied. Ce qui lui permit de remonter suffisamment pour que les mains le saisissent aux aisselles et le hissassent à l'air libre.

La Mer grogna de fureur. Puis abandonna sa proie.

Torak restait bouche bée comme un poisson hors de l'eau, haletant. Il sentait la rudesse tranchante des moules contre ses joues et la douceur écœurante des algues sur ses dents. Rien ne lui avait jamais paru aussi doux.

— On peut savoir à quoi tu jouais ? gronda une voix curieusement familière.

Il roula sur le côté puis sur les genoux, et, à son avis, vomit la moitié de la Mer (au moins).

— Je... je coulais..., parvint-il à balbutier.

— Oui, ça, j'avais vu ! rétorqua la voix familière, d'un ton à la fois furieux et bouleversé. Mais pourquoi t'as pas escaladé les rochers ?

Torak leva la tête :

— Renn ? C'est toi ?

— Moins fort ! On pourrait nous entendre ! Viens, suis-moi !

La tête pleine de brouillard, Torak se mit debout. Il serait tombé si Renn ne lui avait pas attrapé le poignet pour l'attirer derrière une rangée de bouleaux.

— Par ici, il y a une baie où on ne nous verra pas, chuchota-t-elle.

Ils rampèrent sous des rochers massifs et des troncs de bouleaux tombés à terre. Enfin, ils émergèrent sur une petite plage de sable clair que recouvrait l'ombre d'un promontoire.

Le garçon tomba à genoux et demanda, le souffle court :

— Comment m'as-tu... retrouvé ?

— J'y suis pour rien, répondit Renn. En fait...

Une silhouette bondit de derrière un rocher et renversa Torak avant de couvrir son visage de coups de langue râpeux.

Et la jeune fille termina :

— ... c'était Loup.

VINGT-TROIS

Les retrouvailles avaient quelque chose de féroce.
Presque de désespéré. Loup gémissait et battait de la
queue en couvrant le visage de Torak de coups de
langue. Le garçon lui rendait chaque coup de langue sur
le museau et enfonçait son visage dans l'encolure de
l'animal, lui parlant à travers des grognements graves
dont Renn ignorait la signification.

Elle se sentait exclue. Elle n'avait pas sa place dans la
scène qui se déroulait sous ses yeux. Elle était profondément émue par ce qu'il venait de se passer. Elle revoyait
Torak, tête basse, dans l'eau. Ses cheveux noirs dansant
autour de lui. Son corps qui bougeait au rythme de l'eau.
Elle avait cru qu'il était *mort*.

Les mains tremblantes, elle ramassa son arc et son carquois. Elle les avait cachés derrière un rocher. Elle prit son panier de moules et demanda sans ménagement :

— Tu peux marcher ?

Torak s'immobilisa. Il était toujours à genoux avec Loup et regardait la jeune fille comme s'il n'avait pas eu la moindre idée de son identité. Le visage couvert d'hématomes, les cheveux en bataille, lui-même ne ressemblait pas beaucoup au Torak qu'elle connaissait.

— Je... je n'arrive pas à croire que...

— Torak, il faut y aller ! On est trop près du campement, ici ! Quelqu'un risque de venir et de nous voir...

Le garçon essaya de se lever. Sans y parvenir.

— Allez ! lança-t-elle en l'aidant à se remettre debout.

Le chemin était escarpé. Un profond tapis de mousse le couvrait ; et des ronces avaient poussé sur les parois, ce qui ne facilitait pas l'ascension. Cependant, au grand soulagement de la jeune fille, Torak réussit à avancer.

Loup gambadait autour d'eux. De temps à autre, il bondissait pour lécher le visage du garçon. À proximité du but, ils durent s'arrêter pour reprendre leur souffle.

— Comment tu m'as... repéré ? s'enquit Torak, penché en avant, les mains sur ses genoux.

— J'étais sur la rive, dit Renn. Soudain, Loup a poussé ses grognements graves, grrrumf-grrrumf, et il est parti en trombe. Et toi qu'est-ce qui t'est arrivé ? Pourquoi tu n'es pas remonté sur les rochers ?

— Je... j'étais pris dans un filet à phoques.

— Un *filet à phoques* ?

— J'ai essayé de... de me dégager... Je n'y suis pas parvenu... Loup l'a déchiré avec ses dents. Il m'a sauvé la vie.

238

Renn imagina la force de l'affection qu'il fallait pour affronter sa pire peur – elle n'ignorait pas à quel point Loup était paniqué par l'eau. Cela avait même failli coûter la vie à Torak... avant de lui permettre de trouver les « yeux » mystérieux qui avaient permis de vaincre l'Ours possédé[1].

— Il déteste la Mer, déclara-t-elle. J'ai mis un temps fou à obtenir qu'il m'accompagne sur mon canoë.

— Comment as-tu réussi à le convaincre ?

De la poche de son gilet, la jeune fille tira le sifflet en os d'oiseau. Le garçon l'examina :

— C'est donc ça qui t'a permis de venir jusqu'ici avec lui... pour qu'il me sauve la vie...

Torak gratouilla le flanc de Loup, qui se frotta contre son ami en souriant de toutes ses dents.

Derechef, Renn eut l'impression d'être une intruse. Elle ignorait tout de ce qui était arrivé au garçon depuis qu'il avait quitté les Corbeaux. Elle avait pas mal de nouvelles à lui apprendre, elle aussi. À propos de la maladie, notamment. Et du tokoroth.

— Viens, dit-elle. Mon campement est tout près, maintenant.

Ils arrivèrent sur la crête. Effrayèrent quelques corbeaux, qui s'envolèrent à tire-d'aile en poussant des croassements indignés.

— Il... il y a une forêt ! s'exclama Torak, stupéfait par ce qu'il découvrait en contrebas.

Sous eux s'étendait une vallée escarpée, qui semblait avoir été coupée à la hache dans les montagnes. Au milieu, des saules, des sorbiers et des frênes entouraient un grand lac étroit.

---

1. Voir le tome 1 de ces *Chroniques des Temps obscurs* : *Frère de Loup*.

— Ils ne sont pas très grands, mais, au moins, ce sont des arbres, commenta Renn. Apparemment, les Phoques ne s'aventurent pas à l'intérieur des terres. Donc on ne devrait pas avoir de mal à se cacher. Ma seule inquiétude, c'est que, hier soir, j'ai vu des empreintes au bord du lac. Un homme ou un garçon, à mon avis.

— La Forêt me manque tellement, déclara Torak, les yeux perdus dans les feuillages.

— Moi, le saumon me manque, renchérit la jeune fille. Et le goût du gibier. Et les nuits, aussi... Chez nous, elles sont si légères... On ne le remarque pas, là-bas ; par contre, ici... ici, c'est simple : je n'arrive pas à m'endormir.

— Moi non plus, avoua le garçon.

— Voilà mon campement, annonça Renn.

Elle désignait une clairière semée de pissenlits, dissimulée aux regards par des buissons et des herbes hautes. Un courant y sinuait. Sur la rive orientale, la jeune fille s'était creusé une manière de terrier devant laquelle elle avait préparé un bûcher. Au-dessus de l'abri, un sorbier étendait ses ramures protectrices.

— Tu peux te sécher devant le feu, dit-elle à Torak. Pendant ce temps, je vais cuire les moules. Il n'y en a pas pour longtemps.

Elle suspendit son arc et son carquois et s'agenouilla devant les braises, qui ne faisaient pratiquement pas de fumée car elle avait choisi du bois de frêne dont elle avait ôté l'écorce. Elle avait posé un bout de silex plat pour le réchauffer. Lorsqu'elle passa la main à proximité pour vérifier si la pierre était à bonne température, elle hocha la tête, la mine satisfaite. Elle alla rincer les moules dans le cours d'eau, puis les disposa sur le silex pour qu'elles cuisent.

— Qu'est-ce que tu t'es préparé, ces derniers temps ? voulut savoir Torak.

— Surtout des œufs d'oiseaux, dit Renn. Un peu de chasse, aussi, mais seulement du petit gibier. Je n'ai pas repéré de chevreuil ou de cerf dans le coin. J'aurais pu pêcher dans le lac, il doit être poissonneux...

— Mais ? anticipa le garçon.

— Mais il est trop exposé. C'est pourquoi je suis allée sur la plage. En fait, moi, ça va...

— Mais ?

— Mais Loup m'inquiète. Même si les corbeaux l'ont aidé à tenir, ce n'est pas assez pour lui. Et il ne chassera pas d'oiseaux de mer depuis qu'il s'est pris une pluie de guano.

La jeune fille sourit :

— Il était dans un drôle d'état ! En plus, j'ai dû le nettoyer à la saponaire, et il n'a pas aimé du tout !

Elle se tut. Elle parlait trop. Ce n'était pas dans sa nature. Elle essayait simplement de masquer son soulagement.

— Tu sais, Renn..., murmura Torak, les yeux fixés sur le feu. Je suis très, très content que tu sois là.

La jeune fille se tourna vers lui.

— Ben... tant mieux, lâcha-t-elle.

Puis elle s'occupa des moules. Elles étaient cuites.

Du bout de son couteau, elle brisa leurs coquilles et les étala sur une grande feuille d'arbre posée sur le silex. Elle mit de côté une moule sur une branche de sorbier pour le gardien du clan. Ensuite, elle divisa le reste en trois parts égales et en posa une dans l'herbe pour Loup, avant de montrer à Torak comment ce plat – qu'il ne connaissait pas – se mangeait.

Le garçon observa le coquillage d'un œil suspicieux. Après quoi, il se décida et commença de manger.

Il avait ôté son gilet et l'avait suspendu pour le faire sécher sur un sorbier. Renn vit qu'il avait maigri. Elle vit aussi, sur son mollet, une blessure recousue à la va-comme-je-te-pousse, dont il fallait à présent ôter le fil.

— Oui, plus tard, répondit-il quand elle le lui signala. Et ce truc, sur ta main, c'est quoi ?

— Oh, je me suis fait mordre par une bestiole...

La jeune fille frotta son poignet contre sa poitrine. Elle n'avait pas envie de mentionner le tokoroth. Pas encore. Ce n'était pas le moment.

Loup avait déjà fini ses moules. Il fixait avec grand intérêt celles de Torak. Le garçon les lui céda et posa sa tête sur ses genoux.

— Comment est la Forêt ? s'enquit-il. Ça a empiré ?

— Oui.

Elle lui expliqua que les clans partaient. Elle lui raconta l'homme qu'elle avait vu au campement des Orfraies.

Torak fronça les sourcils.

— J'ai rêvé de Loup, déclara-t-il. Il m'avertissait. Il me parlait d'une ombre qui chassait. Enfin, je pense que c'est de ça qu'il parlait.

— De quoi, « ça » ? De la maladie ?

— Il faut que je le lui demande...

Le garçon se pencha vers l'animal et poussa une sorte de léger gémissement. Aussitôt, Loup se leva, les oreilles dressées. Sa queue se redressa, et il lécha une commissure des lèvres de Torak en gémissant à son tour.

— Ce qui veut dire ? demanda Renn.

— « Ombre. Chassé. »

— Comme avant ?

— Oui. J'ignore ce que cela signifie.

La jeune fille nettoya son couteau sur les cendres.

— C'est pour ça que tu es parti ? Parce que Loup t'avait averti en rêve ?

— Parti ? répéta le garçon. Comment ça, parti ?

— Ben, tu es parti sans un mot... même pour moi.

— Je suis parti pour trouver un médicament. Un antidote, une potion, un sortilège... N'importe quoi pour stopper les ravages de la maladie. Et je ne t'ai pas avertie parce que tu aurais voulu me suivre et que je n'avais pas le droit de te mettre en danger.

— Parce que tu crois que je n'étais pas en danger ? Tous les habitants de la Forêt sont en danger ! Qu'est-ce qui peut être pire que d'attendre que la maladie vous frappe à votre tour ?

— Le Suiveur, répondit Torak après une courte hésitation.

— C'est quoi, ce Suiveur ?

— Une créature de petite taille. Dégoûtante. Avec des serres.

— Ah, le tokoroth...

Le garçon sursauta, bien que Renn eût parlé à voix basse.

— Les Chevaux Sauvages ont prononcé ce mot devant moi ! s'exclama-t-il.

— Saeunn m'en a parlé après ton départ. C'est pour ça que je suis partie à ta recherche. Elle dit que les tokoroths sont les créatures les plus redoutables de la Forêt.

— *Les* tokoroths ? Tu veux dire qu'il y en a plusieurs ?

Elle acquiesça.

— Ici, je crois qu'il n'y en a qu'un pour le moment, fit observer Torak.

— Ici ?

— Oui, un tokoroth a traversé sur le bateau d'Asrif. Et si l'un d'eux y est parvenu...

— D'autres y parviendront aussi, compléta Renn. De nombreux canoës sont passés dans les parages : ceux des Orfraies, mais aussi ceux des autres clans.

Ils restèrent silencieux un moment. Puis Renn insista :

— Tu es sûr et certain qu'il y en a un ici ?

— Oh, oui ! Je l'ai vu. Il m'a tendu le piège qui a failli me noyer. J'étais sur ses traces parce que je cherchais une preuve à fournir aux Phoques.

— Attends ! Pourquoi tu veux montrer une preuve aux Phoques de...

— Ils vont m'aider à trouver un remède.

— Après t'avoir battu et fait prisonnier ? Il y a une subtilité qui m'échappe, apparemment...

— Parce que tu ne me laisses pas expliquer ! Voici toute l'histoire.

Et Torak narra ses aventures. Comment il avait été suivi dans la Forêt. Pourquoi il s'était détourné de la Forêt Profonde. Comment les Phoques l'avaient capturé. Quelle astuce il avait inventée pour échapper à un châtiment qui promettait d'être mortel.

— C'est le tokoroth qui provoque la maladie, conclut-il. J'en mettrai ma main à couper ! Mais ce que je ne comprends pas, c'est... pourquoi il m'a épargné. Il aurait pu me contaminer cent fois ! Il ne l'a pas fait. J'ai l'impression qu'il me teste. Je ne vois pas ce qu'il attend de moi, et...

— Attend, les Phoques, là... Tu n'es pas leur prisonnier ?

— Je t'ai expliqué : les Phoques vont m'aider à concocter le remède. Ils m'ont même appris à canoter.

244

Enfin, ils ont essayé. Et nous partons pour les Hauteurs de l'Aigle demain...

Le garçon jeta un œil à l'est. Le ciel s'éclaircissait.

— ... C'est-à-dire aujourd'hui, acheva-t-il.

— Je décroche, avoua Renn. Quand on commence par battre quelqu'un, on ne se résout pas à l'aider après coup !

— Ils ont besoin du remède aussi. Ils ne seront pas longtemps épargnés. Et ils ont déjà connu la maladie, eux aussi !

— Ce que tu dis du remède ne me convainc pas davantage. Cette racine très particulière que tu dois aller chercher au sommet... Je n'ai jamais entendu quiconque dire qu'une telle plante rentrait dans la composition d'un remède aussi puissant.

— Et alors ? Tenris sait ce qu'il fait.

— Qui est Tenris ?

— Leur Mage. Renn, je te l'ai dit, ils ont déjà connu la maladie, et il les a sauvés. Il peut nous sauver de nouveau.

La jeune fille secoua la tête :

— Ça ne changera rien.

— Pardon ?

— Non, ça ne changera rien. Ça n'empêchera pas les Mangeurs d'Âmes d'envoyer d'autres tokoroths. Plus nombreux.

Torak frissonna. Se leva. Fit quelques pas. Revint s'asseoir près du feu.

— Que sais-tu des tokoroths ? demanda-t-il.

Renn battit des paupières, inspira un bon coup puis lui rapporta ce que Saeunn lui avait appris. À mesure qu'elle parlait, le garçon pâlissait.

— D'après Saeunn, ce ne sont plus du tout des enfants, conclut la jeune fille. Ils ne sont plus que démons. Que purs démons...

— Comme l'ours qui a tué P'pa, commenta Torak.

Loup se redressa et vint se coller contre le garçon, qui lui flatta le flanc avant de se rapprocher des braises.

— Quand j'étais prisonnier du piège à phoques, déclara-t-il, il s'est passé quelque chose d'étrange. Je me suis senti... sortir de mon corps, je crois. Tout au fond de moi.

— Ça t'était déjà arrivé ?

— Oui. Lors du rite de guérison. Cette fois, j'ai eu l'impression d'être un poisson.

— Hein ?

— Je te jure. J'éprouvais les sensations que doivent éprouver les poissons. J'étais au milieu d'un banc de capelans. Puis une créature les a effrayés. Ils ont perçu un Chasseur qui remontait. Et moi aussi, Renn, je l'ai perçu. Comme si j'avais été un poisson.

Renn était perplexe :

— Un *poisson* ? Excuse-moi, mais je crois que...

Soudain, Loup poussa un grognement et s'avança jusqu'à la lisière du halo de lumière qui auréolait le feu. Il renifla puissamment, la queue à l'horizontale. Le message était clair : menace à l'horizon.

Renn bondit et se saisit de son arc.

Torak était déjà debout. Il enfilait son gilet quand il entendit quelqu'un l'appeler.

— C'est Bale, dit-il en reconnaissant la voix. Je dois y aller, ou il va se douter de quelque chose.

— Qui c'est, Bale ? s'enquit Renn.

— L'un de ceux qui m'ont attrapé dans la Forêt.

— Et tu veux le rejoindre ?

— Je n'ai pas le choix. Le Solstice d'été arrive dans trois jours.

— Mais tu n'as pas besoin de passer par la Mer pour rejoindre les Hauteurs ! On peut passer par la terre ferme, j'en suis certaine ! La mère de Tiu était du clan du Phoque. Tiu connaît l'île. Il me l'a dessinée sur le sable. Si tu veux, on n'a qu'à partir maintenant...

— Non, il faut que je les rejoigne, insista le garçon.

— Alors que tu ne leur fais même pas confiance ? protesta la jeune fille.

— Pas à tous.

— Je ne comprends pas ce que...

— Écoute, j'ai déjà causé assez de morts autour de moi. Oslak a péri. J'ai dû tuer le sanglier. Tu seras plus en sécurité si tu restes ici avec Loup.

— Torak, il n'en est pas qu...

— Garde-le avec toi. Qu'il ne te quitte pas. Et que les Phoques ne vous voient pas.

— Et toi, tu vas aller sur les Hauteurs.

— Je le dois.

Renn réfléchit une seconde. Puis :

— Dans ce cas, nous te suivrons par la terre. Loup et moi. Peut-être auras-tu besoin d'aide.

Le garçon fixa la jeune fille. Il lut la détermination sur son visage. Comprit qu'il ne la dissuaderait pas. Opina.

— TORAK ! cria Bale.

Vite, Torak s'agenouilla devant Loup. Museau contre museau, il poussa des grognements bas. Loup lui mordilla le menton en gémissant.

Puis le garçon se releva et se dirigea vers le ruisseau. Il revenait par où ils étaient venus.

— Restez cachés, souffla-t-il. Et méfiez-vous du toko-roth !

Renn jeta un coup d'œil autour d'elle. Elle n'était pas pressée de se retrouver seule, dans cette contrée qu'elle connaissait mal.

Mais Torak avait déjà disparu derrière les arbres, aussi silencieux qu'un loup.

VINGT-QUATRE

— Torak ! criait Bale. Hé, Torak, où t'es passé ?

Le garçon dévalait la colline en direction de la petite plage claire. Il ne voyait pas Bale, mais il l'entendait qui se frayait un chemin à travers les bouleaux.

Épuisé par sa nuit blanche autant que par les derniers événements, il trébucha et s'écroula sur le sable. Appuyé contre un rocher, il reprit son souffle. Il avait mal. Des bleus partout. Et il était anxieux. Revoir Renn et Loup... Ç'avait été terrifiant autant que merveilleux. Désormais, à tout instant, il pouvait leur arriver quelque chose de grave. Voire de définitif.

Dans la lueur fantomatique de l'aube naissante, la plage luisait faiblement. Torak repéra ses empreintes : celles qu'il avait laissées tout à l'heure. Et celles que

Loup et Renn avaient laissées. Si Bale les voyait, que se passerait-il ?

Parmi les arbres, il aperçut une lueur tremblotante : un flambeau. Bale approchait. Il ne devait pas venir ici.

Torak allait se mettre à courir lorsque deux silhouettes émergèrent des arbres.

— Je t'avais bien dit qu'il s'enfuirait ! s'écria Asrif. Il a eu peur des Hauteurs. Il a préféré se cacher dans les bois.

Torak plongea derrière un rocher pour les entendre.

— Peut-être, admit Bale. À moins qu'il n'ait eu des problèmes. Je ne l'ai pas vu revenir sur la rive.

— Et alors ? rétorqua Asrif. Tu n'es pas responsable de lui, que je sache ! D'accord, il est plus jeune que toi. Mais ce n'est pas ton frère.

— Je suis au courant, figure-toi ! N'empêche que j'aurais dû m'assurer qu'il était rentré sain et sauf. On ne doit jamais laisser en plan un débutant en pleine mer. Surtout maintenant. Et si les Cormorans ont raison...

— Raison à quel sujet ? s'enquit Torak en sortant de sa cachette et en se dirigeant vers eux.

— Qu'est-ce que tu fabriquais ? cria Bale.

Asrif et lui portaient des flambeaux enduits d'huile de phoque. Leurs visages tremblaient dans la lumière vacillante.

— Où t'étais ? insista Bale.

— Je cherchais des preuves.

— Des preuves de quoi ?

— De ce que j'avançais. Je ne suis pas un menteur.

— T'as pas mieux, comme excuse ? Toute la nuit, tu as cherché des preuves, peut-être ?

— Je suis resté coincé dans un filet à phoques.

Asrif éclata de rire :

250

— Ha, ha ! Tu viens de te trahir ! On ne pose pas de piège si près du campement...

— Toi, peut-être pas, répliqua Torak. Mais d'autres, si. Je te montrerai ça...

« ... si le lien ne s'est pas défait », compléta-t-il pour lui-même. Il se dirigea vers la grande plage, puis bifurqua. Il venait d'avoir une idée.

— Alors, ce filet ? s'impatienta Bale.

— Vous le verrez, mais je voulais vous montrer ça d'abord...

Il désigna une empreinte de tokoroth qu'on distinguait clairement à la lueur des torches.

Bale se pencha dessus.

— Quel animal a fait ça ? demanda-t-il.

— Un tok... une créature malfaisante, dit Torak après une hésitation.

— Je crois que j'ai trouvé le filet ! lança Asrif de derrière les rochers.

Il ramena le filet vers lui. Les garçons le rejoignirent en courant.

— Ce que je ne comprends pas, c'est pourquoi jeter un filet ici, commenta Asrif. Les phoques ne viennent pas à cet endroit...

— Celui qui a jeté ce filet se moquait des phoques, signala Torak. C'est à moi qu'il en avait.

— Mon pauvre ! ironisa Asrif. Comme on te croit !

— Une chose est sûre, intervint Bale. Le pêcheur qui a fait ça s'y connaissait.

— À quoi vois-tu ça ? demanda Torak.

— Regarde ! Un filet à phoques se fixe par la partie supérieure. La partie inférieure, elle, dérive dans l'eau. De plus, un seul des coins supérieurs doit être attaché.

Ainsi, quand le phoque nage, il libère l'autre coin, et le filet s'enroule autour de lui.

— Merci, j'étais au courant, grogna Asrif.

— Je disais ça pour Torak, expliqua Bale. Tu vois, quand ce coin-ci se détache, c'est fini. Le filet ne peut plus s'ouvrir. Le phoque est prisonnier.

— Eh bien, ça marche aussi pour les humains, commenta le garçon qui frissonna en se remémorant les instants passés dans l'eau.

Bale lui décocha un regard inquisiteur :

— Comment t'en es-tu sorti ?

— Avec l'aide de... d'une coquille de moule, affirma Torak. J'en ai trouvé une assez tranchante pour couper les liens, et... et voilà !

Il soutint le regard de son interlocuteur. Il n'aimait pas l'idée de mentir à Bale. Mais il n'avait pas d'autre solution. Il n'avait pas assez confiance en lui pour lui dire la vérité. S'il voulait que Loup et Renn fussent tranquilles, il devait taire leur présence.

— Alors, vous me croyez ou pas, maintenant ? reprit-il. Une créature malfaisante est sur l'île. Elle y apporte la maladie. Nous devons aider Tenris à concocter l'antidote.

Bale se passa un pouce sur la lèvre inférieure. Puis il déclara :

— D'accord. J'admets que j'avais tort. Tu as probablement dit la vérité. Au moins en partie.

Torak se sentit soulagé. Cependant, Bale n'avait pas fini :

— Il y a juste une chose que j'aimerais comprendre. Pourquoi quelqu'un a-t-il voulu *te* piéger ? Pourquoi toi – et pas notre Mage, par exemple ? Qui es-tu ?

— Je... j'ignore ce que cette créature me veut.

— Tu en es sûr et certain ?

Torak acquiesça.

— Mais vous ne m'avez pas dit ce que vous disiez à propos des Cormorans..., fit-il remarquer.

Asrif et Bale s'entreregardèrent. Ce dernier se décida à parler :

— Dans le détroit qui sépare leur île de la nôtre, des Cormorans ont été attaqués pendant qu'ils pêchaient.

— Attaqués ? Par quoi ?

— Par un Chasseur, compléta Asrif. Un Chasseur solitaire. Avec un aileron déchiqueté.

Torak se rappela les ailerons noirs tournoyant dans l'eau, sous un ciel rempli d'oiseaux de mer. Et cet aileron déchiqueté qu'il avait aperçu. Et cette terreur des capelans qu'il avait partagée quand il était entravé par le filet.

— Ça n'arrive presque jamais, souligna Bale. Un Chasseur ne quitte pas les siens. Sauf les mâles pour se reproduire, mais ça ne se passe qu'en hiver. Et, d'après ce que les Cormorans nous ont dit, celui-ci n'était pas du tout en quête d'une femelle.

— Il a tué des pêcheurs ? s'inquiéta Torak.

— Non. Il a détruit trois canoës. Puis il a disparu. Le Mage des Cormorans pense qu'il les a laissés en vie parce que ce n'est pas eux que le Chasseur voulait tuer.

— Peut-être cherchait-il un gamin de la Forêt..., insinua Asrif.

— Pourquoi ? rétorqua l'intéressé. Parce que j'ai voulu pêcher dans la Mer ?

— Laisse-le tranquille, Asrif ! trancha Bale.

Il planta ses yeux dans ceux de Torak :

— Tenris pense que c'est plus grave que ça. Beaucoup plus grave. Et que, si tu avais commis quelque chose de grave, il vaudrait mieux que nous soyons au courant...

— Je n'ai rien commis de grave.

— Si c'était le cas, précisa Asrif, tu n'arriverais pas vivant aux Hauteurs de l'Aigle. Es-tu toujours décidé à venir ?

— Évidemment ! prétendit-il.

Mais il voyait les vagues noires qui se brisaient sur les rochers. Et il n'était plus sûr de vouloir partir. Peut-être avait-il commis quelque chose de grave, en effet. Un crime dont il n'avait pas même conscience.

— Si nous sommes purs, nous ne devrions pas avoir de problèmes, conclut Bale. Nous longerons la côte sans dépasser les récifs. Par mesure de précaution, Tenris est en train de nous préparer des sortilèges de protection pour nos bateaux.

Il fit un geste qui désignait le campement.

— Va manger un morceau, lança-t-il. Nous partons bientôt.

Il prit la direction du campement des Phoques avec Asrif. Torak suivait, quelques pas en retrait. Derechef, il avait l'impression de se retrouver dans l'eau. Les capelans fuyaient. Et Loup l'avertissait. Lui parlait de l'ombre. « Chassé. »

Chassé... ou chasseur ? Qu'avait dit Loup exactement ? Et qu'avait-il *voulu* dire ?

VINGT-CINQ

Après le départ de Torak, Renn resta longtemps assise devant le feu. Elle se repassait leur discussion dans sa tête. Et le rêve que Torak avait fait. Elle aurait dû lui poser davantage de questions.

Les rêves, Renn connaissait. Il arrivait que les siens devinssent réalité. Quand elle était petite, cela l'effrayait. Pour dissiper la peur de sa fille adoptive, Fin-Kedinn avait demandé à Saeunn de lui parler des rêves. La Mage des Corbeaux lui avait dévoilé leur sens caché.

« Les rêves ne signifient pas forcément ce qu'ils semblent vouloir signifier, avait-elle expliqué. Il faut les regarder de biais. Comme si tu cherchais à repérer une piste déjà effacée. »

« Ombre. Chassé. »

Cela avait-il un rapport avec la maladie ? Ou avec le tokoroth ? Ou, plus simplement, s'agissait-il de l'ombre du Chasseur que Torak avait évoqué ?

À cette idée, la jeune fille frissonna. Pendant le voyage en canoë, les membres du clan de l'Orfraie étaient restés sur le qui-vive. On racontait qu'un Chasseur solitaire hantait la Mer. Un Chasseur en colère. Elle aurait dû en parler à Torak. Mais ils avaient eu si peu de temps pour échanger quelques mots...

Le vent agita les branches des sorbiers alentour. La main de Renn se crispa sur la garde de son couteau. L'aube était chaude. Douce. Les arbres gémissaient faiblement. Çà et là se dressaient des ombres. Des silhouettes menaçantes. Des rochers, sans doute. À moins qu'il ne s'agît de tokoroths...

La jeune fille sauta sur ses pieds. Ça ne servait à rien de rester ici. De jouer à se faire peur. Elle en avait au moins pour une journée de marche avant d'atteindre l'extrémité occidentale de l'île où se dressaient les Hauteurs de l'Aigle. Il valait mieux partir immédiatement.

Le fait d'avoir pris une décision rasséréna Renn. Elle éteignit les dernières braises en marchant dessus, et commença de rassembler ses affaires.

Lorsqu'elle releva la tête, elle fut surprise de voir Loup qui l'attendait sur le chemin. Il avait su qu'elle s'apprêtait à partir avant même qu'elle n'en eût pris conscience.

Ce n'était pas la première fois. Torak appelait ça l'« intuition du loup ». En général, Renn trouvait ce phénomène étonnant. À cet instant précis, elle trouvait plutôt cela troublant, voire inquiétant. L'intuition de Loup lui rappelait que certains mystères de l'animal lui demeureraient inaccessibles. Et penser que, quelque part sur cette colline ventée, l'attendait une créature encore plus mystérieuse et, pour le coup, malveillante ; bref, être guettée par un tokoroth, il y avait franchement des idées plus rassurantes.

Renn endossa son sac. S'avança sur le chemin qui sinuait entre les arbustes, Loup sur ses talons. L'animal s'arrêtait de temps à autre pour humer l'air. La queue basse, les poils aplatis, il restait vigilant mais ne montrait aucun signe d'inquiétude. Aussi les craintes de la jeune fille diminuèrent-elles. Et Renn laissa son esprit vagabonder.

« Il s'est passé quelque chose d'étrange, avait dit Torak. Je me suis senti sortir de mon corps... J'ai eu l'impression d'être un poisson. »

C'était encore plus intrigant qu'un tokoroth. Le garçon aussi avait été troublé.

Soudain, la jeune fille se figea.

« J'ai eu l'impression d'être un poisson... »

Oui ! Elle était sûre que l'expression lui rappelait un souvenir qui... que... Oh, c'était trop rageant ! Elle savait que ce souvenir avait un rapport avec la maladie – oui, c'est ça ! Mais dès qu'elle voulait approcher de ce souvenir, il disparaissait de la surface de sa conscience et disparaissait dans les profondeurs inaccessibles de l'oubli.

— Wouf ! aboya Loup.

Renn sursauta.

Tout près, un canoë glissait sur l'eau.

La lumière était encore trop faible pour qu'on pût distinguer ceux qui le conduisaient. Un homme, en tout cas. Ou un garçon. Avec une longue chevelure lisse typique des membres du clan du Phoque. Il pagayait vers l'est, dans un silence absolu. Ou presque. De temps en temps, la jeune fille percevait le bruit de la pagaie fendant la surface de l'eau.

L'homme (ou le garçon) était aux aguets. Bien qu'elle fût à quarante pas de lui, Renn retint son souffle jusqu'à ce que l'inconnu eût atteint l'extrémité du lac et fût sorti de l'eau.

Le lac prenait fin sous la forme d'une cascade qui tombait dans un ravin et dont les eaux se dirigeaient vers la baie des Phoques. Le ravin était trop escarpé pour qu'on y grimpât ; quant à la cascade, son débit était trop rapide pour qu'on pût y naviguer. Bref, que comptait faire l'inconnu au canoë ? La seule façon d'atteindre la baie consistait à passer par la petite plage claire – Tiu le lui avait affirmé.

La jeune fille observa le nouveau venu. Il tira son bateau sur la rive. Le masqua derrière un bosquet de bouleaux. Puis disparut à son tour derrière les arbres. En direction de la petite plage claire. Cela signifiait qu'il s'agissait d'un membre du clan du Phoque. Ou alors d'un fin connaisseur de l'île...

Renn hésita. Le suivrait-elle ? C'était sa première impulsion. Elle était curieuse de découvrir qui était l'inconnu, et ce qu'il trafiquait dans les parages. En même temps, elle devait partir pour rejoindre Torak. Sinon, elle n'atteindrait jamais les Hauteurs de l'Aigle à temps.

Cette réflexion la décida. Elle n'avait pas le moins du monde confiance dans les Phoques. Elle ne pouvait pas laisser Torak se rendre seul dans ces contrées hostiles. Elle allait se diriger vers l'ouest. Peut-être que, en chemin, à mesure que le jour se lèverait, elle repérerait les traces de l'inconnu et, ainsi, comprendrait ce qu'il manigançait.

Elle se leva et constata que Loup était déjà parti sans un bruit, ainsi que les loups savent se déplacer. Il était probablement parti chasser, comme d'habitude. Mais Renn aurait préféré qu'il fût avec elle.

Elle toucha son talisman de plumes pour se sentir protégée ; puis, aussi discrètement que possible, elle prit la direction de l'ouest.

VINGT-SIX

Loup était inquiet.

En s'approchant de la Tanière des Sans Queue à la fourrure pâle, il avait à peine senti les campagnols filer de l'autre côté de l'Eau Calme, et la femelle s'avancer à travers les buissons. Il la rejoindrait plus tard. Dès qu'il serait sûr que son frère de meute allait bien... et qu'il aurait trouvé de quoi se nourrir.

La femelle avait été généreuse en partageant ses proies avec lui. Cependant, elle lui avait à peine donné de quoi remplir le creux d'une dent. Il aurait dévoré avec joie un chevreuil, du plumet de la queue au bout du museau. Hélas, dans cet étrange territoire qu'aucun coussinet de loup n'avait foulé jusqu'alors, pas un chevreuil ne courait. Pas un cheval. Pas un cerf. Quant aux oiseaux à poissons, il valait mieux les laisser tranquilles, sous peine d'être couvert de fiente.

Loup essaya de ne plus penser à la faim qui faisait gronder son ventre. Il courut vers les promontoires. Les odeurs montaient de la vallée, riches, nombreuses, envoûtantes. Puis il descendit la pente de l'autre côté, dépassa ses amis les corbeaux et se dirigea vers les Grandes Eaux. Le sol clair crissait sous ses pattes. L'odeur âcre de l'herbe salée le faisait éternuer. Mais l'odeur de Grand Sans Queue était forte. Loup n'eut aucun mal à le suivre jusqu'à la Tanière.

Restant à l'abri, il dressa les oreilles et renifla. Grand Sans Queue était trop loin pour que Loup le vît. Toutefois, son odeur et sa voix étaient reconnaissables.

Invisible aux regards des Sans Queue, Loup prenait de grandes inspirations. Ainsi, il parvint à distinguer les différentes odeurs. Il s'ébroua tant ce qu'il découvrit l'énerva. L'un des Sans Queue à peau pâle parlait comme s'il avait été un ami ; pourtant, il masquait une faim terrible. Grand Sans Queue aussi ne disait pas tout. Pas même à son propre frère de meute.

Loup en était là de ses observations lorsqu'il entendit un hurlement dans le lointain – si loin que le cri était à peine perceptible. Le cri vibrait à l'instar d'un hurlement de loup ; toutefois, ça n'en était pas un. Entre les hurlements, Loup percevait de grands bruits secs suivis de couinements suraigus.

Loup avait déjà entendu ces hurlements lors de son horrible voyage en peau flottante. Et apparut la Lumière. Elle émergeait des Grandes Eaux et provenait de ce grand poisson noir qui chassait en meute, à l'instar des loups.

262

Le cri que Loup percevait était donc celui du grand poisson solitaire. Celui qui avait abandonné sa meute. Il errait en solitaire dans les Grandes Eaux, ruminant sa rage et sa tristesse. Loup rabattit ses oreilles, craintif. Il mit sa queue entre ses jambes. Contre ce monstre, il savait qu'il ne faisait pas plus le poids que ne l'aurait fait un tout petit louveteau encore aveugle.

Loup savait aussi qu'en revanche Grand Sans Queue, lui, faisait le poids. Pourtant, étrangement, Grand Sans Queue ne semblait pas en avoir conscience.

Loup l'avait compris – non sans étonnement – quand il s'était allongé près de son frère de meute, à côté du Monstre à la Morsure Brûlante.

Son frère de meute ignorait qui il était.

VINGT-SEPT

— J'ai dit à Bale que tu ne transporterais pas de bagage dans ton canoë, annonça Tenris.

— Pourquoi ? s'étonna Torak.

— Tu vas avoir besoin de toutes tes forces pour ne pas te faire distancer.

Le Mage du clan du Phoque jeta un coup d'œil surpris au garçon :

— Tu as l'air fatigué. Tu n'as pas dormi ?

— Non.

Torak hésita. Il aurait aimé parler à Tenris du filet et du tokoroth. Pas le moment. Bale et Asrif étaient déjà en train de charger leurs embarcations.

Il faisait chaud. La Mer était parfaitement calme. Pourtant, Torak pensait à la terreur des capelans et aux ailerons noirs fendant les vagues.

Le Mage lut dans ses pensées et déclara :

— J'ai jeté un sortilège de dissimulation sur ton canoë. Le Chasseur ne saura pas que tu es sur l'eau.

— J'aurais préféré que vous veniez avec nous, avoua le garçon.

— J'aurais aimé venir, moi aussi, dit Tenris. Mais... c'est impossible. Alors, prends soin de toi.

De sa main valide, il toucha le garçon. Puis il s'éloigna sur la plage.

Detlan approcha, une parka en peau de phoque à la main.

— Tiens, lança-t-il, tu vas en avoir besoin.

— Merci, répondit Torak en l'enfilant par-dessus son gilet.

La peau de phoque était raide. Elle le serrait à la gorge et aux poignets. Du moins le tiendrait-elle au sec.

— J'ai ça aussi pour toi, ajouta Detlan.

— C'est quoi ? s'enquit le garçon.

— De la viande de requin séché. Surtout, ne la mange pas.

Torak prit le cadeau, le glissa dans son gilet et demanda :

— Alors, pourquoi tu me la donnes ?

— Il ne faut jamais partir sur la Mer sans nourriture. Comme ça, si tu vas au fond, tu n'arriveras pas les mains vides.

Sur la rive, la plupart des Phoques qui n'avaient pas encore embarqué pour rejoindre les Cormorans étaient venus assister à leur départ.

La petite sœur de Detlan avait les yeux pleins de larmes. Elle était assez âgée pour se souvenir de la dernière épidémie. À présent, la panique la poussait à vérifier les mains de tous ceux qu'elle croisait. Elle craignait d'y relever les signes de la maladie ; mais, à force, elle devenait pénible.

La mère d'Asrif lui dispensait pour la énième fois ses recommandations.

Le père de Bale donna quelque chose à son fils et lui sourit.

Torak, lui, n'avait personne à qui dire adieu. Toutefois, il pensa à Loup et à Renn, et il se sentit mieux.

— C'est une amulette ? demanda-t-il à Bale quand ils se croisèrent.

Le grand Phoque acquiesça :

— C'est un os tiré de la côte du premier phoque que j'ai capturé. P'pa l'a enveloppée dans un gosier de cormoran pour que le charme me ramène sur le rivage s'il y a une tempête. Et toi, tu as une amulette ?

— Non. Mais quand j'étais dans la Forêt, j'avais le couteau de mon père et la bourse médicinale de ma mère.

— Ah...

Soudain, Bale se mit à courir vers les abris du clan. Il revint peu après et tendit à Torak un paquet enveloppé dans du cuir.

— Tes amulettes, commenta-t-il. Tenris est d'accord.

Dans le paquet se trouvaient le couteau, la bourse et la corne en ramure. Lorsque le garçon leva la tête pour remercier Bale, celui-ci s'était déjà éloigné.

Les garçons dérapèrent sans plus de cérémonie. Au début, Torak eut du mal à trouver son équilibre. Néanmoins, il finit par être assez sûr de lui pour se retourner.

Tenris était debout sous l'arche en cétacé. Il les regardait s'éloigner et donnait l'impression d'être avalé par la créature.

Les garçons mirent cap à l'ouest et progressèrent à vive allure. Mouettes et albatros les accompagnaient. Une brise légère se leva. La surface de la Mer frémit et se fripa, prenant les allures d'un visage de vieille femme.

— Elle est en paix, affirma Detlan en se mettant à la hauteur de Torak.

Le garçon n'en était pas convaincu. En fait, malgré le sortilège de Tenris, il avait peur et ne cessait de scruter l'eau. À tout instant, il s'attendait à voir émerger un aileron noir. Dès qu'un poisson frôlait son bateau ou qu'une mouette voletait près de lui, il sursautait. L'Aileron Déchiqueté pouvait être n'importe où. Partout. Voire sous son canoë. Et Torak n'en savait rien.

Toute la matinée, ils pagayèrent. Toute la matinée, le soleil brilla dans un ciel sans nuages. Torak était étonné de tenir le rythme des Phoques. Cependant, il eut rapidement l'impression d'être engourdi par la monotonie des coups de rame.

C'est alors qu'il la vit – une petite forme sombre qui grandissait et filait droit sur lui.

Un coup de pagaie, et son canoë tangua dangereusement. Il voulut crier. Le son lui resta dans la gorge.

Une tête grise dégoulinante émergea juste à côté de sa pagaie et s'agita, envoyant valser les gouttelettes qui alourdissaient ses moustaches. Puis le phoque bâilla, révélant une rangée de dents très acérées, et, curieux, darda sur Torak un regard intéressé.

Le garçon expira à fond, rassuré.

Le phoque souffla aussi, les narines écarquillées. Sa fourrure grise était semée de petites taches sombres.

Voilà pourquoi il était si téméraire : il savait qu'il ne risquait rien, dans ces eaux. Aucun membre du clan du Phoque ne l'aurait chassé.

— C'est le gardien ! s'exclama Bale, un sourire jusqu'aux oreilles. Maintenant, je suis sûr que tout va bien se passer !

Il s'approcha de l'animal, qui l'observa en flottant paresseusement sur son dos, sa queue sur le ventre. Puis, après un « wouf » discret, ce dernier ferma ses narines et disparut sous les vagues.

Fut-ce grâce à la présence du gardien ? Toujours est-il qu'Aileron Déchiqueté n'apparut pas, que les vents leur furent favorables et que, après avoir progressé à une vitesse plus que convenable, les voyageurs purent s'arrêter dans une baie pour se reposer, en milieu d'après-midi.

On était à marée basse. Le sable était jonché d'algues et couvert d'empreintes d'huîtriers – des oiseaux que certains membres du clan du Phoque appelaient aussi « pies de mer ».

Bale et Asrif firent un feu. Puis ils allèrent remplir leurs gourdes tandis que Detlan montrait à Torak comment ramasser des crustacés. Ensemble, ils en collectèrent un bon tas qu'ils déposèrent sur les braises pour les faire cuire. Torak leur trouva un peu meilleur goût que lors de son premier essai. Sans doute commençait-il à s'y habituer.

Le repas s'accompagna d'algues croquantes qu'Asrif avait sélectionnées. Elles avaient le goût écœurant d'une glace salée. Torak se força à en grignoter quelques-unes pour imiter ses compagnons ; mais il préférait de loin les racines cuites de guimauve, d'où suintait une sève sucrée.

Le repas se passa en silence. Personne ne parlait. « Normal », pensa Torak. Comment aurait-il pu se sentir à l'aise avec des garçons qui l'avaient traqué, capturé et humilié quatre jours auparavant ?

Ils reprirent la route. Pagayèrent toute l'après-midi. Les bras et les cuisses de Torak devinrent douloureux. Il était assommé de fatigue. Plus d'une fois, il faillit lâcher sa pagaie, ne se réveillant qu'au moment où ses doigts s'ouvraient, prêts à abandonner la rame. Mais il n'en était pas question : les trois Phoques poursuivaient leur route sans faiblir, leurs longues chevelures lisses volant au vent.

Torak perdit espoir de jamais s'arrêter. Il avait l'impression de vivre un cauchemar. Cependant, il finit par entendre des cris d'oiseau, au loin. Les yeux plissés pour voir en dépit du soleil éblouissant, il aperçut un récif émergeant de la Mer, pareil à un aileron de Chasseur. À l'extrémité du sommet, il apercevait quelques silhouettes qui tournoyaient dans le ciel.

« Des aigles », pensa-t-il.

— Vous êtes déjà allés là-haut ? demanda Torak en se tordant le cou pour mieux voir les Hauteurs.

— Ouais, lâcha Asrif en haussant les épaules.

Il avait pris un ton dégagé, mais son visage avait blêmi.

— T'y es allé une seule fois, et encore, t'es pas monté jusqu'en haut, précisa Bale.

Les garçons étaient juste au pied des Hauteurs sur une étroite bande de rochers qui longeait les récifs puis s'avançait vers la Mer à la manière d'une immense serre. C'est sur cette serre qu'ils avaient laissé leurs embarcations. Comme ça, « si quelqu'un tombe, il ne s'écrasera pas sur les bateaux ».

270

Jamais Torak n'avait vu plus haut récif que ces Hauteurs de l'Aigle. Des hivers rigoureux avaient comme scarifié la roche à force de coups de gel. Les flancs du sommet étaient rouge sombre – on aurait dit de la chair de requin crue – et parsemés de fientes d'oiseaux. La puanteur avait pris Torak à la gorge et lui donnait mal à la tête.

Dire qu'il avait cru que les falaises de la baie des Phoques étaient désertes ! Ici, pas moyen de glisser une plume entre les cormorans massés sur les premières strates. Des hordes d'albatros leur disputaient une place à grands cris. Mouettes et goélands tentaient de se poser... sans toujours y parvenir. Et tout là-haut planaient les aigles.

— Certaines de ces aires sont occupées par des aigles depuis des siècles, expliqua Bale. Et certains rapaces ont plus de cinquante ans.

En dépit de la cacophonie ambiante, il parlait doucement. Torak comprenait pourquoi. Pas seulement à cause des aigles, dont ils devaient se méfier. Les Hauteurs elles-mêmes étaient vivantes. Et réveillées. Prêtes à s'ébrouer pour désarçonner le gêneur si elles le souhaitaient. Aux pieds des garçons, un tapis de graviers ne signifiait qu'une chose : attention, chute de pierres possible.

Toutefois, à en croire Bale, les membres du clan du Phoque grimpaient parfois sur les Hauteurs. Par exemple quand les œufs devenaient rares autour de leur campement. Ce qui expliquait la présence de pitons plantés dans la pierre sur toute la partie inférieure du récif, jusqu'à un premier palier situé à des hauteurs vertigineuses.

C'était leur objectif. Là-bas, ils étaient censés trouver les racines de sélik dont Tenris avait besoin. Pourtant, Torak n'y voyait pousser aucune plante. Le garçon n'avait jamais vu de sélik. Le Mage des Phoques lui en avait fait la description : il s'agissait d'une plante d'une main de haut, aux feuilles d'un pourpre sombre. Les racines elles-mêmes étaient recourbées, « comme les talons d'un aigle », avait précisé Tenris.

— Qui a mis ces pitons ? demanda Torak tout en massant son cou douloureux.

— Le grand-père de mon grand-père, lui répondit Bale. Enfin, pour les plus anciens. Nous devons les remplacer au fur et à mesure que le rocher bouge.

— Et nous évitons en général de monter jusqu'aux aires où nichent les aigles, précisa Asrif.

— Sans compter que ce n'est pas un bon moment pour s'y risquer, renchérit Detlan. Ils sont en pleine période de nidification. Ils pourront penser qu'on en veut à leurs œufs.

— Il n'y a plus qu'à espérer qu'ils comprendront que non, déclara Bale en tirant de sa ceinture une sorte de champignon grisâtre.

Le grand garçon brisa le pédoncule en quatre et tendit un morceau à chacun.

— Qu'est-ce que c'est ? s'informa Torak, tandis que les autres dévoraient le leur.

— Du moût des récifs, lui apprit Bale. Cela atténue la sensation de vertige.

— Je croyais que Tenris avait dit que...

— Oui, Asrif montera tout seul. Mais rien qu'en le regardant en l'air, on peut avoir le vertige aussi bien que si on regardait vers le bas.

Le champignon était amer ; cependant, à peine l'eut-il avalé, Torak se sentit mieux. Il avait les idées plus claires.

Il n'en eut que davantage conscience de son inutilité, lorsqu'il regarda Detlan et Bale aider Asrif à s'équiper de son harnais de varech et vérifier les attaches en bois sur son dos.

— Qu'est-ce que je peux faire ? s'enquit-il.

— Me rattraper si je tombe, suggéra Asrif en lui décochant un rictus.

— Et, en attendant, nous laisser tranquilles, gronda Bale.

Rageur, Torak recula et regarda Bale lancer la corde, qui s'accrocha trente pas plus haut. Asrif fixa l'autre bout dans son dos. Detlan saisit la corde, la tendit, et Asrif commença son ascension, s'aidant de ses bras et de ses jambes.

Quand le garçon arriva près de l'endroit où s'était accrochée la corde, il trouva une anfractuosité où il se cala. Puis il défit la corde et la jeta vers le sol. Torak bondit pour l'éviter quand elle s'écrasa avec un gros bruit. Bale la relança. Plus haut. Bien équilibré, Asrif réussit à attacher la corde à son harnais.

À mesure qu'il progressait, les oiseaux s'envolaient sur son passage et l'accueillaient de cris indignés. Comment osait-il les déranger ?

À plusieurs reprises, il glissa. Seul son harnais lui sauva la vie... avec l'aide des muscles de Detlan.

Pendant ce temps, Torak se maudissait d'être aussi inutile. Asrif montait. Les dernières rampes étaient hors de portée de Bale. Il jeta sa corde lui-même, vers des pitons suffisamment proches pour ne pas risquer de perdre son équilibre. Ce n'était pas le moment : il allait atteindre son but.

Torak suivait sa progression, une main en visière. C'est alors qu'il vit une silhouette sombre et voûtée s'envoler. Elle avait la forme et le plumage typique d'un aigle. Et elle tournoyait en spirale au-dessus d'Asrif.

VINGT-HUIT

Un aigle solitaire tournoyait près du sommet. Renn pensa à Torak, de l'autre côté du récif. Elle hâta le pas.

Le soleil descendait. Cependant, il faisait encore très chaud. La brise qui montait du lac ne rafraîchissait guère la jeune fille, qui marchait sans relâche depuis l'aube. Très vite, Loup l'avait rejointe. Cela l'avait soulagée. Néanmoins, il était si pressé de gagner l'ouest qu'elle avait eu du mal à ne pas se laisser distancer. À cet instant, il était encore loin devant, se contentant de revenir de temps en temps chercher Renn.

Savait-il où se trouvait Torak ? ou suivait-il la piste du navigateur qu'elle avait vu plus tôt sortir du lac ? Pour sa part, elle n'en avait plus repéré de trace. Par contre, elle avait avisé un deuxième canoë caché derrière un bos-

275

quet, en bordure du plan d'eau. L'embarcation était vide. Un bateau de rechange, peut-être. Rien, en tout cas, qui lui apprît ce que l'inconnu était venu tramer dans cette partie reculée de l'île.

« De nos jours, les Phoques ne s'aventurent plus à l'intérieur des terres, lui avait précisé Tiu. Jadis, cela leur arrivait. Depuis quelque temps, ils sont devenus beaucoup plus stricts dans leur séparation entre la Forêt et la Mer.

— Et sur la côte occidentale ? avait demandé Renn.

— Personne n'y vit, avait répondu Tiu. Elle appartient aux aigles. Tu verras de loin l'endroit où ils construisent leurs nids : c'est un grand pic rouge qui ressemble à un aileron de Chasseur. »

C'est à la mi-journée que Renn avait aperçu le récif pour la première fois. À présent, le lac était derrière elle. Et elle était juste au pied du pic rouge.

Sur cette face-ci, pas moyen d'escalader le mont. La paroi était trop lisse. Même un roncier n'aurait pu s'y fixer. À la gauche de Renn, toutefois, sinuant entre des sorbiers efflanqués, un sentier paraissait se diriger vers le flanc sud de la montagne, donc vers la Mer. Utile pour retrouver Torak.

Pourtant, cette solution n'intéressait pas Loup. L'animal voulait aller au nord. Il avait disparu derrière un bosquet de bouleaux avant de réapparaître subitement, impatient qu'elle le suivît. Il ne semblait pas inquiet. Simplement excité. La jeune fille décida de le suivre.

Elle franchit un buisson touffu. Et elle se retrouva sur un sentier qui grimpait fortement. Son ascension relevait moins de la marche que de l'escalade. Bientôt, Renn fut essoufflée et écorchée. Elle n'en fut que plus soulagée d'arriver sur un promontoire venté juste au-dessus de la plage où luisait un sable noir.

Au nord de la plage se dressait un récif abrupt tombé droit dans la Mer, laissant autour de lui un monticule de roches. Au-dessus, une nuée d'oiseaux hurlait et voletait autour de quelque chose qui semblait mort. Et gros.

« Une charogne, pensa Renn en avisant Loup qui filait droit sur la plage. Pas étonnant qu'il soit aussi excité ! Maintenant, il va pouvoir manger à sa faim... »

Au point où elle en était, elle décida d'aller voir elle aussi ce dont il s'agissait.

Le vent changea, lui apportant une épouvantable bouffée de chair en putréfaction. Quand la jeune fille fut descendue sur la plage dont le sable avait la couleur du charbon, elle vit Loup à l'autre extrémité. L'animal faisait fuir les oiseaux. Corbeaux et mouettes tentèrent une contre-attaque. En vain : quelques coups de patte et de dents leur apprirent le respect. Les corneilles, plus prudentes, prirent place sur des rocs en attendant leur tour.

C'est alors que Renn repéra les empreintes qui les avaient précédés, Loup et elle. Celles d'un homme qui marchait (elles n'étaient ni assez éloignées les unes des autres, ni assez profondes pour être les empreintes d'un homme qui courait). Quoi qu'il fût venu faire ici, une chose était sûre : l'inconnu au canoë n'était pas pressé.

Plus la jeune fille approchait de la charogne, plus la puanteur était forte. Elle devait éviter de respirer par le nez.

Elle avait le soleil dans les yeux, si bien qu'elle ne parvenait pas à distinguer les contours du cadavre que masquaient les rochers. Juste une forme sombre, couverte de fiente, dont Loup arrachait de grands lambeaux de chair sanguinolente.

Il s'éloigna en la voyant venir. Ce qui aurait dû l'inciter à le laisser tranquille. Mais elle ne pensait pas à ça. Elle venait de voir le corps.

« Oh, non, pensa-t-elle. Pas ça... »

Loup leva la tête. Grogna. Gémit. Agita la queue. Il lui disait ainsi qu'il l'aimait bien mais qu'elle était trop proche de *sa* nourriture.

Renn recula. Elle en avait assez vu.

Le jeune Chasseur avait été piégé dans un filet à phoques, puis tué avec une hache. Ensuite, sa carcasse avait été abandonnée aux oiseaux. Seules ses dents avaient été enlevées.

Renn tomba à genoux, le cœur au bord des lèvres. Elle gardait les yeux sur le petit aileron noir couvert de marques de bec. Qui avait bien pu commettre un tel crime ?

À cet instant, elle se rappela l'histoire du Chasseur solitaire contre lequel les pêcheurs du clan du Varech mettaient en garde.

« Pas étonnant qu'il soit en colère », songea-t-elle en frissonnant.

VINGT-NEUF

Sur les Hauteurs, Asrif était en danger de mort.

Il avait atteint un replat situé juste sous le nid de l'aigle. Mais son harnais s'était pris à un rocher, et il n'arrivait pas à se dégager.

— Pourquoi il ne coupe pas ce qui le retient ? s'étonna Torak, la tête en arrière.

— Parce qu'il tient à son harnais, tiens ! rétorqua Bale.

— Oui, mais s'il reste attaché..., commença Torak.

— ... il ne pourra pas redescendre, compléta Bale d'une voix tranchante. Tu vas rire, on y avait déjà pensé.

— Ce que je voulais dire, c'est que je pourrais aller l'aider.

— HEIN ? s'exclamèrent en chœur Detlan et Bale.

— Il suffirait que j'atteigne ces pitons, là, sur le côté...

— « Il suffirait » ! répéta Bale sur un ton ironique.

— Il y a un harnais supplémentaire, répliqua Torak. Et il reste une corde. Je suis plus léger qu'Asrif. J'ai vu comment il a procédé. C'est jouable.

— Tu... tu ferais ça ?

Le garçon haussa les épaules :

— Il nous faut cette racine de sélik. Et à moins que tu n'aies une autre idée...

Au début, l'ascension fut facile.

Torak avait attaché son harnais aux épaules et à la taille. Le crochet au bout de la corde était bien fixé au gros arceau en bois d'épicéa. Tout cela semblait très solide.

Detlan tendait toujours la corde d'Asrif. Bale s'occupa de celle de Torak.

— Ne regarde pas en bas, lui conseilla-t-il. Et ne regarde pas trop haut non plus. Sinon, tu es bon pour un sacré vertige.

Ce fut pourtant ce que fit Torak, par pur réflexe. En attendant que Bale eût lancé sa corde, il jeta un œil vers Asrif. Le garçon était si haut... presque inaccessible... Et juste au-dessus, des broussailles apparaissaient par-delà la paroi. Le nid des aigles. Mais où étaient les rapaces ? Qu'était devenu celui qu'il avait aperçu tournoyer dans le ciel ?

Quand enfin tout fut prêt, il sentit que la corde se tendait dans son dos. C'était le signal : Bale était prêt. Torak pouvait y aller.

Les pitons étaient pratiques, et cependant trop espacés pour lui. À deux reprises, il glissa et ne dut la vie sauve qu'à son harnais.

280

La chaleur intense se réverbérait sur la roche. Avant de se lancer dans l'ascension, le garçon avait ôté sa parka en peau de phoque. Heureusement ! Toutefois, il n'avait pas fait deux mètres qu'il était déjà trempé de sueur. Chaque anfractuosité, couverte de guano, était glissante. Sous le soleil, ces fientes dégageaient une puanteur qui montait aux narines et piquait les yeux.

Relancer la corde se révéla beaucoup plus difficile que Torak ne l'avait cru en voyant procéder Asrif. Mais il parvint à l'accrocher au piton suivant après plusieurs tentatives. Sentir contre lui le couteau de son père le rassurait – le poids de sa bourse médicinale et de la corne de sa mère aussi.

Çà et là, il passait devant des touffes incongrues de plantes roses qui frissonnaient dans la brise. Un petit albatros l'observa avec curiosité. La plupart des oiseaux s'enfuyaient à son approche. Néanmoins, certains tentaient de le chasser. Des coulis et des guillemots fonçaient sur lui en criant et ne déviaient leur course qu'au dernier moment. Une fiente odorante de fulmar rata de peu son visage lorsqu'il passa près d'un nid où pépiaient des petits.

Malgré tout, Torak progressait. Et son ascension semblait sans fin... jusqu'à ce qu'il se retrouvât à la hauteur d'Asrif.

Le Phoque était sur sa gauche, à genoux. Presque à portée de main. Tournant le dos à Torak. Accroché à la pointe d'un rocher déchiqueté. Seul, il n'aurait eu aucune chance de s'en sortir.

— Salut ! lança-t-il en glissant un regard derrière lui. C'est sympa d'être passé...

Sa voix tremblait. Il avait le visage rouge. De fatigue, ou de honte de s'être laissé piéger ? Difficile à déterminer.

— Je crois que je peux t'aider, affirma Torak.

Prudemment, il commença de glisser de biais le long d'une anfractuosité.

— Attention aux aigles ! dit Asrif.

Torak leva les yeux. Et faillit tomber à la renverse en découvrant, juste au-dessus de lui, l'aire des aigles qui lui barrait la vue. C'était un énorme enchevêtrement de branches de lichen séchées. Un abri au moins aussi vaste qu'une cabane des Corbeaux, d'où émergeait sporadiquement un « tchip, tchip ». Les petits étaient là. Pas les parents.

— Ils sont où ? demanda Torak.

— Ils tournoient un peu plus haut. Ils savent que je ne suis pas un danger. Mais toi... ils vont se méfier.

Torak se raidit. Jeta un coup d'œil au replat qu'il venait de quitter. Sa corde était bien accrochée au dernier piton. Juste au-dessus. Aucun risque : au premier faux pas, il serait retenu par son harnais. Si la corde tenait bon. Si l'arceau ne cassait pas. Si le piton était assez solide.

« Si... Si... Si... », pensa-t-il, agacé par sa propre peur.

Et il avança.

Pas loin. Même en tirant au maximum sur la corde, il ne pouvait pas atteindre le harnais d'Asrif. Sa corde le retenait. Il tira dessus. Le signal convenu avec Bale pour qu'il donnât du mou. En vain.

— Il n'a plus de lest à lâcher, commenta Asrif. Tu es au bout de la corde.

Torak risqua un coup d'œil vers le bas. Le vertige le prit. Il eut cependant le temps de voir, minuscule, Bale secouer la tête.

Il comprit qu'il n'avait pas d'autre option que d'ôter le crochet qui retenait son harnais. Ce qu'il fit. La corde alla se balancer sur le piton. À présent, un faux pas, et c'était la grande chute. La fin.

— Qu'est-ce que... Qu'est-ce que tu fabriques ? bégaya Asrif.

— Occupe-toi des oiseaux, répondit Torak.

Il étendit la main. Et, cette fois, il toucha le harnais d'Asrif.

Une ombre passa sur le rocher. Une mouette frôla les garçons en poussant son piaulement strident. Asrif la chassa et lui jeta une pierre. Raté. Par contre, l'oiseau ne rata pas sa cible quand il déféqua. Torak sentit une coulée blanche et puante dégringoler sur son visage, rater son œil droit d'un cil et finir sa course... dans sa bouche. Il cracha et faillit vomir.

Dans un sursaut, il parvint à attraper la lanière du harnais d'Asrif. Ses doigts, couverts de fiente, étaient glissants.

— Recule un peu et redresse-toi, souffla-t-il.

Le garçon obéit.

Torak se hissa sur la pointe des pieds et parvint à décrocher le harnais.

Asrif était toujours à quatre pattes sur son promontoire. Bouche bée. Sous le choc.

— Merci, murmura-t-il.

Torak hocha la tête et demanda :

— La racine de sélik... Tu l'as ?

— N... non..

— QUOI ?

— J'ai pas réussi à l'atteindre. Je... J'ai pas pris la bonne voie. J'ai abouti à une impasse. J'aurais dû choisir la voie que tu as prise.

Torak se mordit les lèvres et leva derechef les yeux. Il aperçut sur sa droite une faille qui zigzaguait vers la partie inférieure du nid. Au-dessus, juste à l'ombre des branchages entremêlés, apparaissaient des feuilles pourpre foncé et luisantes. Un plant de sélik.

Il pensa d'abord à retourner se harnacher. À quoi bon ? Il n'aurait pas assez de corde. Il devrait se débrouiller sans filet.

— J'y vais, déclara-t-il.

Torak tremblait. L'effort était violent. Et la peur l'oppressait. Le garçon cherchait des prises pour se hisser vers le plant de sélik. Il avait terriblement chaud. La fatigue l'engourdissait. L'odeur de guano l'étourdissait.

Il tira néanmoins sur ses bras. Tâtonna avec les pieds. Repéra une anfractuosité. S'appuya dessus. Glissa. Réussit à se rattraper *in extremis*. Sous lui, des bouts de rocher se désagrégèrent et filèrent s'écraser plus bas, entraînant d'autres pierres dans leur chute. La mini-avalanche acheva sa course dangereusement près de Detlan et Bale.

Aurait-il dû crier pour les avertir ? Sans doute. Mais c'était trop tard, à présent. Et sans doute l'éperon n'eût-il pas apprécié. À présent, la paroi paraissait assez pressée de se débarrasser de ces intrus.

Une traction plus tard, un bruit le fit sursauter.

— Attention ! souffla Asrif.

Un cri menaçant (« klek ! kleeek ! ») déchira le silence. Une ombre fendit l'air. Torak regarda autour de lui. Un aigle fonçait droit sur lui, serres en avant. L'oi-

284

seau le visait au visage. Et le garçon n'avait pas moyen de l'éviter. Il avait besoin des deux mains pour se retenir à la paroi.

Il s'aplatit contre la roche. Il vit les yeux dorés du rapace, sa langue noire... Il entendit siffler ses ailes à l'envergure plus grande qu'un canoë...

Puis une pierre atteignit l'animal au poitrail. L'agresseur battit en retraite en trompetant de rage.

Torak avisa Asrif, qui avait déjà enclenché un autre caillou dans sa fronde. Où était passé l'aigle ? Torak n'en avait aucune idée. Peut-être avait-il abandonné. C'était improbable. Il était sans doute allé tournoyer dans le ciel pour préparer une autre attaque.

Au-dessus de Torak, la paroi s'élargissait. Ce serait plus facile de grimper. Quand il atteignit le replat, il s'aperçut avec satisfaction que l'endroit était assez large pour lui permettre d'y prendre appui avec son genou droit. Il se pressa contre la pierre que le soleil avait chauffée, se pencha sur sa gauche et dégaina son couteau.

Le ciel s'obscurcit. Des coups d'ailes claquèrent. Des cris d'alerte. À présent, il y avait deux aigles. Le mâle et la femelle. Décidés à défendre leur nid.

— Mais je ne vous veux aucun mal ! s'emporta Torak.

Les aigles n'en eurent cure. Le garçon plongea en avant, son couteau à la main. Il s'attendait à tout moment à être saisi dans le dos et lâché dans le vide.

Par chance, Asrif visait bien, et les aigles ne purent l'approcher. Le récif vibrait de leurs cris.

— Dépêche ! hurla Asrif.

« Qu'est-ce que tu crois ? pensa Torak. Que je lambine exprès pour profiter de la vue ? »

Malheureusement, le plant de sélik avait pris racine à l'abri de morceaux de bois pourris et d'excréments d'aigle. Et il ne voulait pas se laisser prendre par le garçon.

Des flots de sueur ruisselaient sur les flancs de Torak, tandis qu'il creusait le plant avec le couteau en silex de P'pa. Le replat sur lequel il avait pris appui était friable. À mesure qu'il travaillait, des morceaux basculaient dans le vide. Agacé, il saisit le plant et le secoua avec fureur.

— Dépêche ! répéta Asrif. Je vais tomber à court de munitions !

Et enfin le sélik céda.

La racine était petite. Vert pâle. Pas plus grosse que l'auriculaire. Torak n'en revenait pas. C'était *ça*, ce petit bout de verdure insignifiant qui l'avait obligé à prendre tant de risques ? C'était ce rien du tout qui avait une chance de sauver les clans de la maladie du tokoroth ?

— Je l'ai ! lança-t-il à Asrif.

Il cacha le plant dans son gilet. Rengaina son couteau. Redescendit vers l'endroit où il avait abandonné son harnais.

Sous son pied, le replat craqua. Et céda.

Torak se jeta contre la paroi et se cramponna.

— ATTENTION ! glapit-il.

Un morceau de roche presque aussi grand que lui venait de se détacher, dévaler la paroi... et emporter son harnais.

Le garçon regarda, incrédule, son harnais tomber dans le vide avec le rocher. Le projectile manqua de peu d'écraser Asrif avant de rouler, presque nonchalamment, le long de l'éperon, et de tomber à quelques pas seulement de Detlan et Bale.

Le silence se fit.

Plus un oiseau de mer ne criait.

Les seuls bruits : la respiration haletante de Torak et la chute des derniers cailloux.

Au-dessus du garçon, les aigles tournoyaient plus haut dans le ciel. Le danger qui avait menacé leurs petits était écarté.

Asrif leva la tête et croisa le regard de Torak. Qui n'avait plus d'autre choix pour redescendre que de se risquer sur cette paroi abrupte sans harnais. Autant dire qu'il était coincé. Aucune chance d'en sortir vivant.

— Viens vers moi, proposa Asrif.

— Pourquoi ?

— On partagera mon harnais.

— Il ne tiendra pas le coup.

— Faut essayer !

— Non, il casserait. Ce n'est pas la peine de se tuer tous les deux.

Les deux garçons se turent un moment. Puis Torak reprit :

— Prends la racine.

— Non !

— Arrête ! Toi, tu n'auras pas de problèmes pour descendre. Tu l'apporteras à Tenris. Il pourra concocter l'antidote pour tout le monde.

Le cœur serré, Torak ouvrit son gilet. Prit la racine. La laissa tomber. Asrif la prit et la glissa dans sa tunique.

— Et toi ? demanda-t-il. Que comptes-tu faire ?

Torak hésita. Il était surpris. Il n'avait pas envisagé cet aspect de la question. Peut-être était-ce l'effet de l'altitude. Du soleil. Ou peut-être simplement n'avait-il pas réfléchi à ce qu'impliquait cette situation.

La bande rocheuse où se tenaient Bale et Detlan était juste sous lui. Étroite. Proche de la Mer. Toute proche.

Trop proche. S'il sautait... Il risquait de rater la Mer et de s'écraser sur le récif.

— Essaye de redescendre lentement, suggéra Asrif. Tu peux y arriver.

— Tu es sous moi, rétorqua Torak. Detlan et Bale aussi. C'est trop dangereux pour nous tous.

— Mais alors qu'est-ce que...

— Baisse la tête, l'interrompit le garçon.

Et il sauta dans le vide.

TRENTE

Torak tombait. S'enfonçait dans une eau luisante, enveloppé d'un halo verdâtre. N'éprouvait pas la moindre peur. Plutôt un grand soulagement : il n'avait pas heurté les rochers.

Pourtant, après la chaleur de la surface, l'eau était si froide qu'elle oppressait sa poitrine. Le garçon en avait à peine conscience. À présent, il était dans une Forêt.

Des buissons de varech constellé d'or et de taches de soleil oscillaient au rythme de la Mer. Les racines des plantes se perdaient dans l'obscurité. Des bancs de capelans argentés fusaient comme des flèches entre les frondaisons qui ondulaient.

C'est alors qu'apparut le gardien du clan du Phoque. Il s'approcha de l'intrus d'un puissant coup de nageoire.

Puis il plongea sous lui pour l'examiner à l'envers. L'animal avait de grands yeux et des moustaches frémissantes. Il avait l'air si drôle et si gentil que Torak faillit éclater de rire.

Il n'y avait pas de quoi. Le courant le faisait dériver dans l'eau glacée. Et, soudain, une douleur aiguë le frappa dans ses entrailles. Pas le temps de se demander ce qui lui arrivait. Ni d'avoir peur. D'ailleurs, la douleur était déjà partie. Torak n'avait plus froid. Au contraire. Il avait délicieusement, merveilleusement chaud. Il ne pesait plus rien. Il était chez lui dans ce monde d'un vert tout doux. Un monde qu'il ne voulait plus quitter. Jamais.

Sauf qu'il avait besoin d'air.

Malgré lui, Torak battit des pieds pour remonter. Il s'éleva en spirale vers la surface dans un tourbillon de bulles argentées. Mais, lorsqu'il émergea, le monde au-dessus de l'eau lui parut si tranchant, si dur, si peu fait pour lui qu'il se dépêcha de retourner se baigner dans la douce lumière verte. Il plongea profondément vers les buissons de varech. Il ignorait qu'il pût s'enfoncer aussi vite.

Quelque chose flottait, tout là-bas. Sa curiosité était piquée. Il s'approcha pour jeter un coup d'œil.

C'était un garçon. Immobile. Inconscient. Balancé par le varech où il s'était pris, au gré des courants. Asrif était-il tombé ? À moins que Detlan... ou Bale...

Non : les longs cheveux ondulés de l'inconnu étaient plus sombres que ceux des Phoques. Et, sur le visage émacié où brillaient deux yeux gris au-dessus de fossettes prononcées, on avait tatoué les marques bleu foncé du clan du Loup.

La terreur frappa Torak.

290

Ce garçon, c'était lui.

Les questions surgirent autour de lui et s'égaillèrent comme des poissons effrayés. Que lui arrivait-il ? Comment pouvait-il se voir ? Était-il mort ? Était-ce pour cela que le gardien était venu le voir : pour l'entraîner sur les chemins du dernier voyage ?

Non, ça ne collait pas : c'était le gardien des Phoques qui lui avait rendu visite. Or, son gardien ne pouvait être qu'un loup puisqu'il était du clan du Loup !

Donc il n'était pas mort. Mais, dans ce cas, qui était ce garçon ? Que se passait-il ?

Il plongea plus près de lui. Puis s'immobilisa en plaçant ses nageoires de devant pour repousser l'eau.

Ses nageoires de devant ?

Oui, c'était bel et bien *ses* nageoires. Aucun doute là-dessus. Il pouvait les ouvrir et les fermer comme des mains. Et, ce faisant, il vit le poil gris et court de sa fourrure s'agiter doucement dans l'eau.

Il roula sur lui-même. Nagea à l'envers, sur le dos. Sidéré, il constata qu'il voyait très loin dans l'obscurité, là où des étoiles de mer aux couleurs pourpres s'enfonçaient. Il entendait aussi les bruits minuscules et tranchants des poissons grignotant le varech, et le cliquetis des pinces de crabes sur les rochers.

Et ce n'était pas tout. Non, plus spectaculaire encore, il *sentait* avec ses moustaches. Elles étaient si fines qu'elles lui permettaient de repérer les chemins qu'empruntaient les moindres poissons pour se diriger dans l'eau. Il sentait aussi les tremblements du varech et l'écho des vagues se brisant contre les rochers.

Il plongea. Essaya de se repérer dans ce maelström d'impressions.

Soudain, il entendit un chant. Lointain. Discret.

C'était un gémissement aigu, suivi d'une tempête de claquements. Un chant de colère et de lamentation qui provenait de la Haute Mer.

Il frissonna de la pointe des moustaches au bout de la queue. Car il avait senti un vaste remous. Une énorme créature approchait avec une rapidité invraisemblable.

Son esprit filait. Savait.

Le Chasseur arrivait.

Derechef, la douleur lui tordit l'estomac.

Et, d'un coup, il redevint Torak. Un garçon gelé, perclus de courbatures, qui avait absolument besoin de respirer. Et vite. Il s'était enfoncé si profondément...

Le gardien passa devant lui, moustaches frémissantes, et s'enfonça dans les profondeurs protectrices de la Mer.

« Le Chasseur arrive... Le Chasseur arrive... »

Dans un dernier effort, Torak se dégagea du varech. Commença de remonter. Il était lent. Si lent. Pourtant, il finit par émerger au milieu des vagues. Toussant. Crachant. Ahanant. Mais vivant.

Il aperçut des rochers hérissés de moules. Par chance, le courant l'avait entraîné près de la serre de pierre qui s'avançait vers la Mer. Peut-être réussirait-il à se hisser dessus avant l'arrivée du Chasseur.

Un coup d'œil lui apprit qu'Asrif avait réussi à descendre la paroi sain et sauf. Le garçon s'agitait en criant. Ce qui eut pour effet de pousser Bale et Detlan à monter dans leurs canoës pour se lancer à sa rescousse.

Comment pouvaient-ils ignorer qu'ils étaient beaucoup plus en danger que lui ? Lui, au moins, avait une chance de sortir de l'eau. Eux, dans leurs canoës, seraient sans défense lorsque la colère du Chasseur exploserait.

— NON ! leur hurla-t-il. Faites demi-tour ! Sortez de l'eau !

Ils ne l'entendirent pas. Ou bien ils pensèrent qu'il les appelait au secours.

Nageant à toute vitesse, il cria de nouveau :

— Sortez de l'eau ! Le Chasseur arrive ! LE CHASSEUR ARRIVE !

Cette fois, Bale l'entendit. Cependant, au lieu de faire demi-tour, il accéléra le mouvement en ouvrant de grands yeux étonnés. Torak comprit pourquoi : autour d'eux, la Mer était calme. Parfaitement, traîtreusement calme. Pas d'Aileron Déchiqueté en vue. Bale avait sans doute saisi ses mots ; mais, ne voyant rien venir, il n'y avait pas cru. Rien ne lui laissait croire que le Chasseur approchait.

Torak insista :

— Va-t'en ! Le Chasseur arrive !

Ce coup-ci fut le bon. Pivotant sur son canoë, Bale avait senti que Torak savait ce qu'il avançait. Il lança à Detlan :

— Alerte ! Demi-tour toute !

Les vagues projetèrent Torak contre la serre de pierre. Il s'accrocha au promontoire visqueux d'algues et se hissa sur la pierre ferme. Juste après, un « FWW-WOU ! » retentit derrière lui. Un geyser d'eau jaillit. Accroché à son rocher, tremblant, le garçon vit un grand poisson noir émerger de la Mer bouillonnante, surplombé par un aileron déchiqueté. Torak était si près de la bête que, au moment où la gueule puissante du monstre passa devant lui, il croisa le regard sombre, furieux, reconnaissable entre mille, du Chasseur.

Le requin ne s'attarda pas. Il fila droit sur les canoës.

Ceux-ci avaient pris la fuite trop tard. Bale, plus prompt, avait presque atteint les rochers. Asrif lui tendait la main et l'encourageait à grands cris. En revanche, Detlan était loin derrière. Aileron Déchiqueté fondait sur lui.

Torak sauta sur ses pieds et courut vers les garçons, manquant de tomber à plusieurs reprises sur les rochers couverts d'algues humides. Le Chasseur était beaucoup plus rapide. Il se ruait sur Detlan. Frappant la surface de sa queue gigantesque, il arqua le dos et, la gueule grand ouverte, il attrapa le fond du canoë, qu'il projeta dans les airs.

Detlan cria. Atterrit sur le bord du rivage. Puis glissa et se retrouva dans l'eau. Asrif et Bale se ruèrent à son secours. Le Chasseur était déjà sur Detlan... quand, au tout dernier moment, il tordit son corps massif, se détourna et disparut au milieu de vagues formidables.

Asrif et Bale sortirent leur ami inanimé de l'eau pour l'allonger sur les rochers.

Le souffle court, tremblant de tous ses membres, Torak observait la Mer. Plus rien qu'une traînée d'écume blanche à l'endroit où était apparu le Chasseur, un instant plus tôt.

Puis, au loin, un aileron déchiqueté apparut.

Que (ou qui) cherchait le Chasseur ? Torak l'ignorait. Cependant, deux choses étaient sûres : un, l'animal ne l'avait pas trouvé ; et deux, il n'était pas près d'abandonner son projet de vengeance.

Asrif était à genoux. Il tentait d'ôter un bouchon de gourde avec ses dents. Bale répandait le contenu d'une bourse médicinale sur un rocher. Les yeux clos, Detlan n'avait pas bougé. Il avait le visage blême. Les lèvres violettes. Mais il respirait.

— Ça va ? demanda Bale à Torak.

Le garçon acquiesça puis se tourna vers Asrif.

— Tu as toujours le plant de sélik ? s'enquit-il.

Asrif toucha son gilet sans parler.

Le canoë de Detlan était déchiré par endroits. Sa jambe aussi avait souffert. Au milieu de la chair sanguinolente, on apercevait l'os du tibia.

— P... pourquoi m'en voulait-il ? souffla-t-il. P... pourquoi moi ?

— Ce n'est pas à toi qu'il en voulait, lui répondit Bale en posant une main sur l'épaule de son ami. Si ç'avait été le cas, tu serais mort à l'heure qu'il est...

— N'empêche que les Cormorans avaient raison, commenta Asrif. Le Chasseur cherche quelqu'un, c'est sûr.

— Mais qui ? insista Bale. Et toi, Torak, au nom de notre Mère la Mer, comment savais-tu qu'il arrivait ?

TRENTE-ET-UN

La nuit était chaude. Poisseuse. Sans le moindre souffle de vent. « Le calme avant la tempête », pensa la jeune fille.

Elle trouva Torak très pâle lorsqu'il s'agenouilla près du blessé.

Cachée derrière des rochers, à trente pas des garçons, elle siffla, imitant le chant du rossignol. Elle avait choisi cet animal car il était typique de la Forêt. On ne risquait pas de l'entendre ici. Aussi Torak serait-il obligé de le reconnaître.

Mais non. Il ne le reconnut pas. Ou ne le remarqua pas. Renn en fut sidérée. Pour qu'il ne réagît pas en entendant un rouge-gorge chanter au milieu des oiseaux de mer, il devait être drôlement secoué.

Renn transpirait à grosses gouttes. Elle avait traversé un rideau de sorbiers et une étendue de pierres pour se placer au pied des récifs. Elle était arrivée à sa cachette juste après l'attaque du Chasseur.

Ni Torak ni les garçons du clan du Phoque ne semblaient savoir pourquoi le monstre des mers avait attaqué. Renn savait, elle. Elle sentait encore la puanteur de la charogne. Elle entendait encore craquer les mâchoires de Loup. L'animal était si avide de nourriture qu'il avait à peine levé les yeux quand la jeune fille avait quitté la plage.

Renn se retrouvait donc seule tandis que le soleil descendait et que le ciel bleu s'assombrissait. Seule derrière les rochers, avec son impatience qui palpitait en elle : elle avait hâte de dévoiler à Torak pourquoi le Chasseur les avait attaqués. Mais elle savait aussi qu'il ne fallait en aucun cas qu'un Phoque la repérât.

C'est alors qu'un autre membre du clan du Phoque arriva en canoë.

L'homme avait le visage atrocement brûlé en partie. Il était vêtu d'un manteau en cuir. Dès qu'il débarqua, il prit la situation en main. Le plus petit des garçons sortit quelque chose de son gilet. L'homme glissa précieusement cette chose dans une bourse nouée autour de son cou. « Sans doute la racine de sélik », déduisit Renn. Ensuite, avec des lambeaux du canoë déchiré, il enveloppa la jambe du blessé et donna des ordres aux autres.

La jeune fille avait été surprise de la joie qui avait illuminé le visage de Torak quand l'homme était apparu. Surprise, oui ; et presque blessée. Un peu jalouse, en vérité.

Cependant, lorsque l'inconnu lui enjoignit d'aller chercher du bois pour faire un feu, Torak obéit aussitôt et se dirigea vers les rochers. Aussitôt, Renn oublia sa jalousie. Peut-être son ami avait-il perçu son signal après tout. Peut-être avait-il feint de ne pas l'entendre par discrétion, attendant une occasion favorable pour la rejoindre sans éveiller les soupçons de ses compagnons.

Sur la berge, Torak ramassa un morceau de bois flotté. Puis il se rapprocha de Renn.

— T'es où ? souffla-t-il.

Il l'avait entendue !

— Derrière les rochers, près des sorbiers, répondit-elle dans un murmure. Par ici... Non, plus loin...

Dès qu'il fut à sa hauteur, elle le saisit par le gilet et l'attira derrière une haie, hors de la vue des autres.

— Pas trop tôt ! lâcha-t-elle. Je t'ai connu plus rapide...

— Où est Loup ? se contenta de demander Torak.

— Dans la crique d'à côté. Il mange. C'est de ça que je voulais te...

— Aide-moi à ramasser du bois, l'interrompit le garçon. Je ne peux pas rentrer les mains vides.

— D'accord... Ça va ?

— Mmm... Et toi ?

— Écoute, je sais pourquoi le Chasseur a attaqué !

Elle lui raconta ce qu'elle avait vu sur la plage.

— Pas étonnant qu'il soit en colère ! commenta-t-elle. Le petit devait être *son* petit. Le type que j'ai aperçu sur le lac l'a piégé. Il lui a coupé les dents, puis il s'est contenté de le laisser pourrir sur place.

— Mais... mais pourquoi quelqu'un commettrait-il un crime aussi abominable ?

— Je l'ignore, avoua Renn. Peut-être prépare-t-il une forme de sortilège très puissant. Il doit falloir une sacrée motivation pour oser affronter ce monstre... lui faire autant de mal... enfreindre une loi des clans en tuant un Chasseur...

— Une vengeance, conclut Torak. Ou une revanche. Je ne vois que ça...

Il semblait aussi triste que furieux.

— Une revanche contre quoi ? s'enquit Renn, étonnée.

— Je ne sais pas... Dans l'eau, il s'est passé des trucs bizarres. C'était tellement... tellement... Je ne... je ne peux pas...

— Torak, tu n'as pas compris le nœud du problème : le tueur du petit Chasseur appartient au clan du Phoque.

Le garçon sursauta :

— Hein ? Qu'est-ce que tu chantes ?

— Il se trame quelque chose de dramatique et de très, très grave. En partie à cause des Phoques. Peut-être même seulement à cause d'eux. Peut-être sont-ils les seuls coupables de la maladie ! Peut-être ont-ils lancé l'épidémie !

— Arrête !

— Pourquoi ? Après tout, ils sont les seuls à ne pas en souffrir... Peut-être avaient-ils besoin des dents pour poursuivre leur forfait...

Torak se recula de quelques pas. Puis secoua la tête, la mine décidée :

— Non. Non, impossible.

— Alors que réponds-tu, si je te fais observer qu'aucun Phoque n'est malade *alors qu'un tokoroth est sur l'île* ?

— Ça n'a rien à voir ! C'est une coïncidence. En tout cas, ça ne suffit pas à prouver qu'ils sont coupables.

— Ah non ?

— Eh non ! Nous ne sommes pas malades, nous ! Et pourtant, nous n'avons pas déclenché l'épidémie...

300

— Très bien. Et le fait qu'ils aient envoyé des garçons
– rien que de jeunes garçons – chercher cette racine si
précieuse, ça ne te paraît pas suspect ? Si les Phoques
t'avaient vraiment cru, s'ils avaient vraiment pensé qu'ils
étaient en danger, s'ils avaient vraiment compté t'aider,
ne crois-tu pas qu'ils auraient envoyé des adultes ?

— Asrif est leur meilleur grimpeur, affirma Torak.

— Et le grand type le meilleur rameur ? Et l'autre, le
blessé, il est quoi ? Leur meilleur blessé ? Mais comment
peux-tu être aussi crédule ? Tu m'exaspères, à la fin !

Le garçon se renfrogna.

— Depuis qu'ils sont au courant de la maladie, dit-il,
Tenris et les siens essayent de nous aider, d'accord ?

— Arrête de...

— Non, arrête *toi* ! Tenris m'a permis d'échapper au
Rocher ! Asrif m'a protégé des aigles ! Detlan et Bale se
sont jetés à l'eau pour me secourir quand le Chasseur a
attaqué ! Et Bale a perdu son frère de la maladie il y a
trois étés, sais-tu ?

— Pourquoi les défends-tu avec autant de...

— Et toi, l'interrompit Torak en l'imitant, pourquoi
les condamnes-tu avec autant de...

— Parce que le type louche que j'ai aperçu sur le lac
était coiffé comme le sont les membres du clan du
Phoque, et parce que ses empreintes montraient clairement que c'est lui, le meurtrier du Chasseur !

— Tous les clans de la Mer arborent la même coif-
fure... ou presque, objecta le garçon. De plus, si tu
connaissais les Phoques au lieu de les critiquer pour le
plaisir, tu saurais qu'ils sont extrêmement silencieux.
L'homme que tu as vu pouvait appartenir à n'importe
quel clan. À celui des Cormorans, à celui de tes amis les
Orfraies...

— ... mais pas à celui de tes amis les Phoques, supposa Renn.

— Ce ne sont pas mes amis, rectifia Torak. Ce sont mes frères de sang.

La jeune fille accusa le coup.

Sans la regarder, le garçon ramassa le bois qu'ils avaient assemblé et lança :

— Bon, là, faut que j'y aille...

— Tu vas y retourner ? Tu n'as donc pas compris que...

— J'ai compris que le Solstice d'été approche, qu'on n'a qu'un jour pour rentrer au campement, et qu'il n'y a donc pas une minute à perdre !

— Vous allez rentrer par la *Mer* ? Alors qu'une tempête se prépare et qu'un Chasseur furieux rôde ?

— Tenris a appliqué un sortilège de dissimulation, et il dit...

— Tu gobes tout ce que dit Tenris, maintenant ?

Torak se mordit les lèvres et ne lui répondit pas.

— Eh bien, vas-y ! lança Renn. Qu'est-ce que tu attends ? Va mettre les clans en danger parce que tu es têtu, borné, obstiné et, par-dessus le marché, assez aveugle pour ne pas voir ce qui se trame et assez sourd pour ne pas entendre ce qu'on t'explique !

Le garçon pivota et s'éloigna en silence.

La nuit était bien avancée quand, sur les récifs, l'agitation des oiseaux devint patente. Beaucoup d'entre eux quittaient leur nid pour se réfugier à l'intérieur de l'île.

Une tempête approchait.

Torak s'était réveillé après un bref somme en rien réparateur. Bientôt, il devrait partir avec Tenris et Bale. Le plan consistait à abandonner Asrif et Detlan sur place. Trois d'entre eux rentreraient au campement à toute vitesse. Avec un peu de chance, ils toucheraient terre avant que la Mer devînt impraticable. Donc à temps pour la nuit du Solstice d'été. Ainsi pourraient-ils préparer en temps et en heure la potion pour combattre la maladie.

De l'autre côté du feu, Detlan dormait grâce à la potion que Tenris lui avait concoctée. Asrif et Bale avaient sombré eux aussi, épuisés. Le Mage était assis près du bûcher. Il tirait de grandes bouffées de sa pipe en crabe.

Torak, encore ensommeillé, se frotta le visage. Il était fatigué, mais il savait qu'il ne dormirait plus. Sa dispute avec Renn l'avait bouleversé, même s'il avait tâché de n'en rien laisser paraître. Ce n'était pas la première fois qu'ils se disputaient. Toutefois, jamais leurs querelles n'avaient été aussi âpres. Le garçon avait l'impression que quelque chose s'était brisé entre eux. Et pas uniquement à cause de ce qu'ils s'étaient dit : aussi à cause de ce qui s'était passé dans l'eau.

Car il avait été un phoque. Il avait entendu des sons que seul un phoque pouvait entendre. Vu des silhouettes que seul un phoque pouvait voir.

Et en même temps, il était redevenu Torak...

Tenris cura sa pipe et la posa sur une pierre. Torak sursauta.

Le Mage lui adressa son demi-sourire habituel. Le garçon voulut le lui rendre. En vain. Des questions trottaient dans sa tête. Pourquoi Tenris avait-il rejoint son trio d'envoyés ? N'avait-il pas affirmé qu'il ne leur serait d'aucune utilité ? Qu'est-ce qui avait pu l'amener à changer d'avis ? Il avait expliqué être venu parce qu'il en avait éprouvé la nécessité. Torak avait d'abord été désarçonné. Puis infiniment soulagé. Voire plus !

Il regarda le Mage qui bourrait sa pipe avec sa main blessée, piochant avec l'autre dans sa réserve de feuilles aromatiques.

— Bale m'a raconté ce qui s'était passé quand tu es sorti de l'eau, dit l'homme.

Il alluma sa bouffarde avec un tison. Tira dessus. Plissa les yeux pour continuer à fixer son interlocuteur à travers la fumée.

— Et si tu me racontais le reste ? proposa-t-il.

— Le reste ? répéta Torak. Quel reste ?

— Comment savais-tu que le Chasseur allait venir ?

Le garçon hésita.

— Je... je suis incapable de l'expliquer, avoua-t-il. Je ne comprends pas comment je l'ai deviné...

— Mais tu en sais plus que ce que tu as dit à Bale, non ? subodora Tenris. Si tu me relatais ce qui t'est arrivé, je serais peut-être à même de t'aider...

Torak posa son menton sur ses genoux et plongea son regard dans la vallée rougeoyante des braises.

— Les phoques..., murmura-t-il. Ils sentent tout avec leurs moustaches... Ils perçoivent le moindre son, la moindre vibration dans l'eau... Rien ne leur échappe...

Du coin de l'œil, il s'aperçut que le Mage s'était tendu.

— J'étais avec le gardien, poursuivit le garçon. Il a entendu... non, senti... la voix du Chasseur... Elle était encore très loin... Et c'est comme ça que j'ai su qu'il arrivait...

Un grand silence suivit ces révélations. Et se prolongea. Au point que Torak releva la tête.

Le Mage était bouche bée. La pipe dans sa main, il n'y pensait plus. Il était en état de choc.

— Qu'est-ce que ça veut dire ? s'enquit le garçon.

La bouffarde glissa des doigts de l'homme et roula dans le feu. Tenris ne fit pas un geste pour la récupérer. Il se leva. Se dirigea vers la berge. Resta ainsi un long moment, dos à Torak.

Quand il revint près du feu, il paraissait avoir pris quelques années. Et, chose étrange, l'excitation semblait l'avoir gagné.

— Raconte-moi tout, exigea-t-il.

Torak inspira à fond, puis se lança.

Ce fut un soulagement. Parler, enfin parler à quelqu'un qui écoute ! Le garçon ne s'était pas rendu compte du poids qu'il portait, du fardeau qu'il traînait depuis qu'il gardait ces événements étranges dans son cœur. Cependant, l'intensité avec laquelle le Mage recevait ses propos était effrayante.

Le silence qui suivit le récit du garçon ne fut pas beaucoup plus rassurant.

Tenris passa une main tremblante sur sa barbe.

— Ça t'était déjà arrivé ? voulut-il savoir.

— Je... je crois...

— Comment ça, tu crois ? siffla le Mage d'une voix soudain tranchante. Ça t'était déjà arrivé ou pas ?

— Eh bien, quand... quand j'étais dans le piège à phoques... Il y avait des capelans qui étaient là et... Ça n'a duré qu'un instant...

— C'est quoi « un instant » ? Sois plus précis !

— Quelques battements de cœur... Je n'en sais rien !

Les yeux gris de son interlocuteur étaient rivés aux siens, comme s'ils avaient tenté de déchiffrer jusqu'à son âme.

— Qu'est-ce que... Qu'est-ce que j'ai fait de mal ? s'inquiéta Torak.

L'homme prit son temps pour répondre :

— Rien... Non, rien...

Il vérifia si les autres garçons dormaient encore et s'approcha de Torak.

— Tu n'as rien fait de mal, dit-il, mais...

Il se tut. Chercha ses mots. Trop longtemps au goût de son interlocuteur, qui s'impatienta :

— Mais quoi ?

— Ah, comment t'expliquer ? souffla Tenris. Par où commencer ?

Il prit un bâton et tisonna le feu. Une gerbe d'étincelles explosa vers les étoiles. Et le Mage se lança :

— Tout, dans ce bas monde, a un esprit. Le chasseur, la proie, la rivière, l'arbre. Certains peuvent parler, d'autres ne peuvent pas. Peu importe. Tous peuvent entendre et penser. Je ne t'apprends rien, je suppose ? Bien. Les trois âmes de chaque créature, l'âme-du-nom, l'âme-du-clan et l'âme-du-monde, ces âmes qui, à elles trois, forment ce que nous appelons l'esprit, ces âmes, donc, s'enracinent dans un corps...

Il s'interrompit, le regard plongé dans le halo rougeoyant des braises.

— Parfois, il arrive que l'âme-du-nom s'échappe du corps, reprit-il. Par exemple quand on est malade. Ou quand on rêve. Mais, en général, elle ne s'éloigne pas beaucoup et elle revient vite.

Il jeta son tisonnier improvisé et avança les mains vers le feu, comme s'il avait voulu dessiner des formes avec la lueur des flammes.

— Cependant, poursuivit le Mage, une fois tous les mille hivers, une créature naît. Et cette créature est très différente de celles que nous avons l'habitude de côtoyer.

Malgré l'haleine brûlante des flammes, Torak commença d'éprouver la morsure du froid.

— Les âmes de cette créature peuvent quitter son corps, annonça Tenris. Et elles peuvent le quitter beaucoup plus longtemps qu'un Mage ne sait le faire lorsqu'il guérit un malade. Oui, les âmes de cette créature peuvent voyager beaucoup, beaucoup plus loin. Et même... Même, elles peuvent entrer dans le corps d'autres créatures. Lorsque cela arrive, la créature voit, entend, sent ce que l'autre corps est censé voir, entendre et sentir. Pourtant, elle ne quitte pas son corps à elle...

L'homme fixa derechef le garçon et déclara :

— Cette créature, on l'appelle... *l'esprit-qui-marche.*

Torak en eut le souffle coupé.

— Non, dit-il. Non, c'est absurde. Pour qu'une âme quitte un corps, il faut que ce corps soit mort ! Si vraiment mes âmes m'avaient quitté, alors mon corps serait mort ! J'aurais été mort ! Voilà, je ne serais plus vivant !

— Non, pas forcément, répliqua Tenris avec une mine compatissante. Car toutes les âmes ne quittent pas le corps. Le Nanuak – autrement dit, l'âme-du-monde – reste toujours sur place. Elle ne quitte pas le corps, elle, pas avant que la mort ne survienne. Seules l'âme-du-nom et l'âme-du-clan marchent.

Le froid, soudain plus vif, fit trembler le garçon. Jamais il n'avait entendu parler d'esprits qui marchaient. Et il ne voulait rien savoir à ce sujet. Ça ne l'intéressait pas. Ça ne le concernait pas. Il n'avait rien à voir avec ces histoires.

Le Mage posa sa main valide sur l'épaule de Torak et le secoua doucement.

— Tu as raison d'avoir peur, dit-il. Il n'est pas plus troublant et moins pénétrable mystère que ces esprits qui marchent. Tout ce que nous savons à leur sujet est passé de Mage en Mage. C'est un savoir maigre, incomplet, déformé de génération en génération. Cependant, nous sommes absolument sûrs et certains que cette « marche de l'esprit » est très difficile et très dangereuse.

« Et très douloureuse », ajouta Torak pour lui-même en repensant à la souffrance qui lui avait tordu l'estomac dans l'eau. Il avait eu l'impression qu'on lui arrachait une part de son corps...

Soudain, une idée le frappa et lui redonna espoir :

— Je ne suis pas un esprit-qui-marche, affirma-t-il. La preuve, quand j'étais dans la Forêt, j'ai été attaqué par un sanglier. Il a failli me tuer. J'étais paniqué. Et mes âmes ne sont pas sorties de mon corps. Je ne me suis pas senti bizarre. Je n'ai pas eu mal. Et je n'ai jamais éprouvé un seul instant ce qu'il éprouvait.

— Torak, Torak..., murmura l'homme. Ce n'est pas ainsi que ça se passe. Réfléchis ! Tu t'y connais assez en magie pour avoir conscience que des Mages ordinaires, lorsqu'ils souhaitent guérir des malades, doivent se libérer de leurs propres âmes. Il y a des méthodes pour y parvenir. Entrer en transe. Boire une potion de libération. Parfois juste se priver de nourriture ou retenir sa respiration. Pour l'esprit-qui-marche, c'est pareil. Si tu te contentes d'avoir peur, ça ne suffit pas à relâcher le lien qui t'unit à tes âmes.

Le garçon repassa en mémoire les autres fois où il avait vécu des sensations semblables...

Lors du rituel de guérison d'Oslak : Saeunn avait employé de la fumée et une incantation.

Dans le piège à phoques, il avait failli suffoquer. Avec le gardien aussi, il avait manqué de se noyer et avait été obligé de retenir sa respiration.

Les affirmations de Tenris n'étaient peut-être pas aussi absurdes qu'elles le semblaient.

Le Mage avait dû sentir cette évolution : son demi-sourire coutumier étirait de nouveau ses lèvres.

— J'ajoute, glissa-t-il, que tu as eu de la chance que tes âmes ne se soient pas faufilées dans le sanglier. Ses âmes à lui auraient été bien trop fortes pour toi. Tu aurais été piégé dans cet animal pour de bon.

— Et je serais mort avec lui ?

Tenris se contenta de le regarder avec son regard énigmatique.

Torak se leva. Marcha vers le bord des rochers. Resta là, tremblant, à contempler la nuit.

Il ne voulait pas être différent. Il ne voulait pas avoir de pouvoir magique. Était-ce à cause de cela que P'pa l'avait tenu à l'écart des clans ? N'avait-il pas dit, avant leur ultime séparation : « Je pensais que j'aurais eu plus de temps... J'aurais eu tant à te dire encore, plus tard... »

— C'est une malédiction, gémit le garçon en claquant des dents. Je suis maudit !

— Tu plaisantes ? intervint Tenris, qui était venu se poster près de lui. Tu n'es pas maudit, tu es béni, oui ! Tu as un don extraordinaire ! Peut-être n'es-tu pas de cet avis maintenant, mais je t'affirme qu'il viendra un jour où tu t'en réjouiras...

— Non, s'obstina Torak. Non, non et non !

— Écoute-moi ! ordonna le Mage du clan du Phoque de sa belle voix que l'émotion rendait vibrante. Ce que tu as accompli si facilement – sans même le désirer –, les plus habiles des Mages mettent une vie à y parvenir. Tiens, jadis, j'ai connu un Mage – un excellent Mage –, qui a passé six hivers à poursuivre exclusivement cet objectif. Six hivers durant, il a multiplié les transes, les privations, les potions...

— Et il a réussi ?

— Oui... pendant quelques battements de cœur !

— Impressionnant..., commenta le garçon.

— Eh bien, figure-toi qu'il s'est considéré comme le plus heureux des hommes.

— Tant mieux pour lui, bougonna Torak. Moi, je ne veux pas. Je ne veux pas, je ne...

— Tais-toi ! s'emporta l'homme. Tu ne te rends donc pas compte !

Son visage mi-beau, mi-brûlé, resplendissait de ferveur et d'enthousiasme quand il ajouta :

— C'est tout le but de la Magie que tu as atteint ! On n'apprend pas la Magie pour berner les imbéciles en changeant la couleur du feu ! On pratique cet art pour aller au cœur des choses ! Pour connaître le tréfonds des âmes ! Imagine...

L'homme prit sa respiration avant d'enchaîner :

— Imagine ce dont tu serais capable si tu apprenais à te servir de ce pouvoir ! Tu pourrais découvrir tant de secrets ! Tu pourrais savoir ce que pensent les chasseurs et la proie ! Tu acquerrais une telle puissance...

— Je n'en veux pas ! s'écria Torak.

De l'autre côté du feu, Bale s'agita dans son sommeil.

— Je n'en veux pas, répéta-t-il un ton plus bas.

La peur avait envahi son corps. L'incompréhension aussi s'était frayé un chemin jusqu'à son esprit. Depuis longtemps, il n'était que Torak, un garçon à peu près comme les autres. Et voici que Tenris lui apprenait qu'il était quelqu'un d'autre.

Il regardait la Mer froide inspirer et expirer près de lui. Il aurait aimé être près de Loup. Lui expliquer ce qu'il venait d'apprendre. En parler avec lui. Mais comment Loup pourrait-il jamais le comprendre ? Comment traduire l'« esprit-qui-marche » en langage de loup ? Et c'était, *a priori*, le pire, dans cette histoire : il serait séparé de Loup.

— Qu'est-ce que je dois faire ? demanda-t-il à la Mer.

La main valide de Tenris se reposa sur son épaule.

— Tu vas faire ce qu'on a prévu, répondit le Mage. Je vais réveiller Bale. Nous allons nous préparer à partir. Nous rapporterons la racine de sélik au campement. Et la nuit du Solstice d'été – c'est-à-dire la nuit prochaine –, nous emmènerons la plante sur l'À-pic. Tu m'aideras à préparer la potion. C'est ce que nous avons prévu de faire, et c'est ce que nous ferons.

Son ton était net. Solide comme un roc. Torak y puisa assez de force pour prendre sa décision.

— Entendu. Rien ne doit me détourner de ma mission. N'est-ce pas, Tenris ?

— Non, Torak, confirma le Mage en soutenant le regard du garçon. Rien ne doit te détourner de ta mission.

TRENTE-DEUX

Enfin, la faim s'était tapie dans son Terrier. Enfin, Loup, repu, avait pu repartir à la recherche de la femelle et de Grand Sans Queue.

Mais, pendant qu'il dévorait à belles dents le poisson décomposé, le noir était venu. Pas le vrai Noir : l'autre noir, celui qui couvre le Dessus quand le Tonnerre est en colère. Et, cette fois, le noir n'en avait pas après Loup. Il en voulait aux Sans Queue.

Loup se mit à courir sur la terre noire chaude. Il gravit le coteau. Le descendit. Fonça vers les rochers où la femelle avait attendu son frère de meute. Il sentit que Grand Sans Queue aussi était passé par là et qu'il s'était opposé à la femelle. Oui, aussi incroyable que cela parût, les deux Sans Queue s'étaient disputés ! Loup sentait des grincements de dents, des ricanements, des bribes de tension.

Il trouva rapidement le Brillant-monstre-à-la-morsure-brûlante près duquel avaient dormi deux Sans Queue encore jeunes. C'est là qu'il découvrit que Grand Sans Queue était reparti sur la Vaste Eau dans une peau flottante.

Loup était seul.

Il poussa un miaulement de détresse. Arpenta les rochers à la recherche de l'odeur de la femelle.

Ha-ha ! Elle n'était pas bête ! Elle était retournée vers l'Eau Calme. C'était moins dangereux. Moins dans la ligne de mire du Tonnerre. Face au vent, en plus, ce qui permettrait à Loup de la suivre sans difficulté.

À présent, il savait ce qu'il lui restait à faire : la suivre. Car elle aussi cherchait Grand Sans Queue.

Le Dessus rugit. Le vent hurla dans la vallée. Et l'Eau se mit à tomber en trombes.

Les arbres plièrent. Les oiseaux se retrouvèrent ballottés comme s'ils n'avaient été que des feuilles dans la tempête.

Loup, lui, filait. Il volait au-dessus des pierres. Il bondissait au-dessus des petites Eaux rapides qui dévalaient les pentes des récifs.

Et, à mesure qu'il courait, une odeur lui parut de plus en plus forte. Il s'arrêta pour vérifier. Leva le museau. Inspira à grandes bouffées.

Ses griffes se crispèrent. Sa fourrure se hérissa.

Il avait reconnu l'odeur. Celle d'un démon.

TRENTE-TROIS

— Attrape ma main ! cria Tenris.

Il se pencha dangereusement au-dessus de son canoë pour aider Torak à remonter.

Le garçon essayait de maintenir la tête à la surface. Car la Mer s'était formée. Et il n'arrivait même pas à attraper la main du Mage. Si ! Soudain, poussé par une vague, il la saisit !

À ce moment précis, un mur d'eau l'engloutit et l'attira vers le fond.

Il ne voyait plus rien. Il ne respirait plus. Pas moyen. Rien qu'une obscurité sans merci qui le ballottait à sa guise.

La Mer le projeta au-dessus de l'eau. Elle jouait avec lui. Sa veste en peau aidait le garçon à ne pas couler. Elle lui permettait de flotter entre deux creux, le temps d'aspirer un peu d'air. Juste ce qu'il fallait. Pas plus.

Et Tenris avait disparu. Bale aussi. Le ciel était noir comme du basalte. Des zébrures furieuses déchiraient le ciel. Autour du naufragé, rien que la Mer à perte de vue.

Torak rassembla ses forces pour lancer un dernier appel au secours :

— Tenris ! Bale !

La tempête avala son cri. Les rafales dissipèrent ses gémissements. De toute façon, le vent hurlait plus fort que lui.

Dans l'obscurité secouée d'éclairs, il aperçut son canoë retourné qui dansait au gré des vagues. Il nagea (ou plutôt se débattit) dans sa direction. La Mer propulsa son embarcation contre lui. Elle devait estimer que, sans canoë, elle ne s'amuserait pas assez longtemps avec lui. Pas assez résistant. Torak s'y agrippa des deux mains.

— Je l'ai, Tenris ! glapit-il. Je l'ai !

Mais le Mage du clan du Phoque s'était évanoui dans la nuit.

Brusquement, le canoë fut catapulté en avant... et se fracassa contre un rocher. D'un geste réflexe, Torak saisit le récif d'une main, serrant le canoë de l'autre. En se retirant, la Mer aspira avec elle l'embarcation. Torak devait se décider en un clin d'œil : abandonner le bateau pour espérer regagner le campement des Phoques à temps, ou s'accrocher à la roche ferme.

Il laissa filer le canoë. Se hissa sur le promontoire en tremblant. Aperçut son bateau qui sombrait dans la tempête.

Il ignorait où il s'était échoué. Il avait atterri sur la côte sans moyen de reprendre la mer. S'il était sur l'île des

Phoques, tout allait bien. Sinon, il était en très mauvaise posture.

Il grimpa au sommet de son refuge. Et comprit instantanément qu'il avait fait le mauvais choix.

Son havre de secours n'était pas plus grand qu'une cabane de Phoque. Autour, rien que des vagues gigantesques.

La panique glaça Torak.

Bale avait disparu.

Tenris avait disparu.

Son canoë avait disparu.

Il était seul, sur un rocher dérisoire, perdu au milieu d'une Mer déchaînée.

TRENTE-QUATRE

La tempête s'acheva comme elle avait surgi : en coup de
vent.

À cet instant, Renn avait atteint la pointe orientale du
lac. L'eau léchait gentiment les rochers et allait doucement se perdre dans les roseaux, sur de paisibles rives
marécageuses.

Elle ne voulait pas penser à ce qu'avait dû vivre Torak
sur la Mer. Après tout, c'était la faute du garçon. Pourquoi, mais pourquoi donc avait-il refusé de l'écouter ?
Quel argument aurait-elle dû avancer pour le persuader
de revenir par la terre ferme au lieu de suivre le Mage et
le grand Phoque ?

Tant bien que mal, elle tira sur la berge le canoë qu'elle
avait emprunté aux Orfraies. En sortit ses affaires de

couchage. Les dissimula derrière un rocher. Elle ignorait ce qu'elle avait une chance de découvrir au campement des Phoques. Mais elle se doutait qu'elle n'aurait pas besoin de grand-chose. Hormis, bien sûr, de son arc et de son carquois.

Elle s'étira et constata avec étonnement que le ciel n'était pas bleu. Normalement, après un bon orage, il était nettoyé. Ce matin-là, pourtant, des nuages blanc cassé l'encombraient. Ils étaient restés accrochés aux sommets de l'île. Des langues de brouillard stagnaient ; et des volutes de brume s'avançaient vers la jeune fille à travers le lac.

Du brouillard après une tempête ? C'était bien la première fois qu'elle voyait ça !

Elle grimpa au pas de course la colline qui la séparait de la petite plage blanche située de l'autre côté. Elle s'avança sur l'autre versant... et se figea. La Mer avait disparu derrière un rideau de brume jaunâtre qui progressait vers elle, menaçant, comme s'il avait souhaité l'avaler.

« Impossible, se dit-elle. Ça ne peut pas arriver. »

C'est alors qu'elle pensa que l'heure du Solstice d'été était venu. Et, lorsque venait la Nuit du Solstice d'été, tout, absolument tout était possible.

Renn était épuisée. Trempée jusqu'aux os. Et elle avait peur. Elle dévala le versant moussu de la colline. Tomba à genoux sur le sable blanc mouillé.

Tout était possible. Donc pourquoi pas que le Mage des Phoques eût raison. Donc que Torak fût bel et bien un esprit-qui-marche...

La jeune fille avait regagné les Hauteurs par lesquelles elle était venue. S'était assise sur les rochers. Avait réfléchi à ce qu'elle avait entendu en espionnant. Et était arrivée à la conclusion que, même si tout était possible, il ne fallait pas exagérer.

Le Mage se trompait, pour Torak. C'était sûrement une astuce qui rentrait dans son plan. Une attrape quelconque. Sûrement.

Toutefois, pendant son long et pénible voyage de retour, sur le lac, elle y avait encore réfléchi. Et elle était arrivée à la conclusion que c'était probable.

Torak n'était pas un garçon comme les autres. Il pouvait tout à fait être un esprit-qui-marche.

Un esprit-qui-marche...

Elle avait entendu parler de ces créatures. Qui n'en avait entendu parler ? Fin-Kedinn en narrait les exploits, les nuits d'hiver. Il racontait aussi comment Corbeau avait appris à résister au vent qui souffle. Comment le Premier Arbre vint au monde. Comment se formèrent les premiers clans. Donc le premier... le premier esprit-qui-marche.

À présent, blottie, tremblante, sur la petite plage blanche, elle avait une intuition étrange et incompréhensible : Torak, l'esprit-qui-marche, était au cœur de toute chose. Il était lié au tokoroth. À la maladie. Au remède.

Mais elle ne voyait pas *en quoi* il leur était lié...

TRENTE-CINQ

Torak s'accrochait à son rocher.

Il avait froid. Faim. Il était trempé. Et pas rassuré. La tempête avait disparu avec une soudaineté inhabituelle. Mais le calme qui avait suivi était effrayant.

D'autant que le garçon était drapé dans un linceul de brouillard. Une purée de pois oppressante qui pouvait stagner pendant des jours et des jours.

Or, Torak n'avait pas de temps à perdre.

Le Solstice d'été approchait. Et puis, il ne tiendrait pas longtemps sans boire ni manger. Il se souvint du petit morceau de viande de requin séché que Detlan lui avait donné avant leur départ d'expédition. Il le sortit. La viande puait. Elle était saturée de sel. S'il mangeait ce mets peu ragoûtant, il ne serait pas rassasié, il aurait soif, et il n'aurait plus rien à donner à la Mer, au cas où il tomberait dedans.

Il le mangea quand même... et il se sentit un peu mieux.

Puis une autre pensée le réconforta. Il n'avait pas la racine de sélik. C'était Tenris qui l'avait récupérée. Peut-être Tenris était-il parvenu à regagner la terre ferme. Peut-être les clans avaient-ils encore une chance de survivre.

Une vague cingla le rocher et manqua de désarçonner le garçon.

Il devait se concentrer. Les clans étaient sauvés ? Parfait. Mais lui, non. Loin de là. Il devait trouver un moyen de quitter ce rocher pour regagner la terre ferme.

Ce qui ne lui laissait guère de choix. Tôt ou tard, il devrait se jeter à l'eau, aux sens propre et figuré. Pas pour le moment. Il était épuisé. Incapable de nager sur une bonne distance. Il lui fallait dénicher une aide, un soutien quelconque pour flotter.

Son canoë avait coulé. Sa pagaie, la Mer l'avait emportée. Ses vêtements, le couteau de P'pa, la corne médicinale de sa mère : voilà tout ce qui lui restait. Dans la corne, il y avait juste assez de terre pour dessiner les Marques Mortuaires. Pas encore le moment.

D'autres vagues frappèrent son refuge. Il rampa plus haut. Serra les pans de son manteau de cuir autour de lui.

Son manteau !

Son manteau l'avait aidé à se maintenir à flot quand il était tombé à la Mer, pendant la tempête. Et Torak se rappela les enfants du clan du Phoque qui jouaient à s'asperger sur la plage, avec leurs canoës attachés... et soutenus par une poche de cuir gonflée à chaque bout.

Il fit passer son manteau par-dessus sa tête. Coupa en plusieurs morceaux les lacets du col. S'en servit pour fermer hermétiquement le col, mais aussi les poignets et le ventre. Puis il souffla par la petite ouverture qu'il avait ménagée au bout d'une manche.

Souffler lui donna le tournis. Cependant, passé un petit étourdissement, il eut la satisfaction de constater qu'il disposait d'un coussin d'air qui flottait à peu près quand il le posa sur l'eau. Il l'attacha à sa ceinture. Son coussin l'aiderait à rester en surface – ou, du moins, l'empêcherait de couler lorsqu'il serait trop faible pour nager avec énergie. Autour du rocher, la Mer déclinait ses rangées incessantes de vaguelettes noires et le chant lancinant de ses clapotis. Le brouillard persistait. Quelque part derrière ces nappes de brume se dressait l'île où devait se rendre Torak. Mais *où* ?

Pas un oiseau en vue. Pas un courant pour l'aider à se repérer. Le soleil était caché. Dans ces conditions, impossible de se repérer. Devait-il tenter de plonger au petit bonheur la chance ? Il risquait de se diriger droit vers la Haute Mer...

C'est alors que, au loin, un loup hurla.

Torak retint sa respiration.

Derechef, le loup hurla. Puis poussa une série d'aboiements brefs, secs.

« Où es-tu ? » demandait Loup.

Torak mit ses mains en porte-voix et hurla sa réponse : « ICI ! JE SUIS ICI ! »

Et la réponse lui parvint, étouffée et pourtant distincte, perçant le brouillard, flottant vers lui à travers la Mer.

Torak hurla de nouveau :

« Hurle pour moi, mon frère de meute ! Hurle pour moi ! »

La faim, la fatigue, le froid – tout était oublié. La crainte d'Aileron Déchiqueté s'était dissoute. Loup était avec lui. Son hurlement l'attirait à lui. Il avait retrouvé son guide. Et celui-ci ne l'abandonnerait pas.

L'eau était plus que froide : presque paralysante. Mais Torak tâcha de ne pas y penser. Son coussin d'air dans le dos, il se laissa glisser au bas du rocher et se jeta bravement dans une Mer glaciale, couverte de brouillard et infestée de Chasseurs.

TRENTE-SIX

Renn était toujours seule sur la petite plage blanche quand elle entendit les hurlements de loup. Elle se raidit.

On aurait dit... oui ! Loup ! C'était Loup ! Et Torak ! Elle aurait reconnu le hurlement du garçon entre mille !

Cela ne pouvait signifier qu'une chose : son ami était sain et sauf. Désormais, il allait rejoindre le campement des Phoques. La jeune fille avait bien besoin de ce petit encouragement pour s'y diriger elle aussi.

Le brouillard était si épais qu'on n'y voyait pas à deux pas devant soi. Elle avançait en aveugle, les deux mains devant elle. Elle franchit ainsi les bouleaux et les rochers. Direction la baie des Phoques.

Elle parvint à la lisière des arbres. Elle ne voyait pas plus pour autant. Le campement ? Invisible. La Mer ? Aussi. Pas un bruit – sinon, pas très loin, le chuchotis des vaguelettes qui clapotaient. Les hurlements s'étaient tus.

Renn sortit à découvert vers l'endroit où elle espérait que se dressait le campement des Phoques.

Un grattement. Un cri étouffé. Tout proche. Le bruit d'un canoë qu'on tirait sur le sable. Puis, avant qu'elle eût pu bondir en arrière, une silhouette de grande taille surgit du brouillard et fonça droit sur elle.

— Qui t'es, toi ? cria le garçon.

— Où est Torak ? répliqua Renn.

Les deux interlocuteurs s'observaient, bouche bée, une grimace apeurée sur le visage.

Renn avait reconnu le grand Phoque qui avait accompagné Torak dans les Hauteurs.

— Réponds ! Qui es-tu ?

— Je m'appelle Renn. Où est Torak ? Qu'avez-vous fait de lui ?

Le regard du garçon, rougi de fatigue, alla de l'arc de la jeune fille à son visage. Ses épaules s'affaissèrent.

— La tempête nous a séparés, souffla-t-il. Je... j'ai vu son canoë se renverser.

— Comment ça ?

— Eh bien... Une vague... Tenris a essayé de l'attraper. Moi aussi. Mais... En vain. La houle était trop forte. Tenris le cherche encore.

Il paraissait vraiment triste. S'il n'avait pas appartenu au clan du Phoque, Renn aurait sans doute éprouvé un brin de compassion pour lui.

— Et j'ai entendu des hurlements, dit-il. Toi aussi, non ? C'est la première fois que j'entends des cris pareils...

La jeune fille fut tentée de lui expliquer de quoi il s'agissait. Elle s'en empêcha. Elle n'avait pas confiance en lui. Il n'avait qu'à penser que Torak était mort. Pour sa part, elle avait entendu Torak hurler avec Loup, après que la tempête avait pris fin. Cela lui suffisait.

Un autre bruit. Un deuxième canoë arrivait. Un homme en sortit. S'avança sur la plage. C'était le Mage du clan du Phoque.

Inquiet, il courut vers le garçon. Vit Renn. Fronça les sourcils, stupéfait. Se tourna vers le garçon. Déclara :

— Je ne l'ai pas trouvé.

Lui aussi semblait désespéré. Renn se demanda si elle ne s'était pas méprise sur les intentions des Phoques. Et si Torak avait eu raison de leur accorder le bénéfice du doute ?

— Qui c'est, ça ? s'enquit-il d'une voix douce et puissante à la fois, comme la Mer par temps calme, un jour ensoleillé.

Cependant, d'instinct, la jeune fille sentit qu'il lui fallait être sur ses gardes.

— Je m'appelle Renn. J'appartiens au clan du Corbeau.

— Et je peux savoir ce que tu fiches ici, Renn du clan du Corbeau ?

— Je... je cherche Torak, avoua-t-elle.

Elle avait parlé malgré elle, simplement poussée par la voix autoritaire de l'homme.

— Nous aussi, affirma-t-il. Viens. Allons au campement. Nous serons mieux là-bas pour décider de la marche à suivre.

Tout en marchant, il ôta son manteau en cuir en le faisant passer par-dessus sa tête. Pour la première fois, Renn vit ainsi sa magnifique ceinture de Mage, et elle entendit cliqueter le bec de macareux.

Elle se figea.

Ce bruit... Il lui rappelait quelque chose. Elle l'avait entendu, émis par la silhouette au canoë qu'elle avait aperçue sur le lac.

Les gouttelettes de brume ruisselaient sur sa peau. Mais, dans son esprit, le brouillard se dissipait. Ses battements de cœur s'accélérèrent. La vérité lui apparaissait. Tout se mettait en place. Le tokoroth. La maladie. Les Mangeurs d'Âmes.

Le Mage pivota et lui demanda :

— Ça va ?

Le sang bouillonnait dans son crâne tandis qu'elle fixait le visage superbe et brûlé de l'homme. « Il y a un Mangeur d'Âmes parmi les Phoques, pensa-t-elle. Il s'appelle Tenris. Et il veut Torak parce que Torak est l'esprit-qui-marche. »

— Tu es très pâle..., signala l'homme de sa belle voix douce.

— Je... Il faut juste que je trouve Torak, dit-elle.

— Moi aussi, répondit Tenris en lui adressant son plus beau demi-sourire.

C'était un demi-sourire chaleureux, cordial. Cependant, quand Renn croisa le regard du Mage, elle comprit qu'il avait compris qu'elle avait compris. Il savait qu'elle savait.

Ses doigts glacés s'abattirent sur elle, pareils aux serres d'un aigle.

— Ne nous attardons pas, lança-t-il. Allons plutôt manger quelque chose...

C'est alors que Tenris vit la marque sur la main de sa prisonnière. Une moue de pitié froissa son visage, et il lâcha :

— Oh, mon pauvre enfant ! Qu'est-ce que je vois là ?

Avant qu'elle eût pu répondre, il s'adressait déjà au grand garçon :

— Regarde, Bale ! Cette pauvre petite créature a contracté la maladie...

Le garçon regarda la marque. Puis porta la main à sa créature de clan.

— N'importe quoi ! protesta Renn en tentant vainement de se libérer. Ce n'est pas la maladie ! Je me suis fait mordre par une...

— Ne t'inquiète pas, l'interrompit le Mage en lui attrapant les deux mains. Dorénavant, je vais prendre grand soin de toi...

TRENTE-SEPT

Loup réveilla Torak en lui léchant le nez.

Mais le garçon était trop fatigué pour ouvrir les yeux. Au lieu de cela, il se pressa contre la douce fourrure du loup. Là, il se sentait bien. Au chaud. En sécurité. Et surtout au calme. Pas de cris d'oiseaux. Pas de vent. Juste le murmure perpétuel de la Mer et les battements réguliers du cœur de l'animal contre le sien.

Une autre léchouille. Une autre encore. Puis une autre.

Peu à peu, la mémoire revint à Torak. Il se rappela comment il avait regagné la côte. Comment Loup l'avait tiré sur la plage. Comment l'animal l'avait fêté dans une frénésie de coups de langue. Comment ils s'étaient roulés en boule, l'un contre l'autre avant de sombrer dans le sommeil.

Soudain les léchouilles se transformèrent en mordillements. Puis en une morsure sous le menton. Loup s'impatientait. Il voulait que Torak se réveillât.

À contrecœur, le garçon ouvrit les yeux.

Du sable s'était incrusté dans sa joue. Devant ses yeux dansaient les moustaches de Loup. À part ça... rien. Le brouillard était si dense qu'il était impossible de déterminer où commençait la Mer et où finissait le ciel.

Combien de temps Torak était-il resté endormi ?

« Le remède ! »

Il se redressa d'un coup. Son cœur battait la chamade. Où était-il ? Où était Tenris ? Le Solstice d'été était arrivé. Avaient-ils manqué leur unique chance de sauver les clans ? Les nuages cachaient le soleil : impossible de savoir.

Il se mit debout. La tête lui tournait. Le sang grondait à ses oreilles. Il avait mal partout. Des courbatures, des douleurs lancinantes, des muscles endoloris, la gorge brûlante – il mourait de soif.

Pas très loin, un bruit attira son attention. Il se dirigea prudemment dans le brouillard. Trouva un petit cours d'eau qui venait se jeter dans la Mer. S'agenouilla. But à grandes gorgées.

Loup trotta vers lui. Ses coussinets n'émettaient pas le moindre son au contact du sable. Toujours à genoux, Torak lui gratouilla la tête pour le remercier.

L'animal battit de la queue et lécha les commissures des lèvres de Torak, qui comprit le message : « Mon frère de meute ! »

Le garçon se releva, un peu réconforté, et regarda autour de lui. Il ne voyait pas à deux pas devant lui.

334

Cependant, cette plage ne lui était pas inconnue. Blanche. Constellée de coquillages. Peut-être était-il plus près du campement du clan du Phoque qu'il n'avait osé l'espérer...

Sur sa droite, il entendait le murmure des vaguelettes qui venaient mourir sur le sable. Il s'avança sur la plage. Et soudain, il aperçut, voilés par le brouillard, les bosquets de bouleaux et les rochers qu'il connaissait. Il courut vers eux.

Derrière lui, Loup poussa un grognement grave.

Torak pivota.

Son frère de meute avait baissé la tête. Ses lèvres découvraient ses crocs. Une menace planait dans l'air.

Torak dégaina son couteau et se jeta au sol.

« Qu'y a-t-il ? » demanda-t-il en grognant-gémissant.

De nouveau, Loup gronda. Puis ses poils se hérissèrent.

Torak frémit à son tour. Pourtant, il ne voyait toujours rien qui justifiât l'attitude de l'animal.

« Je dois y aller », dit-il à Loup.

Derechef, l'animal grogna. Il l'avertissait.

Jamais, par le passé, Torak n'avait négligé ses avertissements, et il avait eu raison. Ce n'était sans doute pas le moment de commencer. Sauf qu'il devait trouver Tenris. Maintenant.

« Loup, je dois y aller ! insista-t-il. Viens avec moi, s'il te plaît ! »

Mais Loup recula en grondant.

« Tant pis », pensa Torak.

Et il franchit le rideau de bouleaux. Seul.

Une main puissante s'abattit sur le bras de Torak.

— Tu es vivant ! s'écria Tenris. Que notre Mère la Mer soit louée !

Machinalement, le garçon jeta un coup d'œil derrière lui. Loup s'était évanoui dans le brouillard.

— On croyait que tu avais coulé ! poursuivit Tenris.

— Vous m'avez fait peur...

— Excuse-moi, j'étais si heureux de te revoir... Viens vite ! Nous n'avons pas beaucoup de temps devant nous. Nous devons gagner l'À-pic au plus vite...

— Vous avez toujours la racine de sélik ? demanda Torak, tandis qu'ils traversaient la plage en courant.

— Oui, bien sûr !

— Et Bale ? Il n'a pas...

— Non, il est vivant ! Il garde, euh, je veux dire...

— Il garde *qui* ? s'écria Torak en s'arrêtant.

— La... la malade. Viens, nous n'avons pas de temps à perdre !

— Je dois voir Renn, déclara le garçon.

Tenris soupira. Fixa Torak. Comprit qu'il n'y couperait pas. Conclut :

— Pas longtemps, alors...

Il entraîna le garçon au pas de course. Ils traversèrent le campement désert du clan du Phoque, se dirigèrent vers une grotte située à l'extrémité de la baie, à l'endroit où avait été retenu l'homme qui avait tué le cétacé.

La grotte dentelée avait été close par un épais rideau en arêtes et cuir de phoque. Bale montait la garde, armé d'un harpon. Quand il aperçut Torak, son visage s'illumina. Mais le garçon passa devant lui sans un mot.

Par une mince embrasure entre l'ouverture et le mur, Torak vit Renn qui faisait les cent pas. La cavité était trop sombre pour qu'il pût distinguer ses traits en détail ; toutefois, il y avait assez de lumière pour qu'il notât ses cheveux emmêlés, son expression furieuse... et la marque sur le dos de sa main. Un frisson glacé courut le long de sa colonne vertébrale. Un poids lui tomba sur les épaules.

À son tour, la jeune fille l'aperçut par l'interstice. Elle ne parut pas surprise de le voir. Juste soulagée. Elle cria :

— Torak ! Que l'Esprit-du-Monde soit loué ! Allez, libère-moi !

— Renn, je... je ne peux pas. Tu es malade.

La jeune fille en resta bouche bée :

— Mais... ne me dis pas que tu les crois ! Je ne suis pas malade du tout !

— Ils disent tous ça, quand ils contractent la maladie, commenta Tenris. C'est la phase de déni, et ça finit par passer.

Il posa sa main valide sur l'épaule du garçon et continua :

— Il ne faut pas t'inquiéter, Bale veillera sur elle. Tu as confiance en lui, n'est-ce pas ?

Le garçon acquiesça lentement.

— Tu peux vraiment compter sur lui, insista l'homme. Elle ne mourra pas de faim.

— Va-t'en, toi ! rugit Renn en avisant le Mage. Torak, explique-leur que je ne suis pas malade ! Fais-moi sortir d'ici ! Ne me laisse pas enfermée !

— Tenris dit la vérité, confirma Bale, qui serra si fort son harpon dans sa main que ses phalanges blêmirent. Mon frère était pareil.

— Renn, je te rapporterai le remède, lança Torak. Je te le promets. Tu...

— Garde-toi ton remède ! glapit la jeune fille. Je n'en ai pas besoin ! Pourquoi doutes-tu de moi ? Comment peux-tu te méfier de moi alors que tu as confiance dans... dans un Mangeur d'Âmes ?

— Ils finissent par suspecter tout le monde, expliqua Bale. Ils ont l'impression que chacun de nous leur en veut, qu'ils sont victimes d'un complot... C'est leur manière d'accepter l'injustice du sort.

— Pourquoi tu ne me crois pas ? hurla Renn. Demande-lui de te montrer sa marque, son trident pour harponner les âmes ! Vas-y, demande-lui de te montrer son tatouage ! C'est un Mangeur d'Âmes ! Un Mangeur d'Âmes, Torak !

Tenris affermit sa prise sur le bras du garçon.

— Il faut y aller, déclara-t-il. Sinon, ce sera trop tard. Pour elle et pour tous les autres...

— N'y va pas, Torak ! supplia Renn. Il te tuera ! TORAK !

Elle se jeta contre la porte. Sans seulement la faire frémir.

Bale passa un bras autour du garçon.

— Tu peux suivre Tenris, dit-il. Je t'assure qu'il n'arrivera rien à la malade pendant ce temps.

— Tu... tu vas aller mieux, Renn, cria Torak. Je te le promets ! Tu vas aller mieux !

— TORAK ! Non ! Ne pars pas ! Reviens !

Les cris de la jeune fille résonnaient encore aux oreilles de Torak lorsque Tenris l'attira dans le brouillard.

— Le temps presse, murmura le Mage. Le soleil va bientôt changer, je le sens...

Les rugissements de Renn leur parvinrent de plus en plus atténués à mesure qu'ils avançaient sur le sentier. Bientôt, Torak n'entendit plus que sa respiration haletante et l'eau qui ruisselait sur les pierres. Il se sentait oppressé. N'avait-il pas commis deux erreurs coup sur coup, en refusant d'écouter les avertissements de Loup et de Renn ?

Un cliquetis derrière lui.

Il sursauta. Pivota. Loup ?

Non. Rien que des volutes de brume. Et, devant lui, Tenris qui s'enfonçait dans les voiles laiteux du brouillard.

— Attendez-moi ! lança-t-il.

De nouveaux cliquetis. Puis une silhouette voûtée apparut au milieu du chemin. Non pas Loup, mais un tokoroth.

Torak bondit et lâcha :

— Tenris ! Attention ! Le tokoroth est là !

L'instant d'après, une douleur insupportable explosa dans son crâne ; et les rochers l'avalèrent.

Torak se réveilla en sursaut.

Il avait mal à la tête. Mal aux épaules. Mal partout.

On lui avait ôté son gilet. Le garçon était plaqué contre un bloc de pierre glacé.

On lui avait lié les poignets ensemble, au-dessus de la tête, et on les avait attachés à une excroissance rocheuse qui formait une sorte d'hameçon. On l'avait attaché si solidement qu'il ne pouvait pas bouger. Si seulement il avait été capable de sauter, il aurait peut-être réussi à se débarrasser de l'hameçon.

Mais on lui avait lié les chevilles, et on avait tranché les cordes avec des serres acérées. Quand Torak tenta de se débattre, il sentit une pointe de couteau se presser contre son mollet.

Le brouillard le ceignait d'étoles bleues mobiles. Une odeur de fumée de bois montait. Des branches craquaient sous les flammes. Une pointe de genièvre épiça l'atmosphère.

D'où était Torak, la Mer était inaudible. Ils devaient être vers le sommet des Hauteurs.

À ses pieds, deux yeux le fixaient derrière un visage couvert de tatouages de feuilles.

La peur lui fit un manteau. Comme une deuxième peau. Il était sur l'À-pic. Contre l'autel de pierre. Gardé par un tokoroth.

Un deuxième tokoroth émergea de la fumée. Une fille. Ses cheveux lui descendaient jusqu'aux genoux. Ses membres faméliques étaient couverts de bleus et de plaies. Ses ongles de pied et de main étaient jaunes et se terminaient en longues serres effilées.

Elle se pencha vers lui en silence. Le garçon sentit ses boucles lui caresser le ventre. La fille tokoroth tira le couteau de son fourreau.

— Que veux-tu ? murmura Torak.

Elle leva le couteau dans ses deux mains.

— Mais que veux-tu, à la fin ? répéta-t-il.

En silence, elle pressa le couteau de silex contre sa poitrine.

Un cliquetis résonna dans le brouillard. Les deux tokoroths se jetèrent au sol. Une silhouette apparut au milieu des nappes de brume. Les becs de macareux tintinnabulaient à sa ceinture.

Torak eut l'impression de faire une chute vertigineuse. Toute cette gentillesse qui l'avait enveloppé... Toute cette douceur... Cette attention... Tout n'était qu'un mensonge. Qu'un leurre. Loup avait eu raison. Renn avait eu raison. Et lui avait eu tort. Tort sur toute la ligne. Il s'était laissé duper comme un benêt. Il n'avait pas vu le piège

340

qu'on lui tendait, et il était tombé dans le panneau. Il allait payer très cher son erreur.

Le Mage du clan du Phoque avait ôté son gilet, révélant un corps musculeux, gravement brûlé sur l'ensemble du côté gauche du torse. Ses bras étaient couverts de cendre de bois, ce qui masquait ses tatouages de clan. Sur son visage, un masque gris. « On dirait un masque de deuil », pensa Torak.

L'homme ne portait pas d'amulette, hormis un étrange tortillon rouge et rabougri qu'il arborait à un lacet porté autour du cou. Son poitrail nu n'arborait rien d'autre qu'un tatouage noir à la place du cœur. Un trident pour pêcher les âmes. La marque des Mangeurs d'Âmes. Celle dont Renn lui avait parlé avant qu'il ne l'abandonnât.

— Alors c'était vrai, souffla Torak. Vous êtes un Mangeur d'Âmes...

— Un des sept Mangeurs d'Âmes, oui, confirma l'homme de sa voix toujours aussi belle, aussi calme et aussi puissante que la Mer par un jour ensoleillé. Cependant, avec ton aide, je ne serai plus l'un des sept : je serai supérieur aux six autres. Je vais m'élever au-dessus de mes semblables. Je vais être le plus grand. Le premier des Mangeurs d'Âmes !

— Ne comptez pas sur moi pour...

— Tu n'as pas d'autre choix que de m'aider, Torak, le coupa Tenris en souriant.

D'un ton rogue, il aboya un ordre. Le tokoroth mâle apporta un lourd panier, presque aussi gros que lui. La femelle courut à l'autre bout de l'À-pic. Torak vit qu'elle construisait un barrage en bois pour barrer le chemin. Quoi qu'il eût en tête, Tenris ne voulait pas être dérangé.

Le garçon constata que ses liens n'étaient pas parfaitement resserrés autour de ses chevilles. Peut-être que s'il réussissait à faire parler le Mage, il aurait le temps de libérer ses jambes. Et s'il hurlait pour appeler Loup au secours...

Et alors ? Tenris avait une lance et un harpon prêts à l'emploi. Il les avait posés près du feu. Les deux tokoroths avaient des couteaux à leurs ceintures. Trois contre un. Dont un illuminé et deux démons. Loup n'avait aucune chance.

— Personne ne peut rien pour toi, affirma Tenris.

Une fois de plus, le Mage semblait avoir lu dans ses pensées. La dernière fois, ç'avait été lorsqu'ils s'étaient retrouvés sur l'À-pic et qu'il lui avait rappelé que « savoir, c'est pouvoir ». Comment avait-il réussi à duper Torak aussi longtemps ?

— Tu n'as que deux amis, insista le Mage. Or, l'un garde l'autre. Ne trouves-tu pas qu'il y a une certaine beauté dans cette idée ? Je les ai neutralisés l'un par l'autre, au lieu de m'ennuyer à les neutraliser l'un *et* l'autre. Malin, non ? Enfin...

Il prit dans le panier plusieurs objets de forme conique et de couleur pâle. Il les déposa sur l'autel sans sembler se soucier des lignes argentées polies dans la pierre.

Torak devait l'obliger à parler. Ne serait-ce que pour le ralentir. Donc gagner du temps et réfléchir.

— C'est vous qui avez envoyé la maladie, dit-il.

— Envoyé ? demanda Tenris en se reculant pour juger son œuvre. J'ai fait bien plus, bien mieux que ça : je l'ai créée. Mon tokoroth a la capacité démoniaque de s'insinuer dans les cabanes. Quant à moi, je... Je ne suis pas mauvais avec les poisons ! Je suis même plutôt doué dans ce domaine.

— Mais... pourquoi avez-vous...

— Pourquoi j'ai créé cette maladie ? Ah ! Voilà le cœur de notre histoire, figure-toi, sa partie la plus palpitante. Il y a trois étés de cela, j'ai créé cette maladie comme on se forge une épée. C'était une arme, pour moi. Mon arme. J'ignorais encore comment je m'en servirais. À quelle occasion. Je l'avais sous la main, tout simplement. Néanmoins, j'étais certain que, tôt ou tard, elle me serait précieuse. De quelle manière ? Mystère. Même devant moi, le destin est parfois obscur...

— Le petit frère de Bale, c'est vous, alors ?

— Ma foi, je devais vérifier si mon arme fonctionnait ! Et je n'ai pas été déçu.

— Cet été, poursuivit Torak, vous avez attaqué les clans de la Forêt...

— Oh, je n'avais rien contre eux personnellement...

— Alors, pourquoi leur avoir jeté ce mal qui répand la terreur ?

Le Mage du clan du Phoque leva la tête. Ses yeux gris pétillaient.

— Pour te faire sortir du trou.

— Pardon ?

— Tu as bien entendu : pour te faire sortir du trou. Tu étais comme un lapin, à mes yeux. J'ai envoyé la fumée dans ton terrier afin que tu viennes jusqu'à moi, et que je puisse juger de tes capacités.

Ainsi, Fin-Kedinn avait eu raison, lui aussi : il avait pensé que cette maladie n'était qu'un stratagème des Mangeurs d'Âmes pour faire sortir Torak à découvert !

— Ça a marché, commenta Tenris. Pas vraiment comme je l'envisageais, mais ça a marché. Mon problème, vois-tu, c'est que j'ignorais qui tu étais. La seule chose que je savais c'est que quelqu'un, quelque part dans la Forêt, disposait d'un énorme pouvoir. J'ai pensé que celui qui possédait un tel pouvoir concocterait une potion, un sortilège, un remède spectaculaire et incroyablement magique pour guérir les malades.

Le Mage pouffa :

— Au lieu de quoi, qui vois-je débarquer ? Un petit garçon qui vient me supplier – moi ! – de fabriquer un antidote. J'ai cru mourir de rire !

— Donc la potion que vous deviez concocter cette nuit, c'était du vent, aussi ? devina Torak.

Tenris ricana franchement. Tira sa bourse de sa ceinture. L'ouvrit. Jeta la racine de sélik au feu. Et conclut :

— Il n'y a pas d'antidote. J'ai tout inventé.

Les flammes vacillèrent et prirent une coloration pourpre. Les deux tokoroths s'approchèrent du feu, fascinés.

L'homme les observa avec un sourire ravi :

— Parfois, être Mage est presque trop facile. On fait changer le feu de couleur, et le tour est joué...

Il décocha un violent coup de pied au tokoroth femelle, qui décolla et atterrit quelques pas plus loin. Elle siffla avant de reprendre l'édification du barrage.

Le tokoroth mâle revint nouer les jambes de Torak. Le garçon tenta de se dégager, mais la créature entailla son mollet avec son couteau, en guise d'avertissement.

— Bref, vous avez gagné, dit Torak. Vous m'avez fait sortir de mon trou, vous connaissez mon identité, et je suis entre votre mains. Qu'attendez-vous de moi ?

Tenris l'observa avec une étrange grimace de souffrance.

— Quand j'ai découvert ce dont tu étais capable, déclara-t-il, j'ai eu du mal à y croire. Qu'un simple garçon dispose d'un tel pouvoir... Le pouvoir de dompter les chasseurs et de soumettre la proie... Le pouvoir de commander aux clans...

Il secoua la tête :

— Quel gâchis !

Il s'approcha. Le garçon perçut l'amère senteur des cendres qui émanait du Mage.

— Bientôt, ton pouvoir m'appartiendra, murmura celui-ci. Je me l'approprierai, et je deviendrai l'esprit-qui-marche. Je serai le plus grand des Mages qui ait jamais vécu.

— Co... comment ? s'enquit Torak.

— Grâce au Solstice d'été, lâcha l'homme. La nuit la plus puissante pour la Magie. Et en plus, c'est la nuit de ta naissance ! Tous les signes m'y conduisent ! Tout me pousse à accomplir ce geste suprême !

Il repoussa doucement une mèche de cheveux qui était retombée sur le front de Torak.

— Te souviens-tu de ce que je t'ai dit à propos de la nuit du Solstice d'été ? « C'est la nuit où se produisent les plus grands changements, et la Magie, c'est l'art du changement... »

Torak acquiesça.

— L'arbre devient feuille, murmura le Mage. Le garçon devient homme. L'un des sept Mangeurs d'Âmes devient le plus puissant et le plus redoutable...

Il se pencha encore, et son souffle réchauffa la joue de Torak lorsqu'il lui susurra à l'oreille, à la manière d'une confidence :

— Je vais manger ton cœur...

TRENTE-HUIT

Loup avait fait ce qu'aucun loup ne devrait jamais faire.

Il avait abandonné son frère de meute.

La faute à Grand Sans Queue. Il ne l'écoutait pas. Loup avait eu beau l'avertir, ça n'avait pas suffi. Grand Sans Queue avait continué sa route.

Loup en avait été tellement stupéfait – stupéfait et furieux – qu'il l'avait abandonné.

Aussi, quand Grand Sans Queue avait quitté la Tanière des autres Sans Queue, Loup avait-il longé l'Eau Calme. Croqué les roseaux avec rage. Mâchonné un tronc mort. Il s'était acharné contre les plantes jusqu'à ce que sa colère se fût calmée.

À présent, il était dans l'Eau, et il se désaltérait. Il pensait à l'époque où il était un louveteau perdu. Il pensait

347

au moment où son frère de meute l'avait trouvé. Grand Sans Queue avait partagé ses proies avec lui. Il lui avait donné des baies. Il lui avait jeté des sabots à croquer. Il l'avait porté sur ses épaules sur de longs sentiers vallonnés, lorsque ses coussinets étaient devenus douloureux.

Et Loup l'avait laissé tomber, alors qu'*un loup n'abandonne jamais son frère de meute.* Jamais, jamais, jamais.

Loup poussa un gémissement angoissé. Revint vers la Tanière. Remonta la côte, la redescendit. S'immisça sans un mot entre les bouleaux puis entre les roches, jusqu'à se glisser au pied des récifs.

La Tanière était invisible. L'haleine des Grandes Eaux l'avait enveloppée. Mais Loup la sentait. Il entendait aussi la femelle qui arpentait la Tanière plus petite dans la montagne. Elle était en colère. Inquiète. Terrifiée. Et le Sans Queue aux poils pâles lui grognait dessus. Loup ignorait pourquoi. Il ignorait aussi pourquoi, hormis ces deux-là, la Tanière était déserte.

Il trouvait juste que l'air était trop calme. Il sentait les lemmings qui couraient se calfeutrer dans leurs trous. Il entendait, sur les récifs, les oiseaux qui cachaient leurs têtes sous leurs ailes. Tous attendaient. Paralysés par la peur.

Loup leva le museau pour repérer d'autres odeurs. Il sentit beaucoup de poisson. Il sentit les odeurs que les Sans Queue avaient disséminées en partant. Il sentit les gros poissons-chiens amicaux qui nageaient dans les Grandes Eaux et venaient de temps à autre se sécher les moustaches sur les rochers. Et il sentit aussi une autre odeur : la puanteur d'un démon.

La puanteur croissait à mesure qu'il progressait. Ses poils se hérissèrent derechef. Quand il n'était qu'un petit louveteau, ces remugles le paniquaient. Maintenant, ils le mettaient plutôt en appétit. Un appétit étrange. Plus violent qu'une envie de combat, plus viscéral qu'une faim de sang, plus puissant que l'Appel de la Montagne...

Mais *où était passé Grand Sans Queue* ? À cause de la multitude d'odeurs qui flottaient dans les airs, Loup ne parvenait plus à repérer celle qui l'intéressait.

En plus, la femelle et le Sans Queue aux poils pâles s'aboyaient dessus. Loup s'approcha. Il vit que le Sans Queue proposait à la femelle... de la viande qui puait le démon !

Loup perçut la faim de la femelle. Elle voulait manger. Il devait l'en empêcher. Mais comment ? Elle pouvait très bien ignorer ses avertissements comme Grand Sans Queue l'avait fait peu avant ! Elle pouvait même très bien ne pas comprendre ce qu'il essaierait de lui dire !

Loup baissa la tête et poursuivit sa progression. Il avançait patte après patte, avec une précaution méticuleuse. Il avait eu une idée. Il y avait une chose que la femelle comprenait à tous les coups.

Son grognement.

TRENTE-NEUF

— J'ai pas faim ! glapit Renn. Et, pour la dernière fois, mets-toi dans le crâne que je-ne-suis-pas-ma-lade !

— Mange, répliqua simplement le garçon en déposant son bol sur le sol.

Il recula. Sortit de la cavité. Tira l'épais rideau de cuir, ne laissant qu'un petit espace pour que la fille pût respirer.

Renn n'aimait pas le Phoque. Pourtant, elle aurait préféré qu'il ne partît pas si vite. Elle avait peur, ici, toute seule, dans l'obscurité. Elle sentait la souffrance que, trois ans plus tôt, la maladie avait suscitée en ces lieux. Elle percevait encore sur ces murs la noirceur du désespoir.

— Mais toi, tu n'es pas malade, se répéta-t-elle. Juste fatiguée et affamée. Et inquiète pour Torak.

— Tu sais pourquoi le Chasseur a attaqué ? lança-t-elle à son geôlier.

Le garçon ne lui répondit pas.

— Parce que ton Mage a tué son petit, poursuivit-elle. J'ai trouvé la carcasse. Il l'a attrapé dans un piège à phoques. Un piège comme vous en fabriquez, dans votre clan. Il l'a abandonné sur la plage pour qu'il y pourrisse. Il n'avait besoin que de ses dents, qu'il lui a volées. Tu crois qu'un homme bon et sain d'esprit commettrait un crime pareil ?

Pas un mot. Rien.

La jeune fille se raidit... et continua :

— Je sais que c'était lui. J'ai reconnu le « clic, clic, clic » de sa ceinture quand il est passé par le lac.

Toujours pas un bruit. Mais elle était certaine qu'il l'écoutait. Elle entendait sa respiration derrière la porte. Donc elle enchaîna :

— Les dents d'un Chasseur... C'est bizarre, non ? Sauf pour un Mage. Il n'y a qu'un sorcier pour s'en soucier ! Et sais-tu pourquoi cela te concerne ? Parce que, si je ne me trompe pas, c'est cet homme qui a créé la maladie. C'est Tenris qui a tué ton frère.

— C... comment es-tu au courant pour... pour mon frère ? souffla le garçon de l'autre côté de la paroi.

— Oh, je sais beaucoup de choses, répondit Renn avec un détachement feint.

— Tu sais quoi d'autre, par exemple ?

— Je sais ce que c'est que de perdre un frère. J'ai perdu le mien il n'y a pas très longtemps.

— Tais-toi !

La prisonnière s'obstina :

— Rappelle-toi... Peu avant que ton frère tombe malade, Tenris est monté sur son repaire, tout en haut, n'est-ce pas ? Pratique, pour s'adonner à la Magie...

— Et après ? C'est normal, pour un Mage.

— Oui, sauf que, dans les jours qui ont suivi, ton frère est tombé malade.

La jeune fille avait avancé ça au hasard ; mais elle était tombée juste. Elle entendit la respiration du garçon s'accélérer.

— Il a fait ça pour que nous ayons à manger, murmura le Phoque. Il a exécuté un rituel pour que nous ayons à manger.

— C'est ce qu'il a affirmé, objecta Renn. Mais tu es un grand garçon, tu n'es pas obligé de croire tout ce qu'on te raconte...

« Pas comme Torak », pensa-t-elle.

Du bruit de sable. Le garçon s'était levé.

— Assez parlé, lâcha-t-il.

Elle sentit que, malgré qu'il en eût, le doute s'était insinué en lui.

— Tu as compris que j'ai raison..., affirma-t-elle.

— J'ai dit : Assez parlé ! cria-t-il.

— Et moi, j'ai dit : Écoute un peu, imbécile !

Le lourd rideau de cuir vibra. Le garçon l'avait frappé.

Le silence redescendit sur la plage.

Et, dans ce silence, l'odeur de viande parut plus forte. Renn hésita. Se pencha pour observer le contenu du saladier. De la viande de requin aux baies de genièvre. Miam !

Le fumet était très alléchant. Toutefois, manger de ce plat – ne serait-ce qu'une bouchée –, revenait à admettre qu'elle était malade. Qu'elle se soumettait à son geôlier. Qu'on avait eu raison de l'emprisonner.

En même temps, l'odeur était vraiment très, très alléchante...

Renn arpenta sa prison. Revint vers le plat. Le prit.

Elle allait en goûter un morceau quand son gardien poussa un cri. Par l'ouverture, elle aperçut Loup... qui bondit sur elle, l'envoya en arrière, renversa la viande et monta sur la jeune fille en grognant, ses lèvres noires en arrière dévoilant ses grands crocs blancs.

Renn voulut crier. N'y parvint pas : les pattes de l'animal oppressaient sa poitrine. Que lui arrivait-il donc ? Était-il subitement devenu fou ?

Elle réussit à souffler :

— Loup, c'est... Loup, c'est moi...

— J'arrive ! rugit le garçon en écartant le rideau de cuir, son harpon à la main.

À une vitesse hallucinante, Loup se retourna pour faire face à son ennemi.

— Non ! gémit Renn. Ne le tue pas ! Il doit être malade...

Le garçon l'ignora et abattit son arme.

Loup bondit de côté, saisissant le manche à pleine gueule.

Renn comprit que, si elle voulait s'échapper, c'était maintenant ou jamais. Mais abandonner Loup en plein combat ? Elle s'aperçut que l'animal se jouait de l'arme comme bon lui semblait. Rien à craindre pour lui.

La jeune fille prit la poudre d'escampette.

Derrière elle, un cri de rage et non de douleur. Un coup d'œil lui apprit que Loup avait rompu l'assaut et disparu.

Renn accéléra. S'enfonça dans le brouillard, qui semblait s'être encore épaissi. Elle n'avait aucune idée de la

354

direction qu'elle avait prise, ni de l'endroit où elle avait une chance de trouver Torak.

Elle trébucha sur une pile de bois. Se heurta à une réserve de viande. Aperçut au dernier moment une cabane surgir du néant. Plaqua une main contre sa bouche pour retenir le cri qui montait de sa gorge. À tout moment, elle redoutait de voir surgir son geôlier. Ou le tokoroth. Ou le Mangeur d'Âmes.

Soudain, au nord, elle aperçut des flammes s'élever haut sous le ciel.

Elle se figea. Torak avait dit que le remède serait concocté selon un rituel qui se pratiquait au sommet d'un récif. Que le « remède » ne fût qu'un piège de Mangeur d'Âmes n'y changeait rien.

Elle allait se mettre à courir vers le feu, quand un bruit derrière elle la fit se baisser.

Trop tard.

Une main l'avait déjà saisie à l'épaule et l'attirait vers l'arrière.

QUARANTE

TTTT

Sur l'À-pic, Tenris n'avait plus rien du gentil Mage du clan du Phoque. Son masque s'était consumé. De cette façade, il ne restait que des cendres... et un rictus amer.

Le Mangeur d'Âmes marmonnait des incantations magiques dans sa barbe, peignant des signes cabalistiques sur la poitrine de Torak.

Son pinceau : des moustaches de phoque collées sur un os d'aigle. Sa peinture : un magma noirâtre, visqueux et puant. « Sans doute le sang du Chasseur qu'il a tué », songea Torak. Si tel était le cas, les petits cônes disposés autour de lui étaient certainement les dents de l'animal.

La corde à ses chevilles se tendit, signe que le toko-roth mâle était revenu finir de lui lier les pieds. Torak se

tortilla autant qu'il le put. Son seul espoir – si ténu fût-il
– était de se libérer au moment opportun.

— Ne bouge pas ! grogna Tenris. Tu ne peux pas te
tenir tranquille un instant ?

Il mâchonnait une pâte odorante qui avait noirci sa
langue et teinté ses yeux en jaune. Il n'avait plus guère
apparence humaine.

Du coin de l'œil, Torak perçut un mouvement.

Là, derrière le mur de bûches que le tokoroth femelle
avait recouvert d'huile de phoque, se tenait Loup.

Le cœur de Torak se serra. Trois contre un. Le combat était perdu d'avance. Si Loup tentait de l'aider, il
serait tué.

Le garçon aboya pour l'avertir : « Wouf ! Wouf !
Wououfff ! »

Loup baissa les oreilles mais ne s'éloigna pas. Il avait
repéré un espace dans le mur, là où le tokoroth femelle
n'avait pas encore achevé son travail... juste au bord du
gouffre.

« Demi-tour ! lui ordonna Torak en silence. Tu ne
peux rien pour moi ! »

Par chance, ni Tenris ni les tokoroths n'avaient remarqué Loup. Cependant, ils avaient entendu Torak et l'observaient avec de grands yeux.

— Qu'as-tu dit ? s'enquit le Mangeur d'Âmes.

— Vous f... Vous faites quoi, avec ces dents ? Ce sont
celles que vous avez prises au Chasseur, n'est-ce pas ?

— Ces dents sont nécessaires au sortilège que je vais
pratiquer, expliqua posément l'homme en plongeant son
pinceau dans le sang.

— Quel sortilège ?

— Celui de la passation de pouvoirs. Vois-tu, Torak,
quand tu m'as montré le couteau de ton père, je me suis

douté que tu étais celui que je cherchais. Encore devais-je en être sûr. Mais dès que je l'ai été... j'ai décidé de réunir tout ce qu'il me fallait pour agir au plus vite.

— Était-ce une raison pour tuer un Chasseur ?

— Je me moque bien de tuer les Chasseurs ! Ils ne peuvent pas m'atteindre !

Il toucha l'amulette qu'il portait sur sa gorge et commenta :

— Pratiques, ces sortilèges de dissimulation...

Le garçon pensa à Detlan. Il le revit serrer les dents, le visage crispé, hurlant de douleur sans un bruit, pendant que Bale s'occupait de sa jambe blessée. S'il survivait, il n'en sortirait pas indemne. Il serait boiteux. Infirme. Et tout ça parce que Tenris avait manigancé un sortilège inquiétant...

Pendant ce temps, Loup poursuivait sa progression. Près, très près du vide.

— Vous dites que j'étais celui que vous cherchiez, reprit Torak pour occuper l'attention de l'homme. Pourquoi ça ?

Le visage du brûlé devint grave.

— Tu as détruit l'ours.

— L'Ours ?

— Oui, l'ours. L'ours que j'ai créé. C'est moi qui ai attiré le démon. C'est moi qui l'ai piégé dans le corps de l'ours. C'est toi qui l'as détruit. Et c'est toi qui vas être puni.

— Vous... vous mentez. Celui qui a fait ça était boiteux. Un vagabond boiteux.

Tenris rejeta la tête en arrière. Éclata de rire. Se redressa. Fit le tour du feu. En boitant.

— Facile, tu vois ? commenta-t-il. Quoique un peu lassant, à la longue...

Pas de doute. Tenris avait créé l'Ours. L'Ours qui avait tué P'pa.

Torak revit la clairière où son père et lui avaient dressé leur campement la dernière nuit. Il entendit, intact, le carillon du rire de P'pa qu'une plaisanterie du garçon avait déclenché. Puis il se souvint du visage de P'pa. Son rictus de souffrance quand il avait été blessé à mort.

— Que vois-je ? s'exclama Tenris. Seraient-ce des larmes ?

— Vous l'avez tué, murmura Torak. Vous avez tué P'pa...

À cet instant, le tokoroth mâle lui toucha la cheville. Torak se secoua sauvagement.

— VOUS AVEZ TUÉ P'PA ! hurla-t-il.

Il se cabra et se contorsionna, animé par un mélange de rage et de chagrin. Les liens de cuir le retinrent.

C'est alors que Loup bondit du brouillard et se jeta sur Tenris. Le Mangeur d'Âmes brandit son harpon. Les tokoroths s'agitèrent comme des araignées. Dégainèrent leurs couteaux. Saisirent des tisons. Attaquèrent l'attaquant.

— Wouf ! cria Torak. Wouf ! Wouf !

Il essayait de se dégager de l'hameçon de pierre. En vain.

Tenris plongea en avant, son harpon à la main.

Loup exécuta un saut spectaculaire pour éviter le coup ; et le harpon ne perça que le brouillard.

L'homme donna un ordre. Le tokoroth femelle lança son tison contre le mur, qui prit feu instantanément. Ensuite, avec son semblable, elle s'avança, des bûches enflammées à la main. Loup recula. Il grognait. Mais il était acculé contre le brasier.

Brusquement, il jaillit dans les airs, à l'endroit où le feu n'avait pas encore pris. Les tokoroths se jetèrent à sa suite. Les flammes rugirent et se dressèrent sur toute la largeur du chemin.

Désormais, l'À-pic était coupé du reste du monde par la fournaise.

Tenris abaissa son harpon.

— Il est parti, constata-t-il. Et il ne risque pas de revenir...

— Les tokoroths non plus, fit observer Torak.

Le Mangeur d'Âmes haussa les épaules.

— Je n'ai plus besoin d'eux, déclara-t-il en s'emparant du couteau qu'il avait posé près de la poitrine du garçon. À présent, je peux me débrouiller comme un grand.

Torak serra les poings. Son cœur battait la chamade. Loup avait échoué. Le mur de feu bloquait l'accès. Personne ne pourrait venir. Même si le garçon libérait ses pieds, même s'il réussissait à se décrocher de l'hameçon qui retenait ses poignets, même s'il parvenait à rouler au bas de l'autel, qu'est-ce que cela changerait ? Il serait encore coincé sur un à-pic, face à un homme musclé armé d'un couteau et d'un harpon. Un homme qui voulait le tuer pour manger son cœur.

— Pourquoi vous l'avez tué ? demanda Torak.

— Qui ça ?

— Mon père.

L'homme se mit à rire :

— Ah ! Tu es bien son portrait craché. Toujours à demander pourquoi. Pourquoi, pourquoi, pourquoi...

Il contourna l'autel. Ses doigts s'étaient crispés sur le manche de son couteau. Ses lèvres s'étaient tordues,

361

comme si le goût amer de vieux souvenirs désagréables lui avait envahi la bouche.

— Il m'a trahi. Il *nous* a trahis. Il était nul. Malgré ça, il a cru qu'il pourrait...

— Il n'était pas nul ! l'interrompit Torak.

— Qu'est-ce que tu en sais ? aboya Tenris.

— Je suis son fils !

Tenris se dressa au-dessus de lui et découvrit des dents noircies :

— Et moi, je suis son frère...

QUARANTE-ET-UN

Renn tendit le cou pour voir ce qui se passait en haut, au sommet, mais le brouillard était trop épais et le pic trop haut. Elle n'aperçut le Mangeur d'Âmes que lorsqu'il s'approcha du bord du promontoire, silhouette sombre auréolée de flammes.

— Il a un couteau, constata-t-elle.

— C'est trop haut, renchérit le grand Phoque qui se tenait près d'elle. On n'arrivera jamais à temps.

— Mais on ne peut pas rester là sans rien faire !

— Regarde ! Il a mis le feu pour barrer l'accès au sommet ! Tu as un plan pour passer à travers ? Ou peut-être que tu vas m'apprendre à voler ?

Un hurlement évita à la jeune fille de répondre.

— Encore ces cris..., dit le Phoque.

— C'est Loup ! Il... Oh, non ! Il est à l'ouest !
Qu'est-ce qu'il fabrique là-bas ? Pourquoi n'est-il pas en
train d'aider Torak ?

Elle réfléchit et, en un clin d'œil, prit sa décision.

— Tu as raison, dit-elle. On n'arrivera jamais à temps.
Rends-moi mon arc.

Bale en resta bouche bée.

— Mais... mais... Je ne te laisserai pas le tuer ! Quoi
qu'il ait fait, je ne peux pas admettre que...

— Alors, explique-moi comment tu comptes sauver
Torak ?

— Attends, Tenris est notre Mage, et...

— Et tu crois que je veux le tuer par plaisir, ou juste
parce que je ne vois pas d'autre solution ?

À cet instant, le Mangeur d'Âmes s'éloigna du bord
et disparut. Renn recula précipitamment pour l'apercevoir encore.

— La paroi est trop abrupte, dit Bale en lui attrapant
le poignet. Viens vite ! Le canoë ?

— Pardon ?

— Tu ne peux pas voir l'autel depuis la terre ferme.
Il faut aller sur la Mer !

Ils coururent vers l'eau. S'arrêtèrent au passage. Bale
entra dans une cabane. En ressortit avec le carquois et
l'arc de Renn qu'il lui rendit.

Le garçon se saisit d'un canoë, le mit à l'eau, le poussa,
projeta presque la jeune fille à la proue, monta à sa suite,
pagaie en main. Renn s'agrippa aux parois. Ils progressaient à une vitesse qui la stupéfiait.

Le vent se levait. Une brise d'est montait de la Forêt.

Quand Renn se tourna vers le pic, le brouillard s'était
dissipé, révélant la silhouette du Mangeur d'Âmes, qui
levait un couteau au-dessus de sa tête. Il semblait s'ap-

prêter à se livrer à un sacrifice. À ses pieds, une autre silhouette. Immobile.

— Je les vois ! cria la jeune fille.

Aussitôt, Bale arrêta sa course. Renn faillit tomber à la Mer. Ce fut le garçon qui l'en empêcha en la retenant par le gilet d'une main ferme.

Les mains de la jeune fille tremblaient au moment où elle encocha une flèche. Malgré tous les efforts de Bale, l'embarcation gîtait. Renn ne pourrait pas se tenir debout. Elle devrait viser à genoux.

Aux pieds de Tenris, Torak restait immobile. La peur d'arriver après la bataille saisit la jeune fille.

— De toute façon, on est trop loin, murmura Bale. Tu ne pourras pas tirer d'aussi loin. Personne ne le pourrait.

Renn serra les dents. L'ignora. Se concentra sur sa cible. Plus rien ne comptait que cet objectif. C'est ce que Fin-Kedinn lui avait appris.

Alors, avec application, elle visa l'homme au cœur.

QUARANTE-DEUX

La flèche fusa et s'enfonça dans la paume de Tenris. L'homme poussa un hurlement de douleur. Il tomba à genoux, lâchant son couteau.

Torak saisit sa chance. Réussit à faire tomber les liens qui retenaient ses chevilles. Se servit de ses talons pour se propulser en avant. Ses bras étaient lourds. Gourds. Il avait l'impression qu'il ne réussirait pas à les bouger. Pourtant, il réussit à se décrocher de l'hameçon de pierre, et il roula sur le côté.

De l'autre côté de l'autel, Tenris était toujours à genoux. Il tenait sa main blessée contre lui. Il se releva et s'éloigna du bord de l'À-pic, de façon à se mettre à l'abri des flèches.

Tant bien que mal, Torak se redressa à son tour. S'écarta du Mangeur d'Âmes. Ses épaules le brûlaient. Les liens lui sciaient les poignets. Les deux ennemis se tenaient de part et d'autre de l'autel. Torak était dos au vide.

Tenris siffla, attrapa la hampe de la flèche et tira. La sueur ruisselait sur son visage, à travers la cendre qui recouvrait son visage, cramoisi sous le masque.

— Rends-toi ! gronda-t-il. Tu es perdu...

Des hurlements s'élevèrent à l'ouest. « Les démons ont disparu ! » apprit Loup au garçon.

— Il est loin, maintenant, constata le Mangeur d'Âmes en brandissant son harpon. Il ne peut plus rien pour toi...

— Il m'a assez aidé, prétendit le garçon.

— Non, pas assez ! Que vas-tu faire, à présent ? Tes amis ne peuvent plus tirer sans risquer de t'atteindre...

Torak ne lui répondit pas. Il préférait garder ses forces pour rester debout. C'était assez difficile ainsi.

— Allons, rends-toi, répéta Tenris de sa belle voix puissante. Tu t'es bien débrouillé jusqu'ici, mais il est temps de céder ton pouvoir à quelqu'un qui saura en faire bon usage.

Torak jeta un coup d'œil derrière lui. Le vent d'est s'était renforcé, dispersant les derniers rubans de brume. Une lumière argentée montait de la Mer.

— Je ferai vite, promit Tenris. Tu ne sentiras presque rien. Juré.

Loin, très loin en bas, la Mer allait, venait, clapotait, scintillait. Le garçon sentit le vent de la Forêt qui caressait son visage. Il pensa à Loup. Il pensa à Renn. Il pensa à Fin-Kedinn. Il pensa aux gens qu'il avait croisés. Il pensa aux clans qu'il ne rencontrerait pas. S'il laissait

Tenris s'approprier son pouvoir – donc s'il laissait un Mangeur d'Âmes devenir un esprit-qui-marche –, personne ne serait plus à l'abri du Mal.

— Rends-toi, répéta l'homme. Tu n'as pas d'autre choix.

Torak carra les épaules. Croisa le regard gris, si intense, de son ennemi. Le soutint.

— Non..., murmura Tenris. Tu ne vas quand même pas...

— On a toujours le choix, lâcha Torak.

Et, se détournant de l'homme, il sauta dans le vide.

QUARANTE-TROIS

Torak tombait.

Plus bas.

Toujours plus bas.

Dans la Mer qui s'ouvrait sous lui.

Dans la forêt dorée de varech.

Dans l'obscurité.

Il s'enfonçait toujours, battant faiblement l'eau avec ce qui lui restait de force. Ça ne suffirait pas. Ses poignets étaient attachés trop serrés pour qu'il pût se libérer. Ses vêtements trempés l'attiraient vers le fond. Jamais il ne remonterait à la surface.

Il l'avait deviné dès qu'il avait pris la décision de sauter. Il avait deviné que, cette fois, il n'y aurait pas de gardien de clan pour l'aider ; cette fois, il n'y aurait pas de

Loup pour mordiller ses liens. Cette fois, il n'y aurait que lui, Torak, et la Mer affamée. Elle l'avait relâché à plusieurs reprises ; cette fois, elle ne l'abandonnerait pas.

Cette fois, Torak allait mourir.

Il leva la tête pour voir le soleil avant d'épouser les ténèbres ; et il vit, infiniment loin de lui, une silhouette qui obscurcissait la lumière et nageait plus vite qu'une anguille.

L'espoir le reprit. Loup ? Renn ? Bale ?

Tenris l'attrapa par les cheveux et l'attira vers la surface.

Torak se débattit. Mais le Mangeur d'Âmes était trop fort. Le garçon attrapa des deux mains le varech. Se dégagea de son ennemi dans un tourbillon de bulles argentées. Ils luttèrent furieusement jusqu'au moment où leurs poumons menacèrent d'éclater. L'eau se teintait d'écarlate : la blessure du Mangeur d'Âmes saignait abondamment.

Dans un dernier sursaut, l'homme secoua Torak et parvint à le décramponner. Les adversaires s'élevèrent à nouveau vers la lumière, enlacés comme des vipères ; et c'est ensemble qu'ils fendirent la surface.

— Brave petit..., lança Tenris dès qu'il eut repris son souffle. Prêt à se tuer pour échapper au méchant Mangeur d'Âmes... Comme c'est beau ! On en pleurerait... Désolé, je vais changer la fin de l'histoire !

Il saisit Torak par les cheveux, ainsi qu'il l'avait fait sous l'eau, et il se dirigea vers la rive. Il ne nageait que d'un bras, et néanmoins il avançait grâce à des mouvements puissants, d'une efficacité redoutable.

Poussé par le courant, le garçon tenta de lui mordre la main. En vain. Tenris lui asséna un violent coup sur la tempe qui l'assomma.

Torak perdit connaissance un bref instant. Il se retrouva sous l'eau. Quand il refit surface, il entendit un gros « SWOUSH ». Un énorme aileron déchiqueté fonçait sur eux.

La terreur liquéfia le garçon. Pas son adversaire. Tenris n'avait pas vu le monstre. Il était entièrement focalisé sur son objectif : atteindre le rivage au plus vite pour ingérer le cœur de son prisonnier.

Torak avait une deuxième chance de s'en sortir vivant. Il ne la laisserait pas filer.

Inspirant à fond, il se projeta en avant et agrippa le charme de dissimulation que l'homme portait à la gorge. Il tira. Le cordon céda. Surpris, le Mangeur d'Âmes porta la main à son cou, lâchant le garçon. Immédiatement, celui-ci s'éloigna en ondulant.

Tenris se retourna pour le rattraper. Il vit alors qu'un Chasseur fonçait sur lui. Un geste réflexe de la main lui apprit qu'il n'avait plus son amulette. Relevant la tête, il s'aperçut que Torak l'avait dans ses mains. Il tendit le bras pour le récupérer. Mais le garçon lâcha le charme, qui s'enfonça dans l'eau et disparut.

À présent, les deux adversaires étaient à la merci du Chasseur. Pas de secours en vue. Et, d'ailleurs, quel secours attendre face à un tel monstre ?

Aileron Déchiqueté filait sur eux dans une tempête d'écume. Derrière lui apparut un canoë qui le suivait... vite, mais beaucoup plus lentement que l'animal.

Soudain, la Mer, le ciel, le canoë – tout s'effaça derrière le Chasseur, dont la tête énorme surgit d'un tourbillon vert.

Le mastodonte ouvrit les mâchoires, dévoila une rangée de lames acérées prêtes à déchiqueter Torak... Mais, au dernier moment, il bifurqua vers Tenris.

Le Mangeur d'Âmes ne chercha pas à fuir. Il se raidit, comprit que l'animal avait choisi sa proie, tourna la tête vers le garçon et croisa son regard.

— Demande à Fin-Kedinn qui était ton père, cria-t-il. Demande-lui la vérité sur...

Un geyser d'eau lui coupa la parole. Un hurlement de souffrance et de peur mêlées s'éleva. L'eau rougit. Les mâchoires du Chasseur venaient de s'abattre sur le Mangeur d'Âmes.

QUARANTE-QUATRE

Sur l'À-pic, le feu brûlait doucement. Une fumée grise montait vers le ciel tandis que le canoë regagnait la rive.

Bale mit l'embarcation sur sa tête pour l'emporter dans l'abri. Renn et Torak regagnèrent en silence la plage puis la cabane la plus proche.

La jeune fille essuya son arc. Le suspendit à un crochet. Alla chercher de quoi manger.

Le garçon préleva quelques bûches dans une réserve et entreprit de bâtir un feu. Il avait froid. Il tremblait.

La Mer l'avait lavé des marques que le Mangeur d'Âmes avait peintes sur sa poitrine. Cependant, dans sa tête, les traces de ce duel ne seraient pas aussi aisées à effacer.

Il voulait tout raconter à Renn. Ce qui s'était passé là-haut. Ce qu'il éprouvait en tant qu'esprit-qui-marche. Il n'en fit rien. C'était trop récent. Trop à vif. Pas le moment. Au lieu de cela, il dit :

— Excuse-moi. J'ai cru que tu étais vraiment atteinte par l'épidémie. Tu avais l'air malade...

Renn posa un grand bol par terre et s'assit.

— Moi, j'ai cru que tu étais mort, répondit-elle. Par chance, nous nous sommes trompés tous les deux.

Elle poussa le plat vers Torak :

— J'ai trouvé de la viande de requin. Sans baies de genièvre, mais pas mauvaise quand même.

Ils regardèrent le plat. Ni l'un ni l'autre ne tendirent la main vers la viande.

— Y a pas de remède, déclara le garçon. Le coup de la racine de sélik... C'était du bluff. Il avait inventé cette histoire.

La jeune fille plaça ses bras autour de ses genoux, fronça les sourcils et ne réagit pas.

— Hé, tu m'écoutes ou pas ? s'impatienta Torak. Je te dis qu'il n'y a pas de remède !

Soudain, Renn se redressa sur ses talons. Son regard allait du garçon au plat de viande.

— Les baies de genièvre..., murmura-t-elle.

— Qu'est-ce qu'elles ont ? demanda son interlocuteur.

— Quand j'étais prisonnière, Bale m'a donné à manger. Loup a bondi. Il a renversé ma ration. J'ai pensé qu'il était devenu fou... alors qu'il me sauvait la vie. Il me mettait en garde contre les baies de genièvre !

Elle se leva et se mit à arpenter la pièce.

— Voilà comment le Mage a répandu sa maladie ! s'exclama-t-elle. Il a envoyé les tokoroths empoisonner les baies de genièvre. On a mis des baies dans les gâteaux de saumon... et les gens sont tombés malades...

Elle se tut avant d'ajouter :

— Loup l'a senti, et il m'a empêchée d'en manger parce que le plat était contaminé, et... et c'est pour ça que je n'étais pas malade avant, alors que je mangeais des gâteaux au saumon : j'avais pioché dans la réserve de Saeunn, qui datait de l'hiver dernier...

— ... et moi, compléta Torak, je ne suis pas tombé malade parce que je n'en avais pas pris avec moi.

Ils s'entreregardèrent. Renn conclut :

— Donc si on se débarrasse des baies de genièvre...

— ... et des gâteaux au saumon...

— ... peut-être que tout ira mieux...

— ... et qu'on n'aura pas besoin d'un remède.

Le garçon grimaça. Ils venaient de trouver la solution. Il en était sûr.

Il pensa à Tenris. Comme le Mage avait dû le trouver ridicule, tandis qu'il s'obstinait à chercher un remède *qui n'existait pas et qui était inutile* ! Comme il avait dû se sentir malin et puissant !

Pourtant, même à l'instant présent, le garçon n'arrivait pas à le haïr. Tout Mangeur d'Âmes que l'homme avait été, il était de sa famille, du même sang que lui. Torak l'avait aimé. Il avait espéré que Tenris l'aimait, lui aussi.

Il baissa la tête, essayant de se fermer à la souffrance. Impossible. Le visage beau et mutilé lui revenait en mémoire. Sa voix résonnait encore à ses oreilles : « Demande à Fin-Kedinn qui était ton père... Demande-lui la vérité sur... »

Sur quoi ?

De quelle vérité avait-il voulu parler ?

Tout à coup, Bale débarqua dans l'abri précipitamment.

— Venez ! cria-t-il. Vite !

Le grand garçon les conduisit à la pointe sud de la baie, à l'endroit où courait un ruisseau, au pied d'une chute d'eau.

Les tokoroths gisaient sur les pierres sur lesquelles ils s'étaient abattus. L'écume couvrait leurs visages tatoués et leurs corps démantibulés.

Torak tendit le cou pour essayer de deviner ce qui avait provoqué leur chute. Puis il se rappela les hurlements de Loup. « Les démons ont disparu », lui avait appris l'animal.

— Qu'est-ce que c'est ? murmura Bale.

— Des tokoroths, répondit Renn à voix basse.

— Ils existent vraiment ? s'étonna le Phoque. Je croyais qu'on ne les trouvait que dans les hist...

Le tokoroth femelle gémit. Un spasme froissa son visage un bref instant.

— Elle est vivante ! s'écria Torak.

Un sentiment de pitié l'étreignit. Ces créatures semblaient si jeunes – peut-être huit ou neuf ans...

— C'est des tueurs, et ils ont perdu, déclara Bale.

Il tira son couteau et avança d'un pas.

Loup apparut derrière un rocher et poussa un grognement menaçant. Le grand garçon s'immobilisa aussitôt.

Torak mit un genou à terre. Loup trotta vers lui. Souffla bruyamment. Frotta son museau contre la joue de son frère de meute. Gronda.

— Il dit qu'il a chassé les démons, traduisit le garçon.

— Où ça ? s'enquit Renn. Où sont-ils passés ?

Torak fixa Loup. Puis renonça :

— Je ne lui poserai pas la question. Ils ont disparu. C'est l'essentiel.

— C'est donc ça, un loup..., souffla le grand garçon, fasciné.

Il plaça une main sur son cœur et s'inclina en disant :

— Il est magnifique... Et tu peux communiquer avec cette bête ?

— Je peux *parler* avec *lui*, corrigea Torak.

Les tokoroths s'agitèrent de nouveau.

Renn courut s'agenouiller à leur côté. Son visage devint grave.

— Ils n'en ont plus pour longtemps, dit-elle. Torak, ta corne médicinale... Tu as de l'ocre dedans ?

Torak acquiesça et lui tendit l'objet qu'elle avait réclamé.

— Qu'est-ce que tu comptes faire ? s'étonna Bale.

— Leur dessiner les Marques Mortuaires, expliqua Renn.

— Ils ne le méritent pas !

— C'étaient des enfants, jadis. Ils ont toujours leurs âmes, au plus profond d'eux. Elles vont avoir besoin d'aide pour se libérer.

— Peu importe ce qu'ils étaient, protesta le Phoque. Ce *sont* des tueurs.

— Laisse-la, intervint Torak. Elle connaît ces choses-là...

Renn mélangea la terre à l'eau et marqua chaque tokoroth sur le front, sur la tête, sur les talons.

Loup s'était assis près d'elle. Il gémissait doucement et balayait l'herbe de la queue. Une lumière dansait dans ses yeux dorés. Torak se demanda ce qu'il pouvait bien voir en ce moment...

La jeune fille parut s'abstraire du monde. Elle se mit à chuchoter des formules mystérieuses. Torak se crispa. Il n'était pas à l'aise avec la Magie. Sans doute Renn appelait-elle les âmes des enfants, enfouies profondément en eux, afin de les aider à s'extirper de leurs cachettes.

Soudain, le tokoroth mâle se raidit. La femelle se tordit. Ouvrit les yeux.

Une larme roula sur la joue de Renn.

— Allez en paix, susurra-t-elle. À présent, vous êtes libres. Libres...

Le tokoroth mâle frissonna puis ne bougea plus.

Le tokoroth femelle poussa un long soupir rauque qui s'épuisa dans le silence.

Une brise s'éleva. Loup tourna la gueule, comme s'il avait suivi le vol d'un oiseau.

— Elles sont parties, dit Renn.

Les Phoques rentrèrent de l'île des Cormorans le lendemain. Torak, Renn et Bale passèrent un long moment à parler avec le chef du clan.

Islinn ne sembla pas abattu par la mort de son Mage, contrairement à ce que les enfants avaient anticipé. Au contraire. La perspective de reprendre seul les rênes des siens parut le revigorer. Il rajeunit à vue d'œil quand il envoya ses plus vifs messagers vers la Forêt pour avertir les clans du danger que leur faisaient courir les baies de genièvre empoisonnées. Il envoya aussi des renforts secourir et ramener Asrif et Detlan.

On plaça les corps des tokoroths sur un canoë, on les emporta au large, jusqu'à ce que la terre eût disparu à l'horizon ; et, là, on les donna à la Mer maternelle.

Quand tout fut accompli, Islinn ordonna à chacun de rentrer dans sa cabane, sauf Torak.

— Demain, Bale partira avec vous, annonça-t-il. Il sera chargé de s'assurer que votre retour se passera bien.

— Merci...

Le garçon gardait le visage obstinément baissé.

— Tu as tort de t'en vouloir, lui dit le chef des Phoques. Moi aussi, il m'a berné. Et j'ai vécu bien plus d'étés que toi...

Ne sachant que lui répondre, Torak préféra garder le silence.

— Il te manque, constata le chef du clan du Phoque.

— Il a été bon avec moi, admit le garçon. Enfin... avant ce qui s'est passé à la fin. Est-ce que... Est-ce qu'il jouait la comédie depuis le début ?

Islinn regarda son interlocuteur avec des yeux qui avaient vu toutes les sortes de folies et de faiblesses que recèle l'âme humaine.

— Je ne pense pas que même lui aurait pu répondre à ta question... Allons, rentre dans la Forêt, Torak. C'est là-bas, chez toi. Mais sache que si, un jour, tu as besoin d'un endroit où vivre, tu seras toujours le bienvenu.

Torak mit ses mains sur son cœur pour signifier sa reconnaissance. Cependant il pensait qu'il ne donnerait jamais suite à cette proposition. Trop de fantômes hanteraient à jamais cette île, à ses yeux.

Ils partirent le lendemain matin. Loup monta dans le canoë de Torak ; Renn dans celui de Bale.

C'était une belle journée ensoleillée. Une bonne brise d'ouest les poussait vers leur but.

Au moment de quitter la baie, Torak jeta un dernier coup d'œil au paysage. Des volutes de fumée sortaient des cabanes. Au bord de la Mer, des enfants insouciants jouaient en riant à gorge déployée. Des bosquets de sorbiers et de bouleaux auréolaient les pieds des monts. Sur les parois de pierre, la danse des oiseaux avait repris.

Le garçon savait qu'il ne serait jamais chez lui dans ce monde précaire, minéral, à la merci des colères de la Mer. L'endroit n'en était pas moins riche, splendide par bien des aspects. À présent, il comprenait pourquoi Bale pouvait l'aimer avec tant de force.

Il leva les yeux. Vit l'À-pic. Et son moral replongea. Il n'avait pas eu le courage d'y retourner. Bale était remonté seul. Il en avait rapporté le couteau de P'pa. Il l'avait rendu au garçon. Sans un mot.

Poussés par le vent, les voyageurs progressèrent rapidement. Seuls les macareux et les orfraies leur firent de temps en temps escorte. Un instant, Torak crut apercevoir, au loin, un aileron déchiqueté qui les suivait. Il battit des paupières. Quand il regarda une nouvelle fois dans cette direction, il n'y avait rien que la surface plate et scintillante de la Mer.

La journée était très avancée lorsque Loup poussa un aboiement et agita la queue, les oreilles pointées vers l'avant. Peu après, Bale cria quelque chose à Torak – qui ne l'entendit pas. Renn sourit et leva son arc.

La Forêt venait d'apparaître au-dessus des vagues.

La nuit venue, les voyageurs accostèrent enfin. Le grand œil d'ambre du soleil achevait de se noyer dans la Mer.

Vite, Torak repassa ses vêtements de forêt et emballa ses habits en peau de phoque. C'était bon de sentir de nouveau contre soi la peau de sa créature de clan, son sac, son arc, ses affaires de couchage... Pourtant, en aidant Bale à mettre dans son bateau les habits qu'il avait empruntés, il se demanda s'il reverrait jamais le Phoque.

Celui-ci avait décidé de repartir sans attendre. Il resta silencieux tandis qu'ils approchaient de la berge. Torak devina qu'il pensait à la dernière fois que ses amis et lui avaient fait escale sur cette plage. Donc à la course-poursuite qu'ils avaient engagée contre « le garçon de la Forêt » qui avait souillé leur Mère la Mer.

— On se reverra, Bale, affirma Torak. Et, ce jour-là, je te montrerai la Forêt.

Le grand garçon scruta les pins élancés qui bordaient la plage, formant une manière de frontière entre Mer et Forêt.

— Tu m'aurais dit ça il y a quelques jours, répondit-il, je t'aurais pris pour un fou. Mais je n'aurais jamais pensé voir non plus un loup monter et même voyager dans un canoë, alors...

— Alors, pourquoi pas un Phoque dans la Forêt ? suggéra Torak.

Bale sourit. Dit :

— Pourquoi pas, *cousin* ?

Il s'éloigna vers l'ouest. Ses longs cheveux lisses flottaient derrière lui. Autour de lui, le soleil, en plongeant, diluait sa lumière dorée dans l'immensité de la Mer.

Cette nuit-là, Torak et Renn se bâtirent une vraie cabane comme on en construisait dans la Forêt, en réunissant de petits bouleaux vivants dans une clairière tapissée de bruyères vertes et d'épilobes en fleur, d'un rose vif. Ils se préparèrent un vrai repas comme on en cuisinait dans la Forêt, avec un ragoût de champignons et de racines de lion-dent. Fin du fin, Torak dénicha même quelques framboises précoces près du bosquet d'où il avait observé Detlan et Asrif.

— Et pas de baies de genièvre en vue ! signala Renn, rassurée.

Les deux amis s'assirent près du feu. Sentirent la fumée de pin s'élever. Écoutèrent les oiseaux de la Forêt chanter à pleine gorge. Goûtèrent le bonheur d'être là, dans la pénombre, entourés par le murmure perpétuel des arbres, veillés par de pâles étoiles qu'ils apercevaient à travers les branches.

Ils étaient de retour.

Loup partit pour une de ses chasses nocturnes. Renn bâilla longuement.

— Tu te rends compte que, bientôt, ce sera la Lune du Faux-Mûrier ? murmura-t-elle. J'adore les fruits du faux-mûrier...

Torak ne réagit pas. Depuis le départ de Bale, il essayait de rassembler son courage pour révéler à la jeune fille ce qu'il – ou *qui* il était.

— Je dois te dire un truc, Renn, lâcha-t-il, les yeux fixés sur le feu.

— Ah ? répondit la jeune fille en déroulant ses affaires. Quoi ?

— Eh bien... Quand nous étions sur les Hauteurs de l'Aigle, le Mage du clan du Phoque m'a révélé un secret...

— Ah oui, que tu étais un esprit-qui-marche ! lâcha-t-elle en arrêtant de s'affairer.

— Co... comment as-tu deviné ?

— Oh, je n'ai pas deviné, le rassura-t-elle en ôtant une brindille sur ses vêtements. Cette nuit-là, après qu'on s'est disputés, j'étais inquiète. Je t'ai suivi. Et j'ai entendu tout ce que t'a dit Tenris.

Le garçon acquiesça.

— Et ça te fait quoi ? s'enquit-il.

— Qu'est-ce qui me fait quoi ?

— Ben... que je sois ce machin...

— Hé ! T'es pas un « machin » ! T'es une personne !

Elle sourit :

— Et tu n'as pas à être triste.

— Ah bon ?

— Non. C'est sans doute parce que tu es un esprit-qui-marche que tu as cette relation très particulière avec Loup.

— Particulière ? Comment ça, particulière ?

— Tu connais beaucoup de gens qui peuvent *parler* avec des loups ?

— Je ne vois pas le rapport...

— Pourtant ça, pour le coup, ça m'a toujours dérangée.

— Que je parle avec un loup ?

— Oui. Je ne comprenais pas comment cela était possible. Réfléchis un peu : tu étais bébé quand ton père t'a mis dans la tanière du loup. Donc beaucoup trop petit pour parler comme nous ; donc beaucoup trop petit pour parler comme un loup, non ? Alors, comment as-tu fait ?

Renn pencha la tête, la mine pensive, et poursuivit :

— Peut-être tes âmes ont-elles glissé dans l'un des loups... C'est l'explication la plus plausible, me semble-t-il. Et toi, qu'en penses-tu ?

— Je... je n'avais jamais envisagé cette possibilité, admit Torak.

Loup revint de sa chasse, le museau teinté de rouge. Il s'essuya sur les hautes herbes, renifla le feu, rejoignit son frère de meute et frotta son museau contre le menton du garçon.

— Tu crois qu'il le sait ? demanda la jeune fille.

— Que je suis un esprit-qui-marche ? devina Torak en gratouillant l'animal derrière les oreilles. Comment le pourrait-il ? Je serais bien incapable de le dire en langage de loup...

Renn finit de préparer sa couche et s'étendit dessus.

— En tout cas, s'il le sait, ça ne l'empêche pas d'être toujours ton ami.

Le garçon acquiesça ; et cependant, cela ne le réconfortait guère.

La jeune fille bâilla derechef et dit :

— Allez, Torak, il faut dormir !

Le garçon se coucha sur le dos. Il était fatigué. Pourtant, il n'avait pas envie de dormir.

Loup s'allongea contre lui et, bientôt, se mit à se tortiller en grognant : il rêvait.

Son frère de meute, les yeux grand ouverts, fixait la danse des flammes dans la nuit.

Beaucoup plus tard, Renn chuchota :

— Torak, tu dors ?

— Non, dit-il.

— Quand le Chasseur a surgi, après que le Mangeur d'Âmes et toi avez sauté dans l'eau, Tenris t'a crié quelque chose.

— Oui.

— Quoi ?

— Je... J'espérais que tu ne me poserais pas la question, admit le garçon.

— Pourquoi ?

— Je ne peux pas te répondre. Enfin, pas encore. Il faut d'abord que je parle avec Fin-Kedinn.

QUARANTE-CINQ

Il fallut quatre jours à Renn et Torak pour atteindre le campement du clan du Corbeau. Ils traversèrent la Forêt tandis que, lentement, les signes de la maladie régressaient. Une forte odeur de genévriers brûlés flottait dans l'air. Les messagers d'Islinn avaient bien travaillé.

Fin-Kedinn leur avait facilité la tâche. Il avait convaincu les clans de la Forêt Ouverte de rester ensemble, afin de s'entraider, le temps que la Maladie disparût. La plupart des malades se remettaient lentement. Mais les Corbeaux, à eux seuls, avaient perdu cinq des leurs.

Pendant les deux jours qui avaient suivi son retour, Torak n'avait pas réussi à coincer Fin-Kedinn pour lui parler seul à seul. Le chef des Corbeaux était trop occupé à veiller sur les membres de son clan et à vérifier si tous les chasseurs partis en expédition dans la Forêt avaient bien été avertis du danger des baies de genièvre.

Le septième jour, l'agitation se calma. Quelques Corbeaux repartirent chasser. D'autres, près de la rivière, pêchaient des truites.

Renn s'assit près de Saeunn pour lui expliquer comment elle avait libéré les âmes cachées des tokoroths. Loup n'avait pas apprécié la compagnie des chiens. Il avait préféré disparaître dans la Forêt.

Torak trouva le chef du clan sur les rives d'un ruisseau qui allait se jeter dans les Grandes Eaux. Il faisait chaud, mais les arbres verts dispensaient une ombre apaisante. En cette fin d'été, l'air était doux, agréable. Les abeilles bourdonnaient dans les branchages.

— Je veux savoir la vérité, dit enfin Torak à Fin-Kedinn.

L'homme vérifiait le tranchant d'une hache avec le gras de son pouce.

— La vérité sur quoi ? demanda-t-il.

— Sur tout, lança le garçon.

L'attente n'avait fait qu'accroître son irritation.

— Pourquoi ne pas m'avoir raconté mon histoire avant ? s'emporta-t-il.

D'un coup de hache, Fin-Kedinn coupa un bout de bois et se mit à peler son écorce.

— Que voulais-tu que je te raconte avant ?

— Que j'étais un esprit-qui-marche ! Que le Mage du clan du Phoque était mon oncle ! Que... que la maladie était de ma faute !

Le chef des Corbeaux se raidit.

— Ne répète jamais ça, ordonna-t-il.

— Mon oncle a répandu la maladie à cause de moi, insista Torak. C'est à cause de moi qu'il a tué des Corbeaux... et d'autres ! À cause de moi !

— Non, trancha l'homme.

Son regard bleu étincela.

— Toi, tu n'as rien fait de mal, continua-t-il. Tu ne peux pas prendre sur toi les crimes qu'un autre a commis. C'est lui, le coupable. Pas toi. Rappelle-toi toujours ça.

La tension était montée d'un coup. L'air était électrique.

L'homme jeta l'écorce avec d'autres, à ses pieds.

— Et dis-toi que, parfois, tu te trompes, lâcha-t-il. J'ignorais que tu étais un esprit-qui-marche. Renn m'a appris la nouvelle hier soir. Personne n'était au courant.

— Je croyais que P'pa en aurait parlé à Saeunn...

— Quand ça ?

— Quand j'étais petit et que les clans s'étaient rassemblés près de la Mer...

— Il lui a dit qu'il t'avait mis dans la tanière d'un loup, quand tu étais petit ; et que tu deviendrais peut-être plus tard celui qui vaincrait les Mangeurs d'Âmes. Mais il n'a pas expliqué ce qui l'avait aidé à se forger cette conviction.

— Pourquoi le lui avoir caché ?

— Qui sait ? C'était un homme traqué depuis longtemps. Il avait dû devenir plus que prudent : méfiant.

« Méfiant envers son propre fils », compléta Torak. Car le pire effet de ce silence, de cette dissimulation, c'était que, parfois, le garçon en voulait à P'pa de lui avoir dissimulé la vérité.

— Il a agi du mieux qu'il a pu, selon sa conscience, affirma Fin-Kedinn. Il ne voulait pas obscurcir ton enfance avec l'ombre de ton destin.

Torak s'allongea sur la berge et arracha une touffe d'herbe.

— Vous les connaissiez, n'est-ce pas ?

— Qui ça ?

— Mon père et son frère.

Le chef des Corbeaux ne répondit pas tout de suite au garçon.

— Parlez-moi d'eux, demanda celui-ci. S'il vous plaît.

Fin-Kedinn se passa une main dans la barbe. Soupira. Se décida à parler :

— Je les ai croisés il y a vingt-huit étés de cela. J'avais onze ans. Ton père en avait neuf. Il appartenait au clan du Loup, comme son père. Son frère avait mon âge. Il appartenait au clan du Phoque, comme leur mère. Nous avons passé cinq lunes ensemble, au sein du clan du Loup.

— Avec les loups ? s'exclama Torak. Mais je ne les ai jamais vus, moi ! Comment cela...

— Jadis, ils n'étaient pas aussi fuyants qu'aujourd'hui, l'interrompit l'homme. Les temps changent. Les gens apprennent la méfiance et ne l'oublient plus.

Il rassembla les écorces qu'il avait pelées et les lia avec un brin d'herbe.

— Nous sommes devenus amis, ton père, son frère et moi, dit-il. Moi, je passais mon temps à chasser. Eux, c'est la Magie qui les passionnait. Ton père était passionné par les arbres, la chasse, la vie des proies. Quant à son frère...

Il noua le lien avec force avant de poursuivre :

— Ton oncle ne pensait qu'à contrôler les autres. À les dominer.

Il prit son ballot et le plaça sous une pierre, dans le ruisseau.

— Dix hivers se sont écoulés, raconta-t-il. Nous sommes restés de bons amis. Mais le onzième hiver, tout a changé.

L'eau tourbillonnait autour de ses mollets, tandis qu'il se penchait pour récupérer un ballot d'écorces qui avait trempé pendant plusieurs jours.

— Ton père est devenu le Mage du clan du Loup, déclara-t-il en jetant le ballot sur la berge. Son frère passait aux yeux de certains, dont des Anciens, pour le plus doué et le mieux qualifié. Pourtant, il n'a pas été choisi pour être le Mage du clan du Phoque.

L'homme grimaça et commenta :

— Il en a conçu beaucoup d'amertume. Nous n'avons compris à quel point qu'après, quand il était trop tard. Il a abandonné son clan, et il est devenu un vagabond solitaire.

— Où est-il allé ? s'enquit Torak.

Le visage de Fin-Kedinn exprima une profonde tristesse.

— Je l'ignore. Je ne l'ai jamais revu. Mais, six ans plus tard, ton père m'a appris que son frère avait réapparu. Il avait rejoint un groupe de Mages qui se faisaient appeler les « Guérisseurs ».

— Mais il n'était pas Mage ! protesta le garçon.

— Il peut être très persuasif, quand il veut, répondit le chef des Corbeaux. Tu es bien placé pour le savoir, non ?

Il revint sur la rive et s'agenouilla près du ballot mouillé.

— Je t'avais expliqué que les Guérisseurs étaient devenus des Mangeurs d'Âmes, rappela-t-il. Je t'ai raconté comment ils avaient répandu la terreur dans la Forêt. C'est après qu'est arrivé le grand feu qui les a brisés. Certains d'entre eux en ont gardé de terribles stigmates ; tous ont été séparés, et n'ont eu qu'une idée en tête : se cacher.

— Mon oncle a été brûlé sur le visage et une partie du corps, confirma Torak.

— Nous ignorions que, après ces événements, il avait réintégré son clan, poursuivit l'homme. Par contre, nous savions que le clan du Phoque avait abandonné la Forêt pour rejoindre les clans de la Mer. Et le bruit a couru qu'ils avaient un nouveau Mage.

Le garçon jeta les brins d'herbe dans le ruisseau et regarda le courant les faire disparaître. Il pensait au moment où le corps sanguinolent du Mangeur d'Âmes avait été emporté dans les profondeurs.

— Il me cherchait parce que je suis un esprit-qui-marche, murmura-t-il. Il voulait mon pouvoir.

Il se tut un moment, les yeux fixés sur l'eau qui coulait, imperturbable.

— Les autres Mangeurs d'Âmes voudront aussi me mettre la main dessus, déduisit-il.

— Peut-être ne sont-ils pas encore au courant que tu existes, suggéra Fin-Kedinn. Peut-être le Mage du clan du Phoque a-t-il agi seul.

— Et peut-être pas, rétorqua Torak. Peut-être quelqu'un l'a-t-il aidé.

Soudain, la Forêt parut se resserrer autour de lui. Le bourdonnement des abeilles devint étrangement menaçant. Le garçon repensa aux yeux jaunes de son oncle. Il imagina les autres Mangeurs d'Âmes. Ces êtres sans visage, aux noms inconnus, mais qui étaient tapis, quelque part. Prêts à bondir sur lui pour s'approprier son pouvoir.

— Ils entendront parler de moi, affirma-t-il. Ils apprendront ce dont je suis capable. Ils viendront me chercher.

Le chef des Corbeaux opina :

— Tu as les moyens de les rendre plus puissants que dans leurs rêves les plus fous... ou de les détruire.

— C'est pour ça que vous n'avez jamais proposé de m'adopter ? s'enquit Torak en croisant son regard. Parce que je représente un trop grand danger ?

— Je... je dois m'assurer que mon clan vit en sûreté. Voilà mon rôle. Pour ta part, tu peux nous aider à vaincre les ennemis de la Forêt. Mais tu peux aussi causer notre perte.

— Je ne ferai jamais de mal à un Corbeau ! rugit le garçon en se redressant.

— C'est ce que tu crois, rétorqua l'homme. Tu n'as aucune idée de ce que tu deviendras. En fait, *personne* n'en a la moindre idée.

— N'importe quoi ! Je...

— Le mal existe. Il est autour de nous. Certains le combattent. D'autres l'alimentent. Il en a toujours été ainsi ; car telle est la nature humaine...

Torak poussa un cri de colère et se détourna brusquement.

Fin-Kedinn n'alla pas le réconforter. Il se contenta de délier le ballot, de prendre un morceau d'écorce et d'entreprendre d'en ôter la filasse.

Le garçon avait peur. Il avait l'impression de se tenir au bord d'un gouffre et de s'apprêter à sauter – non plus dans la Mer : dans l'inconnu. Il inspira un bon coup pour oser poser la question qui le hantait depuis que le Mage des Phoques avait péri.

— L'hiver dernier, dit-il, quand vous m'avez parlé des Mangeurs d'Âmes, vous m'avez expliqué qu'ils étaient sept. Vous ne m'en avez décrit que cinq.

Les mains puissantes du chef des Corbeaux s'immobilisèrent.

— Le Mage des Phoques était le sixième, continua Torak. Et le septième ?

Ses poings se serrèrent quand il annonça :

— Mon père avait une cicatrice sur la poitrine, là...

Il toucha son sternum.

— J'ai eu du mal à... à lui apposer les Marques Mortuaires..., souffla-t-il dans un filet de voix. Le Mage des Phoques a dit quelque chose qui m'a laissé penser que... que le septième Mangeur d'Âmes était peut-être... peut-être...

Fin-Kedinn se frotta le visage et reposa la filasse sur l'herbe.

— Mon père, devina Torak. Le septième Mangeur d'Âmes, c'était mon père...

Le vent fit frissonner les branches, répandant dans l'air une senteur douce et apaisante. Les arbres semblaient vouloir calmer sa douleur.

— Non, lâcha le garçon. Non...

Mais il lut la réponse dans les yeux du chef des Corbeaux. Et il tomba à genoux.

Fin-Kedinn vint le rejoindre. Il s'assit près de lui et lui dit :

— Tu te souviens que je t'ai appris que, au début, il n'y avait pas de mal ? Ton père le croyait. C'est pourquoi il les a rejoints. Afin de guérir les malades et de chasser les démons. Ta mère n'a jamais cru à la bonté des autres

Guérisseurs. Elle *savait*. Mais, quand ton père a compris la vérité, il était trop tard.

L'homme étendit les mains.

— Il a voulu les quitter, assura-t-il. Eux n'ont pas voulu le laisser partir.

— C'est pour ça que... qu'ils l'ont tué ? s'enquit Torak.

— Oui..

Le garçon resta assis, la tête basse, secoué par des sanglots sans larmes. Le chef des Corbeaux resta à son côté un moment. Sans le toucher. Sans parler. Sa présence seule faisait l'effet d'un baume réconfortant.

Puis il se leva et lança :

— Je rentre au campement. Toi, reste ici. Finis de peler les écorces que j'ai sorties. Lave la filasse dans le ruisseau. Et suspends-la pour qu'elle sèche.

Torak acquiesça. Il aurait été incapable de parler.

— Demain, je t'apprendrai à tisser une corde, promit Fin-Kedinn.

Puis il le laissa seul.

Torak courut à perdre haleine. Il courut jusqu'à ne plus pouvoir faire un pas. Mais cela n'apaisa pas ses pensées.

P'pa avait été un Mangeur d'Âmes. P'pa. Son propre P'pa à lui...

Il avait la poitrine nouée. Du mal à respirer. Un tourbillon de sentiments le balayait. Un mélange de rage, de culpabilité et de peur.

Il s'arrêta devant un torrent bouillonnant qui se heurtait à de gros rochers moussus. Un écureuil fila vers la cime du sycomore le plus proche. Une loutre dodue interrompit son repas (elle dégustait une grosse truite) pour filer se dissimuler dans les hautes herbes.

Le garçon se pencha pour boire. Son âme-du-nom le regarda.

Torak du clan du Loup.

Torak l'esprit-qui-marche.

Il arracha furieusement des fleurs de pissenlit, qu'il réduisit en charpie entre ses doigts. Il n'était pas du clan du Corbeau. Pas du clan du Phoque. Il n'était de nulle part...

Il resta ainsi, immobile, des bouts de pissenlit dans les mains.

La loutre finit par ressortir pour achever son repas. Sur le sycomore, l'écureuil entreprit d'arracher l'écorce pour atteindre la sève gluante et sucrée de l'arbre.

Torak s'assit, le dos contre le tronc de l'arbre. Et, plus il observait ces animaux, plus il sentait le calme revenir en lui. Eux se moquaient que son père eût été un Mangeur d'Âmes. Ils se moquaient que lui-même fût un esprit-qui-marche. Du moment qu'il les laissait vivre en paix. Du moment qu'il ne les dérangeait pas. Du moment qu'il se fondait dans la nature.

Il posa sa paume contre l'arbre ; et il sentit sa force – la puissance même de la Forêt – palpiter. Non, il n'était pas de nulle part. Il ne pouvait pas dire ça. Il était de la Forêt.

Par-delà toutes les aventures terribles qu'il avait traversées, la Forêt lui avait donné la force de se battre. La force de vaincre l'Ours. La force de survivre au Mage des Phoques. La force d'échapper à la Mer. La force d'affronter son destin. Et peut-être l'esprit de P'pa, où qu'il fût, l'avait-il appris ; et peut-être était-il fier de Torak.

Au-dessus du garçon, le sycomore s'agita sous le vent. Il ouvrit grand ses bras. Il fixait Torak, qui leva la tête et examina les feuilles vertes qui luisaient.

Avec l'aide de la Forêt, il irait affronter son destin. Il accomplirait tout ce qui serait en son pouvoir pour vaincre les Mangeurs d'Âmes.

— Je le ferai, jura-t-il à voix haute. Oui, je le ferai...

Loup trouva son frère de meute assis près de la petite Eau Rapide. Il déchirait des pétales gris brillants entre ses pattes..

Loup sauta dans le ruisseau pour se rafraîchir les coussinets. Il mangea quelques fleurs pour imiter son frère de meute. Il agita la queue. Grand Sans Queue ne lui sourit pas. Loup sentit sa tristesse ; il en fut stupéfait.

Lui était très, très content. Il ne doutait plus. Il ne se cherchait plus. Il avait compris le sens de son existence. Quand il n'était qu'un louveteau, il avait aidé Grand Sans Queue à combattre l'ours démoniaque. Puis, sur l'île aux oiseaux mangeurs de poissons, il avait chassé les démons des petits Sans Queue.

Voilà pourquoi il était venu au monde : pour aider Grand Sans Queue à combattre les démons.

Ce qui supposait de ne jamais retourner avec sa meute, dans la Montagne. Mais Loup ne le regrettait pas trop, puisqu'il serait avec son frère de meute.

Le problème, c'est que Grand Sans Queue était triste.

Dans l'espoir de le réconforter, Loup se frotta contre lui, afin de partager son odeur. Grand Sans Queue se pencha vers lui et lui demanda :

« Sais-tu qui je suis ? »

« Mon frère de meute, bien sûr ! » répondit Loup, décontenancé.

« Mais sais-tu quelle *créature* je suis ? »

« Ouiii ! » s'impatienta Loup.

Grand Sans Queue le fixait droit dans les yeux. Ce n'était pas très poli, de sa part ! Puis il se mit à sourire.

« Tu es sûr ? » insista-t-il.

Loup agita sa queue.

Il décida qu'ils avaient assez parlé. Il se coucha sur ses pattes avant. Aboya. Invita Grand Sans Queue à jouer.

Comme son frère de meute restait immobile, Loup le bouscula.

Le Sans Queue poussa un cri et tomba sur la rive. Loup lui chatouilla les flancs avec son museau. Son frère de meute lui saisit la gueule et lui mordilla l'oreille.

Les deux adversaires roulèrent sur l'herbe ; et bientôt, Grand Sans Queue poussa d'étranges aboiements-jappements ; et Loup fut ravi car il savait que, aussi bizarre que cela semblât, c'est ainsi que les Sans Queue rient.

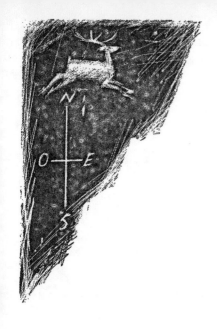

Fin

Retrouve Torak dans le tome 3 des
Chroniques des Temps Obscurs
"Les Mangeurs d'Âmes"
À paraître en 2007

NOTE DE L'AUTEUR

Le monde de Torak est celui qui existait il y a six mille ans. C'était après l'ère glaciaire et avant les débuts de l'agriculture. Le nord-ouest de l'Europe était alors entièrement recouvert par une Forêt.

Les gens qui vivaient à l'époque de Torak nous ressemblaient – oui ! à vous et à moi ! – ; et cependant, leur manière de vivre était radicalement différente. Ils ignoraient l'écriture, les métaux, la roue, mais ils n'en avaient pas besoin. C'étaient des survivants-nés. Ils connaissaient chaque animal, chaque arbre, chaque plante, chaque pierre de la Forêt. Quand ils avaient besoin de quelque chose, ils savaient où le trouver ou comment le fabriquer.

Ils vivaient en petits clans. La plupart d'entre eux étaient des nomades. Certains changeaient de campement tous les deux ou trois jours, comme Torak ou le clan du Loup ; d'autres restaient au même endroit une lune entière ou une saison – c'est le cas des clans du Corbeau et du Sanglier ; d'autres, toutefois, étaient quasiment sédentaires et demeuraient donc toute l'année au même emplacement – c'est le cas du clan du Phoque. D'ailleurs, vous l'aurez remarqué si vous avez lu attentivement la carte, les Corbeaux et les Sangliers se sont quelque peu déplacés depuis les événements que raconte *Frère de Loup*.

Pour écrire *Fils de l'eau*, j'ai passé du temps dans les îles Lofoten, au nord-ouest de la Norvège, ainsi qu'au Groenland. J'ai étudié les us et coutumes traditionnels des Sami et des Inuits. J'ai appris comment ils construisaient leurs bateaux, comment ils chassaient le phoque et comment ils cousaient leurs vêtements.

L'idée de l'À-pic m'est venue en visitant les très anciens rochers sculptés de Dyreberget à Leiknes, dans le nord-ouest de la Norvège.

L'idée des Chasseurs m'est venue quand j'ai nagé avec des requins tueurs sauvages à Tysfjord[1], au nord-ouest de la Norvège. J'aurais été incapable de raconter ce qu'éprouvait Torak dans la Mer si je ne m'étais pas jetée à l'eau d'abord ! Et je crois que le fait d'avoir nagé à proximité de ces poissons redoutables a changé à jamais ma vision de ces étonnantes créatures...

---

1. Tysfjord est une baie norvégienne où de nombreux poissons viennent se reproduire en octobre, ce qui attire de grands carnivores.

Je tiens à remercier tous les gens du Polaria de Trømsø, en Norvège. Ils m'ont aidée à comprendre ce que pouvait éprouver un phoque.

Merci aussi aux peuples du Groenland occidental pour leur hospitalité, leur ouverture d'esprit et leur bonne humeur.

Merci au UK Wolf Conversation Trust pour les moments inoubliables que j'ai passés avec quelques loups merveilleux.

Merci aux gens de Tysfjord de m'avoir aidée à approcher des requins mangeurs d'hommes et des aigles à queue blanche.

Merci à M. Derrick Coyle, le maître des corbeaux de la Tour de Londres, pour avoir partagé avec moi sa connaissance sans limites de quelques spécimens très spéciaux.

Enfin, comme toujours, je veux remercier mon agent, Peter Cox, et mon éditrice, Fiona Kennedy, pour leur enthousiasme indéfectible et leur soutien.

Michelle Paver
Londres, 2005

Le site officiel de l'auteur (www.michellepaver.com) permet d'accéder au site du fan-club : www.torak.info. Pour ceux qui parlent anglais seulement !

ÎLES DU VARECH

VERS LA FORÊT

L'À-PIC

LE ROCHER

ÎLES DU PHOQUE

Composition *JOUVE* - 62300 Lens
N° 1060826w

Impression réalisée sur CAMERON
par BRODARD ET TAUPIN
La Flèche
en avril 2006

Dépôt légal imprimeur : 34591 – Éditeur : 70621
20.16.0912.4/01 - ISBN : 2.01.200912.3

Loi n° 49-956 du 16 juillet 1949 sur les publications destinées à la jeunesse.
Dépôt légal : avril 2006